Raymond O'Meara Jan 96

LES GENS DU MENSONGE

LES GENS DU MENSONGE

M. Scott Peck, M.D.

Traduit de l'américain par

Guy Maheux

Titre original: **People of the lie**
© 1983 by M. Scott Peck, M.D.
© 1990 pour la traduction française
par les Éditions Flammarion ltée

ISBN: 2-89077-069-9

Conception de la couverture: Chantal Lord

Dépôt légal: 4e trimestre 1990

LES GENS DU MENSONGE

L'ESPOIR DE GUÉRIR LA MÉCHANCETÉ HUMAINE

Table des matières

CHAPITRE 7

LE DANGER ET L'ESPOIR

INTRODUCTION

À lire avec prudence

Ce livre est dangereux.

Je l'ai écrit parce que je crois en sa nécessité. Je sais qu'il produira des effets curatifs.

Je l'ai aussi écrit avec une vive inquiétude car il pourrait faire mal. Certains lecteurs en éprouveront de la douleur. Pire encore, quelques-uns s'en serviront peut-être pour en blesser d'autres.

Je me suis renseigné auprès de plusieurs premiers lecteurs dont le jugement et l'intégrité m'inspirent le plus grand respect. Je leur ai demandé: "Croyez-vous que ce livre sur le mal humain soit lui-même méchant?" On m'a assuré que non. En outre, l'un d'eux précisa: "Certains fidèles de notre église prétendent que même la Vierge Marie peut servir de fantasme sexuel."

Si réaliste qu'elle soit, je ne trouve pas cette piquante remarque très rassurante. Je m'excuse auprès de mes lecteurs et du public pour le tort que ce livre pourrait causer, et je vous prie de le lire avec précaution.

Avec précaution c'est aussi avec amour. Soyez généreux et amoureux de vous-même si vous trouvez que ce texte vous fait mal. Soyez également amoureux et généreux pour ceux de vos voisins que vous qualifiez de méchants. Jugez-les avec beaucoup de prudence.

C'est facile de détester les méchants. Mais, souvenez-vous de Saint Augustin qui recommandait de haïr le péché et d'aimer le pécheur.(1) En présence d'une personne méchante, n'oubliez jamais de dire: "Par la grâce de Dieu, ce n'est pas moi!"

Quand je qualifie de mauvais certains êtres humains, je pose un jugement de valeur dangereux. Le Seigneur a dit: "Ne jugez pas pour ne pas être jugé." Souvent cité hors contexte, il n'a pas dit qu'il ne faut jamais juger son voisin puisqu'il ajouta: "Hypocrite, commence par enlever la poutre de ton oeil, tu penseras ensuite à enlever la paille de l'oeil de ton frère."(2) Ce qui signifie qu'il faut d'abord se juger soi-même, et ensuite juger autrui avec infiniment de prudence.

Nous ne pouvons espérer guérir la malice humaine à moins d'en avoir une idée précise. Plusieurs ont qualifié de beau livre mon dernier ouvrage, *Le chemin le moins fréquenté*.(3) Par contre, le présent livre n'est pas un beau livre. Il traite de notre côté peu reluisant et, en majeure partie, des membres les plus sombres de notre communauté humaine: ceux que je qualifie de franchement mauvais. Il ne s'agit pas de personnes agréables et nous sommes dans l'obligation de les juger. La grande thèse de mon ouvrage est axée sur la nécessité d'étudier scientifiquement cette catégorie de gens ainsi que la malice humaine en général. Il ne s'agit pas d'une étude abstraite ou philosophique, mais d'une étude scientifique. Dans cette optique, nous devrons porter des jugements, mais, avant de conclure, nous parlerons des dangers que cela présente. Entre-temps, souvenez-vous que ces jugements ne seront fondés que si nous commençons par nous juger et nous corriger nous-mêmes. La guerre contre la méchanceté humaine commence chez soi. Notre arme la plus puissante sera toujours l'auto-purification.

Plusieurs raisons m'ont rendu pénible la rédaction de ce livre, la principale étant que ma tâche est une tâche continue: je n'ai pas fini d'apprendre la méchanceté humaine, je continue de l'apprendre. En vérité, je ne fais que commencer à l'apprendre. Un des chapitres s'intitule: "Vers une psychologie du mal", précisément parce que nos connaissances scientifiques ne sont pas encore suffisantes pour en faire une psychologie véritable. Ainsi, permettez-moi cet autre avertissement: rien de ce qui suit ne doit être considéré comme définitif. En effet, le but de mon livre est de mettre en évidence le peu de satisfaction que doit nous procurer notre ignorance actuelle.

Plus haut, j'ai parlé de Jésus comme mon Seigneur. Après m'être identifié vaguement au mysticisme bouddhique et islamique pendant plusieurs années, j'ai fini par m'engager fermement dans la voie chrétienne, ce qui fut confirmé par mon baptême non-confessionnel le 9 mars 1980, longtemps après avoir commencé la rédaction de cet ouvrage. Un jour, un auteur m'envoya son manuscrit en s'excusant de son "préjugé chrétien." Je n'ai pas l'intention de l'imiter. Je ne m'engagerais pas dans une démarche que je considérerais empreinte de préjugés. Je ne veux pas non plus déguiser mon point de vue chrétien. Je ne le pourrais pas. Mon engagement chrétien est le côté le plus important de ma vie. C'est une démarche envahissante et totale.

Je crains qu'à plusieurs égards, mon point de vue n'influence indûment certains lecteurs. Je vous invite donc à user d'une grande prudence dans ce domaine également. A travers les siècles et encore aujourd'hui, des torts énormes ont été commis par de soi-disant chrétiens, souvent au nom de Jésus. L'Eglise chrétienne visible est nécessaire, salvatrice même; mais elle n'en est pas moins fautive et je vous demande d'excuser ses péchés de même que les miens.

Les Croisades et l'Inquisition n'ont rien à voir avec le Christ. La guerre, la torture et les persécutions n'ont rien à voir avec le Christ. Quand il prononça son seul sermon reconnu, Jésus a commencé par: "Bienheureux les pauvres d'esprit." Non pas les arrogants. De plus, au moment de mourir, il nous demanda de pardonner à ses assassins.

Dans une lettre à sa soeur, Sainte Thérèse de Lisieux écrivait: "Si vous acceptez de porter sereinement le poids de vous déplaire à vous-mêmes, vous serez alors un abri agréable pour Jésus."(4) C'est risqué de définir un "vrai chrétien." Si j'avais à le faire, je dirais qu'un vrai chrétien c'est "un abri agréable pour Jésus." Par centaines de milliers, les gens se rendent tous les dimanches dans les églises chrétiennes sans être le moindrement disposés à se déplaire à eux-mêmes, que ce soit avec sérénité ou autrement. Ils ne sont donc pas un abri agréable pour Jésus. Par ailleurs, il y a des millions de bouddhistes, d'hindous, de musulmans, de juifs, d'athées et d'agnostiques, qui sont prêts à le faire. Rien dans ce livre ne saurait offenser ces derniers. Ce n'est pas le cas pour les autres.

Je me vois forcé de faire une autre "non-excuse." Il est possible que certains prennent la mouche parce que je parle de Dieu au masculin. Je comprends et apprécie leur inquiétude. Je me suis longuement penché sur cette question. La plupart du temps, j'ai supporté avec conviction le mouvement féministe, ainsi que toutes les façons raisonnables de combattre les expressions sexistes. Mais, d'abord et avant tout, Dieu n'est pas neutre. Il éclate de vie et d'amour, et même d'une certaine sexualité. Il n'est donc pas approprié d'en parler "au neutre". Certes, Dieu est androgène. Il est aussi doux, tendre, nourricier et maternel que n'importe quelle femme. Néanmoins, aussi résolument culturel que celà puisse sembler, je vois subjectivement sa réalité comme étant plus masculine que féminine. Alors qu'Il nous nourrit, il veut également nous pénétrer quand, plus souvent qu'autrement, nous fuyons son amour comme une vierge récalcitrante. Il nous pourchasse avec une vigueur que l'on associe plutôt aux mâles. C.S. Lewis a dit que nous sommes tous des femelles par rapport à Dieu.(5) De plus, peu importe notre sexe ou notre pensée théologique, nous avons le devoir et l'obligation, en réponse à son amour et à l'instar de Marie, de faire naître le Christ en nous et dans les autres.

D'autre part, je brise avec la tradition et vois Satan comme étant de sexe neutre. Je sais que lui aussi a envie de nous pénétrer, mais je ne perçois rien de sexuel ni de créateur dans ce désir; il est plutôt haineux et destructif. Surtout, c'est difficile de déterminer le sexe d'un serpent.

J'ai modifié plusieurs détails des nombreux cas décrits dans cet ouvrage. Les pierres angulaires de la psychothérapie et de la science sont l'honnêteté et l'exactitude. Toutefois, il y a souvent de la rivalité entre les valeurs et j'ai choisi de protéger la confidentialité plutôt que de préciser des faits sans importance. Ainsi, un puriste pourrait douter de mes "données." Vous ne reconnaîtrez aucun de mes malades dans ce livre. Par contre, plusieurs comportements vous seront familiers. En effet, les retouches que j'ai faites n'ont pas, selon moi, déformé la réalité de la dynamique humaine dont il est question. De plus, j'ai écrit ce livre à cause de l'universalité de cette dynamique et de son besoin d'être mieux perçue et comprise par nous, en qualité d'êtres humains.

La liste serait trop longue pour que je puisse mentionner tous ceux qui m'ont supporté dans mon travail. Qu'il me suffise de ne nommer que ceux-ci: Ma fidèle secrétaire, Anne Pratt, qui, sans l'aide d'un ordinateur, a tapé pendant cinq ans les nombreuses versions et revisions de mon manuscrit; mes enfants, Belinda, Julia et Christopher, qui ont souffert de mon acharnement au travail; mes collègues qui m'ont soutenu et ont eu, eux aussi, le courage d'affronter la terrible réalité de la méchanceté humaine, surtout ma femme Lily à qui je dédie cet ouvrage, et mon cher ami "athée", Richard Stone; mon éditeur, Erwin Glikes, qui m'a tellement encouragé par sa conviction du bien-fondé de mes efforts; tous ces braves malades qui se sont soumis à mes soins maladroits pour ainsi devenir mes professeurs; et, finalement, deux célèbres étudiants de la méchanceté humaine et aussi mes mentors, Erich Frommm et Malachi Martin.

M. Scott Peck, M.D.
New Preston, Connecticut 06777

1

L'HOMME QUI FIT UN PACTE AVEC LE DIABLE

George avait toujours été une personne libre de soucis, du moins c'est ce qu'il croyait, jusqu'à cet après midi du début d'octobre. Il connaissait, bien sûr, les tracas normaux d'un vendeur, d'un père et époux, d'un propriétaire de maison avec un toit qui coule parfois et dont la pelouse a toujours besoin d'être tondue. Il faut aussi dire qu'il était particulièrement propre et ordonné et qu'il s'alarmait plus que d'autres si le gazon était trop haut ou la peinture un peu écaillée. Ajoutons que le soir, au coucher du soleil, il éprouvait une bizarre sensation de mélancolie et d'appréhension. George n'aimait pas le crépuscule, mais cela ne durait que quelques minutes. Parfois, il ne s'en rendait même pas compte lorsqu'il était occupé à faire une vente, ou quand le ciel était gris.

George était un as de la vente. Beau garçon, d'expression facile aux manières plaisantes, excellent conteur, il avait connu une ascension météorique dans les états américains du sud-est. Il vendait des couvercles à pression, comme ceux qui se posent facilement sur les boîtes de café. C'était un produit très concurrentiel et sa compagnie en était l'un des cinq principaux fabriquants. En moins de deux ans, après avoir hérité d'un territoire déjà très bien desservi, George en avait triplé le chiffre d'affaires grâce à ses talents. A trente-quatre ans, il commandait près de soixante mille dollars par année en salaire et commissions, sans s'efforcer. Il avait réussi.

Ses problèmes commencèrent à Montréal. On lui conseilla de s'y rendre à l'occasion d'une convention de manufacturiers de plastique. On était en automne et comme lui et sa femme n'avaient jamais vu le coloris des feuillages du nord à cette époque de l'année, il décida de l'emmener avec lui. Ils eurent du bon temps. La convention était banale comme toutes les autres, mais la nature était magnifique, les restaurants excellents, et Gloria de bonne humeur. Au cours de leur dernier après-midi, ils décidèrent de visiter une cathédrale. Peu religieux l'un et l'autre, Gloria n'était tout au plus qu'une tiède protestante, tandis que lui, fils d'une mère fanatiquement dévote, éprouvait une grande aversion pour les églises. Mais c'était un lieu à visiter et ils étaient à Montréal pour ça. Il trouva l'endroit sombre, sans intérêt et fut content lorsque Gloria en eut assez. En sortant, il aperçut une petite boîte à aumône près de la grande porte. Il s'arrêta, indécis. D'une part, il n'avait aucune envie de donner un sou à cette église, ou à d'autres. Par ailleurs, sans raison aucune, il eut peur de compromettre la stabilité de son existence s'il ne donnait rien. Cette crainte le plongea dans l'embarras car il était un homme sensé. C'est alors que lui vint la pensée qu'il serait tout à fait logique de déposer une petite contribution, comme on le fait dans un musée ou un parc d'amusement. Il décida de donner la monnaie dans sa poche, à la condition que le montant ne soit pas trop élevé. Il compta cinquante-cinq sous et les versa dans le tronc.

C'est à ce moment que l'idée le frappa pour la première fois. Ce fut un choc, un véritable coup de poing complètement inattendu qui le stupéfia, le bouleversa. C'était plus qu'une pensée. C'était comme si les mots s'écrivaient soudainement dans son esprit: "TU VAS MOURIR A 55 ANS."

George chercha son portefeuille. Le gros de son argent était sous forme de chèques de voyage, mais il trouva trois billets formant la somme de sept dollars. Il les sortit fébrilement et les enfouit dans la boîte. Puis, il prit Gloria par le bras et l'entraîna à l'extérieur. Elle voulut savoir ce qui n'allait pas. Il lui dit qu'il ne se sentait pas bien et voulait rentrer à l'hôtel. Il ne se souvint pas d'avoir descendu les marches de la cathédrale, ni d'avoir pris un taxi. Ce n'est qu'une fois dans leur chambre, étendu sur le lit et prétextant un vague malaise, que sa panique finit par diminuer.

Le lendemain, dans l'avion qui les ramenait en Caroline du Nord, George était paisible et confiant. Il avait oublié l'incident.

Deux semaines plus tard, en conduisant dans l'état du Kentucky, George vit un panneau annonçant une courbe et une limite de vitesse de quarante-cinq milles (72km) à l'heure. C'est alors qu'une autre pensée l'assaillit, gravée dans son esprit comme auparavant, en grosses lettres: "TU VAS MOURIR À 45 ANS."

George se sentit mal à l'aise durant le reste de la journée. Cette fois cependant, il put examiner son expérience d'une façon plus objective. Ces deux pensées émanaient de nombres. Les nombres ne sont que des nombres, rien d'autre; des abstractions sans signification. S'ils signifiaient quelque chose, pourquoi changeraient-ils? D'abord 55, ensuite 45. S'ils étaient consistants, il aurait peut-être raison de s'en faire. Mais, ce n'était que des chiffres, sans plus. Le jour suivant, il était redevenu lui-même.

Une semaine plus tard, près d'un petit village, un panneau lui apprit qu'il entrait dans Upton, Caroline du Nord. C'est alors qu'une troisième pensée l'assaillit: "TU SERAS ASSASSINÉ PAR UN HOMME QUI S'APPELLE UPTON." George devint vraiment inquiet. Deux jours plus tard, en passant devant une gare abandonnée, un autre message se manifesta: "LE TOIT DE CET IMMEUBLE VA S'EFFONDRER QUAND TU SERAS À L'INTÉRIEUR. TU SERAS TUÉ."

Par la suite, il eut de ces pensées presque tous les jours en roulant sur son territoire. George se mit à appréhender les matins où il devait entreprendre un voyage d'affaires. Ses préoccupations minaient son travail et il perdit son sens de l'humour. La nourriture n'avait plus de saveur. Le soir, il avait de la difficulté à s'endormir. Malgré tout, c'était encore supportable jusqu'au matin où il eut à franchir la rivière Roanoke. Il eut aussitôt cette idée: "TU NE TRAVERSERAS JAMAIS PLUS CETTE RIVIÈRE."

George envisagea la possibilité de raconter ces choses

à Gloria. Croira-t-elle qu'il est fou? Il ne pouvait se résigner à lui parler. Au lit ce soir-là, pendant que Gloria ronflait doucement près de lui, il fut jaloux de sa paix d'esprit alors que son propre dilemme le tenaillait. Le pont de la rivière Roanoke se trouvait sur une route qu'il devait emprunter très souvent. Pour l'éviter, il lui faudrait faire chaque mois un détour de plusieurs centaines de kilomètres, ou laisser tomber plusieurs clients. Bon sang! C'était absurde. Il ne pouvait laisser sa vie se gâcher à cause de simples images, de pures créations d'une imagination perverse. Rien ne laissait croire que ces pensées se rapprochaient d'une quelconque réalité. Pourtant, comment pouvait-il s'assurer qu'elles n'étaient pas réelles? Eh oui! Il pouvait voir si elles étaient fondées. Il n'avait qu'à traverser le pont de la Roanoke encore une fois et il verrait bien. Mais, si malgré tout ses pensées avaient un fond de vérité?

A une heure du matin, George décida de risquer sa vie. Mieux vaut mourir que de vivre dans de tels tourments. Il s'habilla dans l'obscurité glissa hors de la maison. Il était à cent dix-sept kilomètres du fameux pont. Il conduisit très prudemment. Finalement, quand il aperçut le pont dans la nuit, il était si oppressé qu'il pouvait à peine respirer. Il continua quand même. Traversa le pont. Se rendit trois kilomètres plus loin. Il fit alors demi-tour et traversa le pont une autre fois pour rentrer chez lui. Il avait réussi. Il venait de prouver que son idée était fausse! C'était une idée folle, une pensée ridicule. Il se mit à siffler. Il était en extase quand il rentra, à l'aube. Il se sentit bien pour la première fois depuis deux mois. La peur s'était envolée...

...Jusqu'à trois jours plus tard. Un après-midi, sur le chemin de retour, il rencontra un trou profond à côté de la route près de Fayetteville. "AVANT QU'IL NE SOIT REMPLI, TON AUTOMOBILE PLONGERA DANS CE TROU ET TU SERAS TUÉ." De prime abord, George eut envie de rire. N'avait-il pas prouvé que les pensées ne sont que des pensées? Malgré tout, ce soir-là encore une fois, il ne put s'endormir. Il avait bien prouvé l'imposture de sa pensée au sujet du pont de la Roanoke. Mais, ce n'était pas nécessairemment une preuve que son idée au sujet de l'excavation était fausse. Cette fois, c'était peut-être la bonne. Se pouvait-il que l'épisode de la

Roanoke n'ait eu pour but que de lui donner un faux sentiment de sécurité? En réalité, serait-il condamné à plonger au fond de ce trou? Plus il réfléchissait, plus anxieux il devenait. Impossible de dormir.

Peut-être fallait-il qu'il retourne sur les lieux de l'excavation pour se sentir mieux, comme il avait fait pour le pont? Mais, à bien y penser, l'idée n'était guère valable; s'il se rendait près du trou et en revenait sans anicroche, il pourrait quand même y tomber plus tard, tel que prédit. Cependant, il était si inquiet que le jeu en valait la chandelle. Encore une fois George s'habilla au milieu de la nuit et se faufila à l'extérieur. Il eut l'impression d'avoir perdu la tête. A son étonnement, après s'être rendu à Fayetteville au bord de l'excavation pour ensuite reprendre le chemin du retour, il se sentit mieux, beaucoup mieux. Il retrouva son assurance. Il eut l'impression d'avoir repris le contrôle de sa destinée. Il s'endormit sitôt rentré chez lui. Il retrouva la paix pendant quelques heures.

La maladie de George devint plus persistante et dévastatrice. Tous les jours ou presque, sur la route, il avait une nouvelle pensée morbide. Son anxiété augmentait jusqu'à devenir insupportable, à tel point qu'il devait retourner à l'endroit où l'idée avait surgi dans son cerveau. Ceci fait, il était rassuré jusqu'au lendemain et jusqu'à la prochaine pensée.

George endura pendant plus de six semaines. Il passait une nuit sur deux à se balader dans les Carolines. Il dormait de moins en moins et perdit huit kilos. Il avait peur d'aller sur la route et son rendement lui attira les plaintes de quelques clients. Il était impatient avec ses enfants. Finalement, un soir de février, il s'effondra. Pleurant d'exaspération, il se confia à sa femme Gloria, celle-ci avait entendu parler de moi. Elle me téléphona le lendemain matin et je rencontrai George pour la première fois cet après-midi là.

J'expliquai à George qu'il souffrait d'une névrose obsessive-compulsive classique; que les "pensées" qui l'accablaient étaient ce que nous, psychiatres, appellons obsessions, et que son besoin de retourner sur le lieu de ses "pensées" était une contrainte, une compulsion.

- C'est vrai! s'écria-t-il. C'est une compulsion. Je ne veux pas retourner dans ces endroits. Je sais que c'est absurde. Tout ce que je veux c'est oublier et dormir. Mais, je ne le peux pas. Quelque chose me force à y penser, à me lever et à y retourner. Je n'y peux rien. Je me vois obligé d'y retourner. C'est la partie la plus dificile. Je pourrais endurer les pensées s'il n'y avait pas cette autre chose. C'est cette compulsion de retourner qui me tue. Je passe des heures à me demander si je dois y aller ou non. Mes compulsions sont pires que ce que vous appelez mes obsessions. C'est ça qui me rend fou.

Ici, George fit une pause et, le regard angoissé, me demanda:

- Croyez-vous que je sois en train de devenir fou?

- Non, repondis-je. Vous m'êtes encore inconnu, mais, de prime abord, je ne vois pas de signe de folie, ni que vous souffriez d'autre chose que d'une névrose grave.

- Voulez-vous dire que d'autres ont les mêmes "pensées" et compulsions? fit George, avidement. D'autres qui ne sont pas fous?

- C'est exact, répondis-je. Leurs compulsions sont peut-être différentes sans qu'ils soient obsédés par la mort, mais leurs pensées subites et leurs gestes indésirés sont de même nature. J'ai décrit à George quelques-unes des obsessions les plus courantes. Par exemple, celle d'être tiraillé avant de partir en vacances parce qu'on est pas certain d'avoir fermé la porte à clef.

- Ça m'est arrivé! s'exclama George. J'ai même dû vérifier à trois ou quatre reprises pour m'assurer que j'avais éteint la cuisinière. Je suis donc comme tous les autres?

- Non, George, vous n'êtes pas comme tous les autres, lui dis-je. Plusieurs personnes, souvent des plus prospères, souffrent modérément de leur besoin d'être sûres et certaines, mais elles ne passent pas la nuit à se promener à cause de leurs compulsions. Vous êtes affligé d'une névrose majeure qui paralyse votre vie. C'est un mal guérissable à l'aide d'une psychothérapie psychanalytique. Il s'agit d'un traitement long et très difficile. Vous n'êtes pas en train de devenir fou, mais vous souffrez d'un problème majeur. Je crois que des soins prolongés s'imposent car, autrement, je ne pense pas que vous puissiez vous en sortir.

Trois jours plus tard, quand George revint me voir,

c'était un autre homme. Lors de sa première visite, il avait eu les larmes aux yeux en me faisant part de son agonie. Il avait un besoin pathétique d'être rassuré. Aujourd'hui, il était rempli de confiance et d'aplomb. Il avait une attitude de **savoir-faire**, ce que nous appellerons plus tard son allure de "Jos Sang-froid." Sans trop de succès, j'essayai d'en connaître davantage sur sa vie.

- En réalité, docteur Peck, mises à part mes petites obsessions et compulsions, je n'ai pas de problèmes. Je n'en ai pas eu depuis notre première rencontre. Mes petites préoccupations n'ont rien à voir avec des vrais soucis. Je veux dire que si je suis indécis entre peindre la maison cette année ou le faire plus tard, c'est une préoccupation et non pas une inquiétude. Nous avons passablement d'argent en banque. Je m'intéresse aux études de mes enfants. L'aînée, Deborah, a treize ans et aura sans doute besoin d'appareils dentaires. George junior a onze ans et n'obtient pas de très bons résultats; il est plutôt tourné vers les sports. Quant à Christopher, à six ans il ne fait que commencer l'école. Il possède la meilleure disposition et j'y tiens comme à la prunelle de mes yeux. Au fond, je dois admettre que je le préfère aux deux autres, mais je m'efforce de ne pas le montrer et je pense avoir réussi. Ce n'est donc pas un problème. Notre famille est stable. Nous avons un bon mariage. Gloria a bien ses sautes d'humeur et, parfois, je crois même qu'elle est franchement garce. J'imagine que toutes les femmes sont pareilles: leurs périodes et toutes ces autres choses, voyez-vous.

- Notre vie sexuelle? Oh, c'est bien. Aucun problème de ce côté. Sauf, bien sûr, quand Gloria tombe dans uns de ses états. Ni l'un ni l'autre n'a alors envie; c'est normal, n'est-ce-pas?

- Mon enfance? Eh bien, je ne saurais dire qu'elle fut vraiment toujours heureuse. Quand j'eus neuf ans, mon père fit une dépression nerveuse et se retrouva à l'hôpital. Schizophrénie, dirent les médecins. Je crois que c'est la raison pour laquelle j'avais peur que vous me disiez que je devenais fou. Je me sentis soulagé quand vous m'avez annoncé le contraire. Voyez-vous, mon père ne s'en remit jamais. On le renvoya à la maison quelquefois, mais il ne put jamais rester.

23

Par moment, je crois qu'il était réellement dingue. Je ne m'en souviens pas très bien. Il fallait que je lui rende visite à l'hôpital, chose que je détestais. J'en étais extrêmement gêné. L'endroit était si lugubre. Au milieu de mon secondaire, je décidai de ne plus aller le voir. Il mourut pendant que j'étais au collège. Il était jeune, c'est vrai, mais c'était mieux comme ça.

- Cependant, je ne fus vraiment pas perturbé par ces événements. Ma soeur plus jeune de deux ans, et moi-même, avons reçu beaucoup d'attention. Maman était toujours avec nous. C'est une bonne mère. Un peu religieuse, trop à mon goût, elle nous trimballait sans cesse à l'église, ce que j'exécrais. C'est d'ailleurs le seul reproche que je lui adresse; mais, cette routine cessa dès que j'entrai au collège. Sans être riches, nous n'avons jamais manqué du nécessaire. Mes grands-parents maternels avaient un peu d'argent, voyez-vous, et ils nous aidèrent beaucoup. Je n'ai jamais connu les parents de mon père, mais nous étions vraiment près des premiers. Nous avons même habité chez eux la première fois que mon père fut hospitalisé. J'adorais ma grand-mère.

- Ah, oui. Je me suis souvenu d'une chose après notre dernière rencontre. En parlant de compulsions, je me suis rappelé que j'en ai eu une vers l'âge de treize. Je ne sais pas comment tout commença, mais j'ai eu le sentiment que ma grand-mère mourrait à moins que je ne touche à un certain rocher tous les jours. Rien de difficile. Le rocher était sur mon chemin quand j'allais à l'école et il suffisait que je n'oublie pas d'y toucher. Le problème, c'était les week-ends. Je devais alors prendre le temps de le faire. De toute façon, cette compulsion ne dura qu'un an environ. Je ne sais pas ce qui arriva. Je perdis l'habitude naturellement. Ce n'était qu'une phase, ou quelque chose de semblable.

- Ce qui me fait croire que je me sortirai bien de mes obsessions et compulsions actuelles. Je vous l'ai dit, je n'en ai pas eu une seule depuis que je vous ai vu. C'est peut-être fini. Tout ce qu'il me fallait, c'est peut-être le petit entretien que nous avons eu plus tôt, cette semaine. Je vous en suis très reconnaissant. Vous n'imaginerez jamais à quel point je me suis senti rassuré en apprenant que je n'étais pas en train de chavirer et que d'autres avaient des idées aussi bizarres. Ce réconfort était probablement le remède qu'il me fallait. Je ne crois pas avoir besoin de cette - comment l'appelez-vous? - cette psychanalyse. Je suis d'accord qu'il soit trop tôt pour savoir, mais il me semble que c'est une procédure très longue et coûteuse pour quelque chose dont je sortirai sans doute par mes propres moyens. Je préfère que vous ne me fixiez pas d'autre rendez-vous. Attendons voir. Si mes obsessions ou mes compulsions reviennent, je reprendrai le traitement. Pour le moment, restons-en là.

J'ai essayé de protester faiblement. Je lui ai dit que, selon moi, il n'y avait pas eu de changements substantiels dans son existence. J'avais le sentiment que ses symptomes reviendraient bientôt, d'une façon ou l'autre. J'ajoutai que je comprenais son désir d'attendre les événements et que je le reverrais avec plaisir, quand il le voudrait. Sa décision était prise et il ne suivrait pas de thérapie tant qu'il se sentirait confortable. Inutile d'insister. Il ne me restait plus qu'à attendre.

Je n'eus pas à attendre longtemps.

Deux jours plus tard, George me téléphona. Il était hors de lui.

- Vous aviez raison, docteur Peck, les pensées sont revenues. Hier, en revenant d'une réunion de vendeurs, quelques kilomètres au delà d'une courbe raide, j'ai eu cette idée soudaine: "TU AS FRAPPÉ MORTELLEMENT UN AUTOSTOPPEUR AU BORD DE LA ROUTE DANS CETTE COURBE." Je savais que ce n'était qu'une de mes pensées folles. Si j'avais frappé quelqu'un, j'aurais senti ou entendu un choc. Cependant, je ne pouvais me défaire de cette obsession. Je voyais le corps étendu dans le fossé. Je me suis dit qu'il n'était peut-être pas mort et que je pourrais l'aider. J'ai eu peur que l'on ne m'accuse de délit de fuite. Finalement, juste avant d'arriver chez moi, je n'en pouvais plus. Je fis demi-tour et roulai quatre-vingts kilomètres vers cette même courbe. Il n'y avait rien là, bien sûr; aucun signe d'accident, pas de sang sur l'herbe. Je me sentis soulagé, mais je ne puis continuer ainsi. Je crois que vous avez raison. J'ai besoin de psychanalyse.

George reprit sa thérapie et la continua parce que ses obsessions et ses compulsions ne s'arrêtèrent pas là. A plusieurs reprises au cours des trois mois qui suivirent, alors que je le voyais deux fois par semaine, George eut d'autres pensées du même genre. La plupart du temps, il s'agissait de sa propre mort, mais il eut aussi l'idée d'avoir tué quelqu'un ou d'être accusé d'un crime quelconque. Chaque fois, après une période d'obsession plus ou moins longue, George finissait par abdiquer et retournait sur les lieux du "délit" afin d'avoir la paix. Son agonie continuait.

Durant ces trois mois, j'ai graduellement appris que George avait beaucoup d'autres problèmes que ses seuls symptômes. Sa vie sexuelle, qu'il m'avait affirmé bonne, était exécrable. Il ne faisait l'amour avec Gloria qu'à six semaines d'intervalle. Ce n'était alors qu'un acte quasi violent d'une rapidité bestiale, quand ils étaient ivres tous deux. Il se trouva que les sautes d'humeur de Gloria s'éternisaient. Quand je la rencontrai, je la trouvai profondément déprimée, pleine de haine envers George qu'elle me décrivit comme un "rustaud faible et pleurnicheur." Pour sa part et petit à petit, George m'avoua l'énorme dose de ressentiment qu'il éprouvait envers Gloria. Il la voyait comme une femme égocentrique, complètement désintéressée et froide. Il avait aliéné ses deux aînés, Deborah et George junior. Il croyait que Gloria les avait montés contre lui. Dans sa famille, il n'entretenait de bons rapports qu'avec Christopher et m'avoua qu'il le gâtait, probablement pour l'empêcher de "tomber dans les griffes de Gloria."

Même s'il m'avait dit dès le début que son enfance avait été moins qu'idéale, je le poussai un peu plus loin et il découvrit lentement que cette époque avait été plus dommageable et effrayante qu'il ne se plaisait à le croire. Par exemple, il se souvint de son huitième anniversaire, quand son père tua le chaton de sa soeur. Assis sur son lit avant le déjeuner, il rêvait aux présents qu'il comptait recevoir quand le petit chat bondit dans sa chambre. Son père arriva sur-le-champ, fou de rage et un balai à la main. Le chaton avait apparemment fait un dégât sur le tapis du salon. Pendant que George gisait sur son lit, son père battit l'animal à mort dans

26

un coin de la chambre. Le père devait entrer à l'hôpital un an plus tard.

George en vint à admettre également que sa mère était aussi dérangée que son père. Alors qu'il n'avait que onze ans, elle le força de prier à genoux toute une nuit jusqu'à l'aube, pour obtenir la guérison de son pasteur qui avait fait une crise cardiaque. George avait détesté ce pasteur, de même que l'Eglise de la Pentecôte où sa mère le traînait chaque mercredi soir, chaque vendredi soir, et le dimanche toute la journée, bon an mal an. Il se souvint avoir vécu des périodes de honte et d'humiliation constantes durant ces offices, quand il entendait sa mère parler en langues inconnues et se tordre d'extase en s'écriant: "O Jésus." De plus, la vie avec ses grands-parents n'avait pas été aussi idyllique qu'il aimait s'en souvenir. C'est vrai qu'il avait eu une relation chaleureuse et probablement enrichissante avec sa grand-mère, mais ce ne fut pas de tout repos. Au cours des deux années qu'ils vécurent chez les grands-parents, suite à l'hospitalisation de son père, son grand-père battait sa grand-mère presque toutes les semaines. Chaque fois, George pensait que sa grand-mère en mourrait. Il avait souvent peur de quitter la maison, croyant que sa seule présence suffirait peut-être pour empêcher son grand-père de tuer sa grand-mère.

J'arrachais ces informations péniblement. George se plaignait sans cesse de ne pas comprendre l'utilité de s'étendre sur les problèmes apparemment insolubles de son existence présente, ni de se remémorer les passages douloureux de son passé.

- Tout ce que je veux, disait-il, c'est me débarrasser de mes idées et de mes compulsions. Je ne vois pas comment le fait de brasser ces vieux souvenirs désagréables pourrait m'enlever mes symptômes.

En même temps, il ne cessait de parler de ses obsessions et de ses compulsions. Il décrivait chaque nouvelle "pensée" avec une grande profusion de détails et semblait savourer le récit des tiraillements qu'il devait subir avant de céder à ses compulsions. Je me rendis bientôt compte qu'il se servait de ses symptômes pour oublier plusieurs réalités de son existence.

- Une des raisons de ces symptômes, lui expliquai-je,

c'est qu'ils vous servent d'écran de fumée. Vous êtes tellement occupé à y penser et en parler, que vous n'avez pas le temps de penser aux causes premières de vos obsessions et de vos compulsions. A moins d'abandonner cet écran de fumée et de vraiment traiter en profondeur de votre mariage pitoyable et de votre enfance affreuse, vous n'en sortirez jamais.

Bientôt, il m'apparut que George était peu disposé à faire face à la mort.

- Je sais que je devrai mourir un jour, disait-il, mais à quoi bon y penser. C'est morbide. Et puis, on n'y peut rien. Le fait d'y penser ne changera rien.

J'ai essayé sans succès de lui souligner que son attitude était presque absurde.

- En réalité, vous songez à la mort continuellement, fis-je. Quel est le sujet de vos obsessions et de vos compulsions, si ce n'est la mort? Et que dire de votre anxiété au coucher du soleil? N'est-il pas exact que vous haïssez ces moments qui sont la mort du jour, parce qu'ils vous rappellent votre propre mort? La mort vous terrifie. C'est normal, c'est aussi mon cas. Mais vous essayez d'éviter le sujet au lieu d'y faire face. Votre problème n'est pas de penser à la mort, mais votre façon d'y penser. Jusqu'à ce que vous soyez capable de penser à la mort volontairement, malgré la terreur qu'elle provoque, vous y penserez involontairement sous forme d'obsessions.

Mais, quelle que fût la tournure de mes phrases, il n'était jamais empressé d'en parler.Par contre, George avait drôlement hâte d'en finir avec ses symptômes. Bien qu'il préférât en parler plutôt que de traiter de la mort ou de son éloignement de sa femme et de ses enfants, il ne faisait pas de doute que ses obsessions et ses compulsions le faisaient énormément souffrir. Il se mit à m'appeler sur la route pour m'annoncer:

- Docteur Peck, je suis à Raleigh et je viens d'avoir une autre de mes pensées il y a quelques heures. J'ai promis à Gloria d'arriver à temps pour souper, mais je ne le pourrai pas si je retourne sur les lieux. Je vous en prie docteur Peck, aidez-moi. Dites-moi quoi faire. Dites-moi que je ne dois pas y retourner. Dites-moi que je ne dois pas céder.

Je ne manquais jamais d'expliquer à George que je ne

lui dirai pas quoi faire, que je n'avais pas le pouvoir de lui dicter une ligne de conduite, qu'il devait lui-même prendre ses propres décisions et que ce n'était pas salutaire de vouloir que je décide pour lui. Cette réponse n'avait aucun sens pour lui. Il me faisait des remontrances à chacune de nos rencontres.

- Docteur Peck, je vous obéirais si vous me disiez de ne plus retourner. Je me sentirais beaucoup mieux. Je ne comprends pas pourquoi vous ne voulez pas m'aider. Vous n'arrêtez pas de me répéter que ce n'est pas à vous de me dire quoi faire. Pourtant, le but de mes visites c'est que vous m'aidiez. Et vous refusez. Je ne sais pas pourquoi vous êtes si cruel. C'est comme si vous ne vouliez pas m'aider. Vous n'arrêtez pas de dire que je dois prendre mes propres décisions. Ne voyez-vous pas que c'est justement ce que je ne peux pas faire? Ne voyez-vous pas que je souffre? Ne voulez-vous pas m'aider? gémissait-il.

Il en était ainsi de semaine en semaine. George se détériorait visiblement. Il attrapa la diarrhée. Il perdit encore du poids et sa mine devenait plus hagarde. Il avait continuellement les larmes aux yeux. Il se demanda s'il ne devrait pas voir un autre psychiatre. Je n'étais pas convaincu moi-même de le traiter convenablement. Il me sembla que George allait se retrouver à l'hôpital sous peu.

Puis, quelque chose de nouveau se produisit soudainement. Après un peu moins de quatre mois de thérapie, George se présenta un beau matin en sifflant et plein d'entrain. Je ne manquai pas d'en faire la remarque.

- Oui, je me sens certainement bien aujourd'hui, confirma George. Je ne sais vraiment pas pourquoi. Je n'ai pas eu une seule de mes pensées depuis quatre bonnes semaines, et je n'ai pas eu à retourner nulle part. C'est peut-être la raison. Je commence peut-être à voir la lumière au bout du tunnel.

Malgré qu'il n'ait plus été tourmenté par ses symptômes, George n'était pas plus disposé à parler de la pénible réalité de sa vie familiale et de son enfance. Il reprit son attitude désinvolte et, voyant mon insistance, il ne me parla de ces choses que superficiellement et sans conviction. Puis, comme tombant du ciel, il me demanda à la fin d'une session:

- Docteur Peck, croyez-vous au diable?

- Quelle question bizarre, répondis-je, et très compliquée. Pourquoi voulez-vous savoir?

- Aucune raison spéciale. Simple curiosité.

- Vous vous dérobez, lui dis-je. Vous avez sûrement une raison.

- Eh bien! Je sais que vous lisez beaucoup sur ces cultes étranges qui adorent Satan, comme ces groupes bizarres à San Francisco. Ces jours-ci, on en parle beaucoup dans les journaux.

- Je sais, fis-je. Mais, pourquoi y avez-vous pensé? Comment cette idée vous est-elle tout à coup venue à l'esprit ce matin, particulièrement aujourd'hui?

- Comment le saurais-je? répondit George. Il semblait agaçé. C'est une idée que j'ai eue comme ça. Vous m'avez dit de vous raconter tout ce qui me passe par la tête; c'est ce que je fais. Je ne fais que ce que je suis censé faire. J'ai eu cette idée et je vous en ai fait part. Je ne sais pas pourquoi j'y ai pensé.

Inutile d'aller plus loin. Nous en étions à la fin de la session et je laissai tomber le sujet. A la visite suivante, George se sentait toujours bien. Il n'était plus hagard et avait repris quelques kilos.

- J'ai eu une autre de mes pensées il y a deux jours, me raconta-t-il, mais ça ne m'a pas dérangé. Je me suis dit que je ne me laisserais plus influencer par ces pensées stupides. C'est évident qu'elles ne veulent rien dire. Je mourrai bien un de ces jours, et après? Je n'ai même pas eu envie de retourner. Je n'y ai presque pas songé. Pourquoi retourner en arrière pour une lubie semblable? J'ai peut-être enfin résolu mon problème.

Vu qu'il n'était plus obsédé par ses symptômes encore une fois, j'essayai de l'aider à approfondir ses problèmes conjugaux, mais il demeurait impénétrable. Toutes ses réponses étaient superficielles. J'avais la troublante impression qu'il semblait aller mieux. D'ordinaire, je m'en serais réjoui, n'eut été le fait que je ne comprenais absolument pas pourquoi. Rien n'avait changé dans sa vie, ni dans sa façon de vivre. Alors, pourquoi s'améliorait-il? Je repoussai mes inquiétudes.

Notre prochaine séance eut lieu dans la soirée. George m'apparut plus "Jos Sang-froid" que jamais. Comme d'habitude, je le laissai commencer. Il y eut un moment de silence et, d'un ton désinvolte sans manifester la moindre anxiété, il annonça:

- J'ai un aveu à vous faire.

- Vraiment?

- Eh bien! Je me suis senti mieux dernièrement, mais je ne vous ai pas dit pourquoi.

- Oh?

- Vous souvenez-vous quand je vous ai demandé si vous croyiez au diable? Vous avez voulu savoir pourquoi cette question? Heu! Je n'ai pas été franc envers vous. Je sais pourquoi, mais je me sens ridicule de vous le dire.

- Continuez.

- Je me sens vraiment bête. Voyez-vous, vous ne m'avez pas aidé. Vous avez refusé de faire quoi que ce soit dans le but de m'empêcher de retourner sur les lieux de mes pensées. Il me fallait faire quelque chose pour me libérer de mes compulsions. Alors, j'ai fait quelque chose.

- Vous avez fait quoi? ai-je demandé.

- J'ai fait un pacte avec le diable. En vérité, je ne crois pas au diable, mais je devais faire quelque chose, n'est-ce pas? Alors j'ai promis que si je cédais à une compulsion et retournait en arrière, le diable pouvait faire en sorte que ma pensée se réalise. Comprenez vous?

- Je n'en suis pas sûr, répondis-je.

- Par exemple, j'ai eu cette pensée l'autre jour, près de Chapel Hill: "LA PROCHAINE FOIS QUE TU CONDUIRAS PAR ICI, TU SAUTERAS LE REMBLAI ET SERAS TUÉ." D'ordinaire, j'aurais médité pendant quelques heures et serais retourné sur place pour me rassurer. C'est vrai? Mais, à cause de ce pacte, je ne pouvais y retourner. Comprenez-vous? L'entente dit que si j'y étais retourné, le diable m'aurait fait sauter par-dessus l'accotement et je serais mort. Sachant que je serais tué, j'avais raison de ne pas y retourner. J'étais forcé de ne pas y retourner. Comprenez-vous, maintenant?

- Je comprend le processus, dis-je, sans me compromettre.

- Le processus semble fonctionner, continua George, joyeusement. J'ai eu de ces pensées à deux reprises et je n'ai pas eu à retourner une seule fois. Cependant, j'admets ressentir un peu de frousse.

- Un peu de "frousse"?"

- Oui, un sentiment de culpabilité. Je veux dire que nous ne sommes pas censés de conclure un pacte avec le diable, n'est-ce pas? De plus, Je ne crois réellement pas au diable. Mais, qu'importe puisque ça marche.

Je restai silencieux. Je ne savais que dire. Je me sentais accablé par la complexité du cas de George et par la complexité de mes propres sentiments. Je fixai les rayons diffus de la lampe sur la table qui nous séparait dans mon bureau paisible à l'abri du danger. Je me rendais compte que des centaines de pensées s'entrechoquaient dans mon cerveau, toutes décousues. J'étais incapable de me retrouver dans ce labyrinthe obsessionnel, de m'attaquer à ce contrat avec un diable qui n'existe pas pour annuler la compulsion d'annuler des pensées elles-mêmes irréelles. Sachant que les arbres m'empêchaient de voir la forêt, je restai là, les yeux dans le vide, pendant que l'horloge égrenait ses tic-tac sur le mur.

- Eh bien, qu'en pensez-vous? fit George, finalement.

- Je ne sais pas, George, ai-je répondu. Je ne sais pas quelles sont mes réactions. J'ai besoin de prendre le temps d'y penser. Je ne sais pas encore quoi vous dire.

Je me remis à contempler la lampe et l'horloge continua de cliqueter. George me sembla passablement déconcerté par ce silence. Il reprit:

- Je crois que je ne vous ai pas tout dit. J'ai une autre raison de me sentir un peu coupable. Il y avait autre chose dans mon entente avec le diable. Comme je ne crois pas en lui, je ne pouvais être sûr qu'il me ferait mourir si je retournais. Il me fallait une garantie, quelque chose qui me retiendrait vraiment. Je ne savais quoi. Je me suis alors souvenu que j'aimais mon fils, Christopher, le plus au monde. J'ai donc convenu que si je cédais à une compulsion, le diable pourrait faire en sorte que Christopher aussi meure en bas âge. Nous allions tous deux mourir. Vous voyez bien que je ne peux plus revenir en arrière. Même si le diable n'existe pas, je ne veux tout de même pas risquer sa vie. Je l'aime tellement.

- Vous avez balancé la vie de Christopher dans le contrat?

- Oui. Ce n'est pas trop bon, n'est-ce pas? C'est ce qui me donne la frousse.

Je retombai dans mon silence et commençai de mettre un peu d'ordre dans mes idées. La séance tirait à sa fin et George se préparait à partir.

- Pas tout de suite, lui dis-je. Vous êtes mon dernier rendez-vous aujourd'hui et je voudrais prendre le temps de vous répondre. Je pense que je suis presque prêt. A moins que vous ne soyez obligé de partir, J'aimerais que vous restiez jusqu'à ce que j'aie fini de dire quelque chose.

George attendit nerveusement. Je n'avais pas l'intention de le rendre nerveux. En qualité de psychiatre, mes études et mon expérience m'avaient appris à ne pas me poser en juge. Une thérapie n'a d'effet que si le malade se sent accepté par le thérapeute. Ce n'est que dans un climat d'acceptation qu'un malade peut déballer ses secrets et découvrir ses propres valeurs. Le temps m'avait aussi appris qu'il est souvent nécesaire, essentiel même, que le thérapeute contredise le malade sur un sujet en particulier et lui oppose un jugement critique. Mais, je savais également qu'il ne fallait pas recourir à cette méthode avant de pouvoir compter sur une solide relation thérapeutique. Je ne traitais George que depuis quatre mois et nos rapports n'étaient pas encore au point. J'hésitais avant de prendre le risque de passer jugement aussi tôt et à un niveau aussi bas. Le faire était très dangereux, et ne pas le faire me semblait tout aussi dangereux.

George n'en pouvait plus d'attendre en silence. Au beau milieu de mes tiraillements cérébraux, il insista:

- Alors, qu'en pensez-vous?

Je le regardai.

- Je pense, George, que je suis content que vous ayez la frousse, comme vous dites.

- Que voulez-vous dire?

- Je veux dire que vous *devez* vous sentir coupable. Vous avez fait quelque chose de répréhensible. Je serais très inquiet si vous ne vous sentiez pas coupable après avoir fait ce que vous avez fait.

George devint tout de suite méfiant.

- Je croyais que la psychothérapie devait m'enlever mes

sentiments de culpabilité?

- Seulement ceux qui n'ont pas leur raison d'être. C'est inutile et maladif de se sentir coupable d'une chose qui n'est pas mauvaise. Dans le même ordre d'idée, c'est maladif de ne pas se sentir coupable d'une mauvaise action.

- Croyez-vous que je sois méchant?

- En faisant un pacte avec le diable, je crois que vous avez fait quelque chose de méchant. Quelque chose de mal.

- Mais, je n'ai rien fait, s'écria George. Vous ne voyez pas que tout est dans ma tête. Vous m'avez dit vous-même qu'il n'y a pas de mauvaises pensées, de mauvais désirs ou envies. Seules les actions peuvent être mauvaises, avez-vous dit. C'est la première loi de la psychiatrie, avez-vous ajouté. Je n'ai rien fait. Je n'ai pas levé le petit doigt contre qui que ce soit.

- Tout de même, George, vous avez fait quelque chose.

- Quoi?

- Vous avez conclu un pacte avec le diable.

- Mais, ce n'est pas faire quelque chose.

- Non?

- Non. Vous ne comprenez pas? Tout est dans ma tête, une création de mon imagination. Je ne crois même pas au diable. Comment pourrais-je croire au diable puisque je ne crois pas en Dieu? Tout serait différent si j'avais fait un pacte avec une vraie personne. Ce n'est pas le cas. Le diable n'est pas réel et mon pacte ne peut être réel. Comment peut-on faire un vrai pacte avec quelque chose qui n'existe pas? Ce n'est pas une action authentique.

- Voulez-vous dire que vous n'avez pas fait un pacte avec le diable?

- Zut! Je l'ai fait. Je vous l'ai dit. Mais ce n'est pas un vrai pacte. Vous essayez de me prendre en défaut en jouant sur les mots.

- Non, George, répondis-je. C'est vous qui jouez sur les mots. Je n'en sais pas plus que vous sur le diable. Je ne sais pas s'il est mâle, femelle, ou neutre. J'ignore s'il a une forme, si c'est une force, ou un simple concept. Qu'importe. Le fait demeure que vous avez pris entente avec lui.

George changea de tactique.

- Même si je l'ai fait, le contrat n'est pas valide. Il est

nul et sans effet. Tous les avocats savent qu'un contrat fait sous pression n'est pas un contrat légal. Une personne n'est pas tenue de respecter un contrat signé avec un fusil dans le dos. Dieu sait combien j'étais coincé. Vous avez vu combien je souffrais. Je vous ai supplié de m'aider pendant des mois, mais vous n'avez pas levé le doigt. Vous semblez vous intéresser à moi, bien sûr, mais pour une raison quelconque, vous ne voulez rien faire pour me soulager. Que dois-je faire si vous ne voulez pas m'aider? J'ai souffert le martyre ces derniers temps. Une vraie torture. Si ce n'est pas de la contrainte, je me demande ce que c'est?

Je me levai de mon fauteuil et me dirigeai vers la fenêtre. Je regardai dans le noir pendant une minute. Le moment était venu. Je me retournai pour lui faire face.

- Très bien, George. Je vais vous dire une chose ou deux. Je veux que vous m'écoutiez bien. C'est très important. Il n'y a rien de plus important.

Je repris mon siège et ne le quittai pas des yeux.

- Vous avez un défaut, une faiblesse de caractère, lui dis-je. Il s'agit d'une faiblesse très profonde qui est à la source de toutes vos difficultés dont vous m'avez parlé. C'est la cause majeure de votre mauvais mariage. C'est la cause de vos symptômes, de vos obsessions et de vos compulsions. Et c'est maintenant la cause de votre pacte avec le diable. C'est même la cause de vos tentatives d'explication. Au fond, George, vous êtes une espèce de lâche. Dès que les difficultés surgissent, vous vous défilez. En face de la réalité de votre mort éventuelle, vous vous sauvez. Vous ne voulez pas y penser parce que c'est "morbide". Devant le fait que votre mariage est un échec, vous vous sauvez également. Vous refusez d'affronter la réalité et d'agir en conséquence. Puis, étant donné que vous fuyez des choses inévitables, elles vous rattrappent sous la forme de vos symptômes, de vos obsessions et de vos compulsions. Ces symptômes pourraient devenir votre salut. Vous pourriez vous dire: "Mes symptômes signifient que je suis hanté. Il faut que je trouve ces fantômes et les chasse de chez moi." Mais ce n'est pas ce que vous faites parce qu'il vous faudrait alors faire face à quelque chose de pénible. Au lieu de les affronter et de les identifier, vous essayez de les renvoyer. Mais, quand c'est impossible d'y arriver, vous vous précipitez sur un mode de soulagement, peu importe qu'il soit méchant, pervers, ou destructif. Vous proclamez que vous n'êtes pas responsable de votre pacte avec le diable parce qu'il a été conclu sous la force. C'est vrai que vous avez agi sous pression. Pourquoi passerait-on un contrat avec le diable si ce n'est pour se débarrasser d'une souffrance quelconque? Si le diable rôde dans les parages comme on le suggère, en quête d'âmes prêtes à se vendre à lui, c'est sûr qu'il sera attiré par ceux qui souffrent. Le problème n'est pas la souffrance elle-même. Le problème est dans la façon de réagir devant la souffrance. Certains l'endurent, en sortent vainqueurs et enrichis. D'autres capitulent, et c'est ce que vous avez fait. Je dois même ajouter que vous l'avez fait plutôt facilement. Facile. Facile. Voilà un mot clef pour vous, George. Vous aimez croire que vous êtes insoucieux, un "Jos Sang-froid". Il se peut que vous soyez d'une nature coulante, mais il se peut aussi que vous couliez lentement vers l'enfer. Vous êtes toujours à la recherche d'une issue facile. Non pas de l'issue la meilleure. Entre le bon chemin et le chemin le plus facile, vous choisirez toujours ce dernier. La route sans pépins. En vérité, vous feriez n'importe quoi pour trouver une porte de sortie, y compris vendre votre âme et sacrifier votre fils. Je vous l'ai dit, je suis content que vous vous sentiez coupable. Si vous ne vous sentiez pas mal de toujours opter pour les solutions faciles, je ne pourrais vous aider. Vous savez que la psychothérapie n'est pas une solution facile. C'est une façon d'affronter les situations, même si cela fait mal, très mal. C'est s'empêcher de fuir. C'est le bon chemin, non pas le plus facile. Si vous êtes prêt à faire face aux dures réalités de votre existence, y compris votre enfance épouvantable, votre mariage misérable, votre mortalité et votre lâcheté, je pourrai vous aider. Je suis certain que nous réussirons. Mais si vous ne recherchez que le soulagement le plus facile et le plus rapide, demeurez alors un disciple du démon car la psychothérapie ne pourra rien pour vous.

George garda le silence à son tour. Des minutes passèrent. La séance avait déjà duré deux heures. Puis:

- Dans les bandes illustrées, ceux qui ont fait un pacte avec le diable ne peuvent plus s'en sortir. Une fois qu'ils ont vendu leur âme, le diable ne la leur rendra pas. Il est peut-être trop tard pour moi.

- Je ne sais pas, George, lui répondis-je. Comme j'ai dit, je ne suis pas très calé dans ce domaine. Je n'en ai pas connu d'autres qui auraient fait un pacte semblable. Comme vous, je ne sais même pas si le diable existe vraiment. Cependant, suite à nos entretiens, j'ai probablement une opinion valable sur ces événements. Je suis d'avis que vous avez réellement fait un pacte avec le diable et, par le fait même, le diable devint une réalité pour vous. Vous avez tellement voulu éviter la douleur, vous avez donnez vie au diable. Or, si vous aviez le pouvoir de le créer, vous avez aussi le pouvoir de l'anéantir. Par intuition, au fond de moi-même, je suis d'avis que le procédé est réversible. Je crois que si vous changez d'idée et décidez d'en accepter l'épreuve, vous pourrez retourner là où vous étiez quand vous l'avez fait et le pacte sera rompu. Le diable devra chercher ailleurs celui qui lui redonnera l'existence.

George semblait triste.

- Ces dix derniers jours, déclara-t-il, je me suis senti en meilleure forme que depuis plusieurs mois. J'ai eu quelques pensées et je n'en ai pas été incommodé. Si je devais renverser la situation, il me faudrait retomber dans l'agonie qui m'accablait il y a deux semaines.

J'ai dû admettre que c'était exact.

- Vous me demandez de réintégrer volontairement mon univers tourmenté?

- Je crois que c'est ce que vous devez faire, George. Non pas pour moi, mais pour vous-même. Ensuite, je pourrai vous aider et je le ferai.

- Choisir de souffrir... murmura George. Je ne sais pas. Je ne suis pas sûr de pouvoir le faire. Je ne suis pas sûr de vouloir le faire.

Je me levai.

- Allez-vous revenir lundi, George?

- Oui, Je reviendrai.

George se leva et je me rendis lui serrer la main.

- A lundi, donc. Au revoir.

Ce soir-là fut le point tournant de la thérapie de George. Le lundi, ses symptômes étaient revenus en force. Mais il y avait un changement. Il ne me supplia plus de lui défendre de retourner sur les lieux de ses pensées. De plus, il était un peu mieux disposé à traiter en profondeur de sa peur de la mort et de l'énorme manque de compréhension et de communication qui existait entre lui et sa femme. Avec le temps, il se montra de plus en plus décidé. Eventuellement, avec un peu d'assistance de ma part, il fut capable de demander à sa femme d'entrer elle-même en thérapie. Je la confiai à un autre thérapeute et elle fit des progrès immenses. Leur union s'améliora.

Quand Gloria fut elle-même en thérapie, nous avons pu concentrer notre travail sur les sentiments négatifs de George: sentiments de colère, de frustration, d'anxiété, de dépression et, surtout, sentiments de tristesse et de chagrin. Il découvrit qu'il était un être très sensible, fragile devant les changements de saisons, la croissance de ses enfants, les passages de la vie. Il se rendit compte que son sens humain résidait dans ses sentiments négatifs, dans sa sensibilité et sa vulnérabilité devant la douleur. Le "Jos Sang-froid" s'atténua en même temps qu'augmenta sa capacité d'endurer la souffrance. Les couchers de soleil l'accablaient toujours, mais sans qu'il devienne anxieux. Ses symptômes, obsessions et compulsions revinrent, avec des hauts et des bas au début; puis, ils perdirent de leur intensité plusieurs mois après notre discussion au sujet de son pacte avec le diable. Ils disparurent complètement au bout d'une autre année. La thérapie de George dura deux ans. Il n'est pas le plus fort des hommes, mais il est plus fort qu'auparavant.

2

VERS UNE PSYCHOLOGIE DU MAL

Parlons de modèles et de mystères

Il y a plusieurs façons de voir les choses.

Les psychiatres voient les être humains en termes de santé et de maladie. On dit que ce point de vue est connu comme le modèle médical. C'est une manière très utile et efficace de voir les gens.

Selon ce point de vue, George souffrait d'un mal très spécifique: une névrose obsessionnelle compulsive. Nous sommes bien renseignés sur cette maladie. Le cas de George était un cas typique sous plusieurs aspects. D'abord, cette sorte de névrose commence dès la tendre enfance, presque toujours à cause d'une mauvaise éducation sur les "petits besoins". George ne pouvait se souvenir de l'entraînement qu'il avait reçu pour devenir "propre". Mais, vu que son père avait tué un chaton parce qu'il avait fait un dégât, c'est évident qu'on avait dû transmettre à George l'impression qu'il devait bien vite apprendre à contrôler ses intestins. Ce n'est pas par accident qu'il devint un adulte particulièrement propre et méthodique, à l'instar d'un grand nombre de névrosés.

Les victimes de cette forme de névrose ont aussi ce trait caractéristique d'avoir tendance à développer ce que les psychiatres appellent des "pensées magiques." Ces pensées magiques sont variées mais, à la base, il s'agit d'une croyance que les pensées peuvent elles-mêmes créer ou faire arriver les événements. Les pensées magiques sont normalement le lot de jeunes enfants. Par exemple, un garçonnet de cinq ans se dira: "Je voudrais que ma petite soeur meure". Ensuite, il deviendra angoissé craignant que son désir ne se réalise *à cause de lui*. Ou encore, si sa soeurette tombe malade, il sera rongé par un sentiment de culpabilité, craignant que *sa pensée ne l'ait rendue malade*. En général, nous perdons cette habitude vers l'adolescence, alors que nous découvrons notre incapacité de contrôler les événements par nos seules pensées. Par contre, il arrivera souvent que des enfants ayant été traumatisés indûment d'une façon ou d'une autre, continueront d'avoir des pensées magiques. C'est le cas surtout de ceux qui souffrent d'une névrose obsessionnelle compulsive. George en est l'exemple. Sa confiance que ses pensées allaient se réaliser était une partie essentielle de sa névrose. Convaincu que ses pensées prendraient forme, il était continuellement forcé de parcourir d'énormes distances pour retourner sur les lieux de ces pensées, pour annuler leur pouvoir ou le détruire.

En quelque sorte, le pacte de George avec le diable n'était rien d'autre qu'une manifestation de son illusion de pouvoir penser magiquement. À ses yeux, c'était un bon moyen de se débarrasser de ses tourments précisément parce qu'il croyait à ce pouvoir. Tout était "dans sa tête," mais George était certain qu'il mourrait avec son fils s'il ne respectait pas son contrat. Ne s'en tenant qu'à des critères médicaux, nous pouvons dire que son pacte n'était qu'un des nombreux aspects de ses pensées magiques, et que celles-ci étaient typiques de la maladie mentale courante dont il était affligé. En l'occurence, le phénomène est compréhensible et ne requiert pas d'autres précisions. Affaire close.

Mais, voici le hic. Vus de cette façon, les rapports entre George et le diable semblent prosaïques et peu significatifs. Qu'en est-il si nous les définissons plutot avec l'esprit d'un chrétien religieux traditionnel?

En ces termes, l'humanité, et tout l'univers peut-être, sont engagés dans une guerre titanesque entre les forces du bien et du mal, entre Dieu et le diable. L'âme individuelle de chacun constitue le champ de bataille. Le but de toute la vie tourne autour de ce combat. En dernière analyse, la seule question d'importance est de savoir lequel l'emportera, Dieu ou le diable. A cause de son pacte, George avait placé son âme dans le plus grand danger connu de l'homme. C'était clairement le point critique de sa vie. Le sort de l'humanité tout entière dépendait peut-être de sa décision. Des chœurs d'anges et des armées de démons le surveillaient, suspendus à chacune de ses pensées et priant sans arrêt. En fin de compte, en annulant son pacte et en renonçant à cette relation, George avait évité l'enfer pour la gloire de Dieu et l'espoir du genre humain.

Que signifiait le pacte de George? N'était-ce qu'un symptôme névrotique, ou le point culminant de son existence, point crucial avec ramifications cosmiques?

Je n'ai pas ici l'intention de déprécier le modèle médical. De toutes les interprétations possibles et nombreuses, c'est la plus utile pour décrire la maladie mentale. Cependant, dans certains cas et à certains moments, il faut en adopter une autre.

Il faut alors choisir un terrain avantageux. Quand George me parla de son pacte avec le diable, j'avais le choix entre un simple symptôme neuvrotique et un moment de crise morale. Dans la première éventualité, je n'avais pas à agir immédiatement. Dans l'autre, j'avais le devoir envers George et le monde de me lancer de toutes mes forces dans ce conflit moral. Que décider? En choisissant de considérer le pacte de George comme immoral, même si tout était "dans sa tête", et en le mettant en présence de son immoralité, j'ai certainement opté pour la voie la plus dramatique. C'est la voie pratique, je crois. Si nous sommes, à un moment donné, en position de choisir un modèle en particulier, nous devons probablement choisir le plus dramatique, c'est-à-dire celui qui donne le plus de signification au cas sous étude.

Par contre, il n'est ni nécessaire ni recommandable d'adopter un seul modèle. Nous de l'Amérique du Nord voyons un homme dans la lune, tandis que les habitants de l'Amérique Centrale aperçoivent un lapin. Qui a raison? Tous deux, bien sûr, puisque les points de vue sont différents, tant culturels que géographiques. Les modèles ne sont que des points de vue différents. Pour mieux connaître la lune, ou tout autre phénomène, il nous faut la contempler sous le plus d'aspects

41

possibles.

Dans ce livre, mon approche comporte plusieurs facettes. Le lecteur qui préfère un menu simple, ou simpliste, se sentira sans doute mal à l'aise. Mais le sujet mérite une clarification complète. La méchanceté humaine est trop importante pour n'en aborder qu'un aspect. C'est une réalité trop vaste pour n'en connaître qu'un système de coordonnées; elle est fondamentale au point d'être naturellement et inévitablement mystérieuse. Nous n'atteignons jamais la compréhension d'une réalité fondamentale, nous ne pouvons que nous en approcher. Plus nous nous en approchons, plus conscients sommes-nous de notre incompréhension. Plus nous nous émerveillons devant ses mystères.

Alors, pourquoi chercher à comprendre? La question relève du langage nihiliste; c'est une voix diabolique qui se fait entendre depuis la nuit des temps.(6) Pourquoi faire ou apprendre quoi que ce soit? Simplement parce que c'est préférable, plus enrichissant et constructif d'avoir une lueur de compréhension sur ce que nous sommes, que de patauger dans le noir. Nous ne pouvons ni tout comprendre ni tout contrôler. J.R.R. Tolkien a dit: "Notre rôle n'est pas de maîtriser toutes les marées du monde, mais d'agir au fond de soi pour améliorer les années dans lesquelles nous vivons, déracinant le mal dans nos champs afin que ceux qui nous succèderont aient une meilleure terre à cultiver. Nous n'avons pas à nous soucier du temps qu'il fera."(7)

La science, par tous ses moyens, essaie de percer le mystère du monde. Petit à petit, les scientifiques deviennent plus disposés à envisager plusieurs modèles. Les physiciens ne sont plus réfractaires à l'idée de voir la lumière à la fois comme une onde et une particule. En psychologie, les modèles abondent: biologiques, psychologiques, psychobiologiques, sociologiques, sociobiologiques, freudiens, émotivo-rationnels, behavioristes, existentialistes, et ainsi de suite. Et, pendant que la science a besoin de ces innovateurs qui présenteront un nouveau modèle comme la meilleure découverte, le malade qui cherche à être compris le mieux possible serait bien avisé de s'adresser à un thérapeute capable d'aborder le mystère de l'âme humaine sous tous ses aspects.

Cependant, la science n'est pas encore exactement large d'esprit. J'ai intitulé ce chapitre "Vers une psychologie du mal" parce que nous n'avons pas encore les connaissances scientifiques essentielles à une véritable psychologie de la méchanceté humaine. Pourquoi? Le concept du mal a été au centre de la pensée religieuse depuis des millénaires mais, dans la pratique, ce concept n'entre pas dans notre science de la psychologie laquelle, à notre avis, devrait se préoccuper au plus haut point du sujet. La principale raison de cet état de choses, c'est que les modèles scientifiques et religieux ont toujours été considérés tout à fait incompatibles jusqu'ici.

Vers la fin du dix-septième siècle, après l'affaire Galilée qui les embarrassa toutes deux, la science et la religion convinrent non-officiellement d'une "non-parenté." Le monde fut arbitrairement divisé entre le "naturel" et le "surnaturel." La religion admettait que le "monde naturel" était du domaine des seuls scientifiques. Pour sa part, la science acceptait de ne pas se mettre le nez dans les affaires spirituelles et, pour ainsi dire, dans tout ce qui concerne les valeurs. De fait, la science se définissait comme "sans valeurs morales."

Ensuite, pendant trois cents ans, il y eut un fossé profond entre la science et la religion. Parfois acrimonieux, mais le plus souvent remarquablement amical, ce divorce stipulait que la question du mal demeurait le propre des penseurs religieux. A peu d'exceptions près, les hommes de science n'ont même pas réclamé des droits de visite, pour la bonne raison que la science s'était déclarée "sans valeurs morales". A priori, le seul vocable "mal" soulève un jugement de valeur. Donc, une science strictement "sans valeurs" ne peut même pas aborder le sujet.

Cependant, tout cela est en voie de changement. Une science sans vérités ni valeurs religieuses ne pourrait que s'apparenter à la démence de la course aux armements; ce serait aboutir à une religion dépourvue des avantages du doute de soi et de l'examen minutieux; ce serait la démence de Jonestown. Plusieurs facteurs s'opposent aujourd'hui à la séparation entre la religion et la science. De nombreuses raisons les obligent à s'unir, dont la question du mal, au point de créer une science qui n'est plus sans valeurs religieuses.

Cette réintégration est déjà commencée depuis quelques années. En vérité, c'est l'événement le plus passionnant dans l'évolution intellectuelle de notre fin de siècle.

La science est demeurée loin du problème du mal à cause de l'immensité du mystère. Ce n'est pas que les hommes de science n'aient pas le goût du mystère, mais plutôt parce que leur attitude et leur méthodologie relèvent du réductionnisme dans ce domaine. Leur style "cerveau gauche" est analytique. Habituellement, ils ne croqueront qu'un petit morceau à la fois pour ensuite l'examiner en relative solitude. Ils préfèrent les petits mystères aux grands.

Les théologiens n'ont pas de tels scrupules. Leur appétit est aussi grand que Dieu lui-même. Ils ne sont nullement troublés par le fait que Dieu soit invariablement plus grand que ce qu'ils peuvent digérer. Au contraire, les uns cherchent à s'évader du mystère grâce à la religion, tandis que d'autres voient la religion comme une façon de l'aborder. Ces derniers n'hésitent pas à recourir aux méthodes réductionnistes de la science, mais ils utiliseront aussi volontiers les méthodes d'exploration du "cerveau droit," par intégration: méditation, intuition, sentiment, foi et révélation. Plus le mystère est grand, plus ils sont satisfaits.

La question du diable est un mystère très vaste, en effet. Elle ne se plie pas facilement au réductionnisme. Cependant, nous verrons que plusieurs aspects du mal humain peuvent être ramenés à une dimension acceptable pour une étude scientifique adéquate. Néanmoins, les morceaux du casse-tête sont tellement emboîtés les uns dans les autres, qu'il est à la fois difficile et déformant de les isoler. En outre, ses dimensions sont telles que nous ne pouvons avoir qu'un faible aperçu de l'ensemble. Comme à la suite des tentatives précédentes d'exploration, nous finirons avec plus de questions que de réponses.

Par exemple, on peut difficilement séparer la question du bien de la question du mal. S'il n'y avait rien de bon dans le monde, nous n'aurions même pas à considérer le problème du mal.

C'est bizarre. Des douzaines de fois j'ai dû répondre à des malades ou des amis qui me demandaient: "Docteur Peck, pourquoi le mal existe-t-il?" Par contre, durant toutes ces années, on ne m'a jamais demandé: "Pourquoi le bien existe-t-il?" Il semble que nous prenons automatiquement pour acquis que notre monde est naturellement bon, mais qu'il a été en quelque sorte contaminé par le mal. Avec ce que nous savons de la science, le mal est plus facile à expliquer. Les lois naturelles de la physique nous enseignent sans peine que la matière se gâte. Il n'est pas aussi facile de comprendre que la vie évolue vers des formes de plus en plus complexes. Les enfants mentent, volent et trichent, c'est connu. Ce qu'il y a de plus remarquable, c'est qu'ils deviennent parfois des adultes très honnêtes. La nonchalance est plus en vogue que la diligence. A bien y penser, il est peut-être plus logique de dire que notre monde est naturellement mauvais, mais qu'il a été mystérieusement "contaminé" par le bien. Le mystère du bien est encore plus grand que le mystère du mal.(8)

Ces mystères sont inextricables. Le titre lui-même de ce chapitre est une distorsion. Il serait plus approprié de dire: "Vers une psychologie du Bien et du Mal." Nous ne pouvons pas légitimement étudier la question de la méchanceté humaine sans approfondir en même temps celle de la bonté humaine. En effet, comme je le soulignerai à la fin de mon livre, il est extrêmement dangereux pour l'âme du chercheur de se concentrer exclusivement sur le problème du mal.

Il ne faut pas non plus oublier que si la question du mal suscite inévitablement celle du diable, l'inextricable question du bien soulève également celle de Dieu et de la création. Alors que nous le pouvons et, à mon avis, le devons, il faut mordiller de petits morceaux de mystère avec nos dents scientifiques, pour nous rapprocher de découvertes dont l'immensité et la splendeur dépassent l'entendement. Que nous le sachions ou non, nous sommes en train de fouler un sol béni. Un grand respect mêlé de crainte s'impose. Devant un tel mystère sacré, c'est préférable de ne pas oublier de procéder avec toutes les précautions qu'inspirent la crainte et l'amour.

Une question de vie ou de mort

Avant d'aller plus loin, il nous faut au moins une définition pratique. A cause de l'énormité du mystère, nous n'avons pas encore une seule définition reconnue du mal. Cependant, dans notre for intérieur, je crois que nous en avons tous une idée personnelle. Pour le moment, je ne pourrais faire mieux que citer mon fils de huit ans qui m'affirmait judicieusement: "Voyons, papa. Le mal c'est la vie à l'envers."(9) Le mal est en opposition avec la vie. C'est ce qui s'oppose aux forces vitales. En quelque sorte, faire le mal c'est tuer. Spécifiquement, c'est assassiner; c'est-à-dire, un homicide inutile, un assassinat qui n'est pas nécessaire pour la survie biologique.

N'oublions pas ceci. Certains ont écrit sur le mal dans un style si intellectuel que le résultat est abstrait et manque d'à-propos. Un meurtre n'a rien d'abstrait. N'oublions pas que George était prêt à sacrifier la vie de son propre enfant.

Quand je dis que le mal a des rapports avec le meurtre, je ne parle pas exclusivement du meurtre physique. Le mal tue l'esprit également. La vie possède plusieurs attributs essentiels - la vie humaine en particulier - tels la sensibilité, la mobilité, la conscience, la croissance, l'autonomie, la volonté. C'est possible de tuer, ou d'essayer de tuer un de ces attributs sans nécessairement détruire le corps, de la même manière que nous pouvons "casser" un cheval, ou même un enfant, sans toucher un seul de ses poils ou un seul de ses cheveux. Erich Fromm était particulièrement conscient de cette vérité quand il a élargi sa définition de la nécrophilie pour y inclure le désir qu'ont certains de contrôler les autres, de les rendre maniables, d'encourager leur sujétion, de décourager leur capacité de penser, de diminuer leur originalité et leur spontanéité, de les dominer. Pour distinguer le nécrophile du "biophile," de celui qui apprécie et encourage la vie sous toutes ses formes et le caractère unique de l'individu, il décrivit le "caractère-type du nécrophile", dont le but est d'éviter les inconvénients de la vie en transformant les autres en automates soumis, les dépouillant de leur nature humaine.(10)

Donc, pour le moment, le mal c'est cette force à

l'intérieur ou à l'extérieur de l'être humain, qui cherche à tuer la vie ou l'animation. Le bien est l'opposé. Le bien c'est ce qui favorise la vie et la vitalité.

Je prononce beaucoup de conférences et de sermons ces temps-ci. Dernièrement, je me suis demandé ce qu'au fond je voulais dire. Y a-t-il un thème, un message, dans mes sermons et mes allocutions?

Oui. À bien y penser, je constate que d'une façon ou de l'autre, quel que soit mon sujet, j'essaie toujours du mieux que je peux d'aider les gens à voir Dieu, le Christ et eux-mêmes, beaucoup plus sérieusement qu'ils ne le font généralement.

Dès le départ, on nous dit que Dieu nous a créés à Son image. Devons-nous prendre ceci sérieusement? Allons-nous accepter la responsabilité d'être des individus divins? Admettre que la vie humaine a une importance sacrée?

Au sujet de ses rapports avec nous, les humains, Jésus disait: "Je suis venu pour qu'ils aient la vie, et qu'ils l'aient en abondance."(11). En abondance. Quelle expression merveilleuse! Cet homme étrange qui, de toute évidence, appréciait les noces et le vin, les parfums et les joyeux compagnons, qui n'en permit pas moins qu'on le mette à mort, ne se préoccupait pas autant de sa longévité que de sa vitalité. Il ne s'intéressait pas aux marionnettes humaines, dont un jour il a dit: "Laissez les morts enterrer les morts."(12) Il s'intéressait plutôt à l'esprit de la vie, à la vitalité. Au sujet de Satan, l'esprit malin, Jésus a dit: "Celui-là était homicide dès le début."(13) Le mal n'a rien à voir avec la mort naturelle; il ne concerne que la mort anormale, l'assassinat du corps ou de l'esprit.

Le but de ce livre est de nous inciter à considérer notre vie humaine assez sérieusement pour que nous voyions la méchanceté humaine avec plus de sérieux, au point de l'étudier avec tous les moyens à notre disposition, y compris les méthodes scientifiques. J'ai l'intention d'exposer le mal tel qu'il est, dans toute sa sombre réalité. Ma démarche n'a rien de morbide. Au contraire, c'est une recherche de la "vie plus abondante". La seule raison valable de reconnaître le mal humain, c'est de le guérir quand nous le pouvons et, si nous ne le pouvons pas comme c'est le cas le plus souvent, d'en continuer l'étude afin d'en corriger certains aspects jusqu'à pouvoir éventuellement éliminer toute sa laideur de la surface du globe.

Ainsi, je crois qu'il est clair qu'en nous enjoignant de développer une psychologie du mal, je ne parle pas du mal dans l'abstrait, ni d'une psychologie abstraite étrangère aux valeurs de la vie et de la vitalité. A moins d'être nazi, on ne peut étudier une maladie sans avoir l'intention de la guérir. Une psychologie du mal doit être une psychologie curative.

Guérir, c'est aimer. C'est une fonction de l'amour. Là où il y a de l'amour, il y a de la guérison. Là où il n'y a pas d'amour, il y a peu ou pas de guérison. Paradoxalement, une psychologie du mal doit être une psychologie amoureuse, une psychologie débordante d'amour de la vie. Tout au long de son cheminement, sa méthodologie doit se soumettre non seulement à l'amour de la vérité, mais à l'amour de la vie également; à l'amour de la chaleur, de la lumière et du rire, de la spontanéité et de la joie, du besoin de servir et d'être utile.

Je suis peut être en train de contaminer la science. Permettez-moi de la "contaminer" un peu plus. Si elle doit être riche, fertile et humainement productive, la psychologie que je suggère ne doit pas elle-même être stérile, morte et mauvaise; elle doit réussir à intégrer beaucoup de ce qui est couramment ou généralement perçu comme "scientifique." Par exemple, il lui faudra tenir compte de la littérature, de la mythologie en particulier. Puisque les êtres humains combattent le mal depuis toujours, ils ont dû, consciemment ou non, incorporer le fruit des leçons apprises dans leurs récits mythiques. Dans son ensemble, la mythologie est un immense entrepôt de ces leçons, qui ne cesse de s'agrandir. Le personnage de Gollum dans la populaire trilogie de Tolkien, *Le Seigneur des Anneaux*, est sans doute la meilleure description du mal jamais écrite.(14) Son auteur, J.R.R. Tolkien, un professeur de littérature, possédait une connaissance de la méchanceté humaine au moins équivalente à celle de n'importe quel psychiatre ou psychologue.

A l'autre bout de la chaîne, il faut aussi utiliser les méthodes de la science "dure" dans l'étude du mal; je ne parle pas des taches d'encre de Rorschach, mais des procédures biochimiques les plus avancées et des analyses statistiques très poussées des modèles héréditaires. Après avoir lu une première version du manuscrit de mon ouvrage, un éditeur s'écria: "Scotty, ce que vous dites fait supposer que le mal pourrait en quelque sorte être génétique, ou biochimique, ou *physique*!" Pourtant, ce même éditeur savait fort bien que nous sommes en train de découvrir que presque toutes les maladies ont des origines à la fois physiques et émotionnelles. Une bonne science, comme une bonne psychologie, doit être large d'esprit. Il faut explorer chaque avenue, remuer ciel et terre.

Finalement, une psychologie du mal se doit, bien sûr, d'être religieuse. Je ne dis pas qu'elle doive embrasser une théologie en particulier. J'affirme, cependant, qu'elle doit non seulement endosser les points de vue valables de toutes les traditions religieuses, mais admettre aussi la réalité du "surnaturel". Et, comme je l'ai dit, elle sera une science soumise à l'amour et au caractère sacré de la vie. Non pas une psychologie purement séculaire.

Il existe un grand nombre de différents modèles théologiques du mal. La seule particularité qu'ils ont tous en commun est peut-être celle de ne pouvoir distinguer entre le mal humain, comme le meurtre, et le mal naturel, comme la mort et la destruction causées par le feu, les inondations et les séismes. Sachant que j'étais en train d'écrire un livre sur le mal, un ami m'a dit: "Vous allez peut-être m'aider à comprendre la paralysie cérébrale dont souffre mon fils". Je ne le peux pas. Le livre du rabbin Harold S. Kushner, *When Bad Things Happen to Good People*(15), traite fort bien du problème du mal naturel. Je ne parlerai ici que du mal humain, et concentrerai mon propos sur les gens "méchants".

Je ne prétends pas non plus que ce livre soit une étude complète du sujet. Mon intention n'est pas de jouer au parfait savant, mais de m'attaquer au vif du sujet avec les moyens dont je dispose afin de nous entraîner dans une démarche scientifique complète et savante. Alors que d'autres traditions religieuses auraient de grandes contributions à offrir dans ce domaine, je me contenterai, pour ma part, de consacrer mon verbe spécifiquement chrétien à la réalisation d'une psychologie du mal.(16)

Dans le même ordre d'idées, je n'élaborerai pas sur toutes les théories psychologiques qui circulent présentement sur le sujet. Qu'il me suffise de souligner que bien que nous ne possédions pas encore assez de connaissances scientifiques sur la méchanceté humaine, pour que nous puissions les honorer du titre de "psychologie," les béhavioristes ont jeté les bases qui rendront une telle psychologie possible. Les découvertes de Freud et de Jung sur l'inconscient en sont des exemples.

Cependant, un psychologue parmi les autres mérite une mention spéciale. Après avoir fui les persécutions juives du régime hitlérien, le psychanalyste Erich Fromm consacre le reste de sa vie à l'étude du mal nazi. Il fut le premier homme de science qui définit clairement un type de personnalité méchante, qui tenta d'étudier les êtres mauvais en profondeur et suggéra de pousser ces études encore plus loin.(17)

Les travaux de Fromm sont basés sur ses recherches sur quelques chefs nazis du Troisième Reich et sur l'Holocauste. Il a cet avantage sur moi que ses sujets étaient sûrement méchants puisque l'histoire en a décidé ainsi. Cependant, son oeuvre est affaiblie pour cette même raison: il n'a jamais pu rencontrer ses sujets. Considérant que tous étaient des haut-placés politiques d'un régime particulier, d'une culture particulière, à un moment particulier, il pourrait en résulter l'impression que les êtres humains franchement méchants vivaient "là-bas" et "jadis". Le lecteur est porté à croire que la vraie méchanceté n'a rien à voir avec la mère de trois enfants qui vit à côté, ou avec le pasteur de l'église voisine. Pourtant, je sais d'expérience que les gens méchants sont monnaie courante et semblent souvent normaux aux yeux de l'observateur superficiel.

Le célèbre théologien juif, Martin Buber, parle de deux types de mythes au sujet du mal. Le premier concerne ceux qui sont en voie de "glisser" dans le mal; l'autre comprend ceux qui ont déjà glissé, sont "tombés victimes" d'un mal "radical" qui les a subjugués.(18)

George est l'exemple vivant du premier type. Pas encore méchant, il était sur le point de le devenir. Ses transactions avec le diable représentent le point culminant de sa vie morale.

Il serait devenu méchant s'il n'avait pas renoncé à son pacte. Il ne l'était pas encore et, grâce à son sentiment de culpabilité, il put se ressaisir.

Nous considérerons maintenant un couple qui, à l'instar des sujets de Fromm, correspond au deuxième type. à ceux qui ont franchi les bornes et plongé dans un mal "radical," probablement inéluctable.

Le cas de Bobby et ses parents

C'était en février, au milieu de ma première année de formation psychiatrique. J'étais attaché au service interne. Bobby, un garçon de quinze ans, avait été admis la veille au soir, souffrant de dépression. Avant de le voir pour la première fois, j'ai lu les remarques écrites par un psychiatre à l'admission:

Le frère aîné de Bobby, Stuart, 16 ans, s'est suicidé en juin dernier, en se tirant une balle dans la tête avec sa carabine de calibre 22. Au début, Bobby ne sembla pas affecté outre mesure. Mais, dès le début des classes en septembre, son rendement baissa. Jadis bon élève, il échoue présentement à tous ses examens. A l'Action de Grâces, il semblait vraiment déprimé. Ses parents ont essayé de lui parler, mais il devient de moins en moins expansif, surtout depuis Noël. Bien qu'il n'ait pas fait preuve de conduite anti-sociale dans le passé, Bobby vola une automobile, hier. Agissant seul, il eut un accident car il n'avait jamais conduit. La police l'arrêta. Il doit comparaître le 24 mars. À cause de son âge, on l'a relâché sous la surveillance de ses parents, en les enjoignant de consulter un psychiatre immédiatement.

Un préposé me l'amena dans mon bureau. Il avait l'allure typique d'un jeune adolescent de quinze ans qui vient de connaître une poussée de croissance: les jambes et les bras longs et chétifs, comme des bouts de bois, avec un torse maigre qui n'avait pas encore commencer de se bomber. Ses vêtements étaient quelconques et mal ajustés. Sa longue chevelure mal entretenue lui retombait sur les yeux et je pouvais à peine voir son visage, d'autant plus que son regard restait fixé au sol. Je serrai sa main molle et lui demandai de s'asseoir. "Je suis le docteur Peck, Bobby," lui dis-je. "Je serai ton médecin. Comment te sens-tu?"

Bobby ne répondit pas. Il se contenta de contempler le plancher.

- As-tu bien dormi? lui demandai-je.

- O.K. Je crois, murmura-t-il. Il se mit à gratter une petite plaie sur le dos de sa main. Je notai qu'il avait plusieurs boutons sur les mains et les avant-bras.

- Est-ce que l'hôpital te rend nerveux?

Pas de réponse. Bobby se grattait furieusement. Je grimaçai intérieurement à cause du tort qu'il faisait à sa peau.

- La plupart sont nerveux la première fois qu'ils viennent à l'hôpital, mais, c'est un bon endroit, tu verras. Peux-tu me dire ce qui t'amène ici?

- Mes parents m'ont amené.

- Pourquoi ont-ils fait ça?

- Parce que j'ai volé une automobile et les policiers ont dit que je devais venir ici.

- Je ne crois pas que les policiers aient dit que tu devais venir à l'hôpital, lui dis-je. Ils voulaient que tu voies un médecin. Celui que tu as vu hier soir a jugé que tu étais si déprimé qu'il était préférable que tu sois hospitalisé. Pourquoi as-tu volé une automobile?

- Je ne sais pas.

- C'est inquiétant de voler une automobile, surtout quand on est seul, peu habitué au volant et sans même avoir un permis de conduire. Quelque chose de très fort a dû te pousser à agir ainsi. Peux-tu me dire ce que c'est?

Pas de réponse. Je n'en attendais pas. Les garçons de quinze ans dans le pétrin et devant un psychiatre pour la première fois ne sont pas très loquaces. Surtout quand ils sont déprimés; Bobby l'était sûrement beaucoup. J'avais eu la chance d'entrevoir son visage furtivement à quelques reprises quand il leva les yeux. Il était morne, sans expression. Il n'y avait pas de vie dans son regard, ni sur ses lèvres. C'était un visage semblable à ceux que j'avais vus dans des films sur les survivants de camps de concentration; le visage de celui qui a perdu famille et maison dans un désastre naturel: hébété, apathique, désespéré.

- Tu te sens triste? lui demandai-je.

- Je ne sais pas.

Il ne le savait probablement pas. Les jeunes adolescents ne font que commencer à identifier leurs sentiments. Plus ces sentiments sont forts plus ils en sont accablés sans pouvoir les comprendre.

- J'ai l'impression que tu as de bonnes raisons d'être triste, continuai-je. Je sais que ton frère, Stuart, s'est suicidé l'été dernier. Etais-tu proche de lui?

- Oui.

- Parle-moi de vous deux.

- Il n'y a rien à dire.

- Sa mort a dû te faire mal et t'embrouiller, remarquai-je.

Aucune réaction, si ce n'est qu'il se mit à gratter son avant-bras avec encore plus de vigueur. C'était trop tôt pour qu'il puisse parler du suicide de son frère au cours d'une première rencontre. Je laissai tomber le sujet pour le moment.

- Tes parents? Veux-tu parler de tes parents? demandai-je.

- Ils sont bons pour moi.

- Oui? Comment?

- Ils me conduisent aux réunions scoutes.

- C'est beau, remarquai-je. C'est ce que doivent faire les parents quand ils peuvent. Est-ce que tu t'entends bien avec eux?

- O.K.

- Pas de problèmes?

- Il m'arrive d'être désagréable envers eux.

- Oh, comment?

- Je leur fais mal.

- Comment leur fais-tu mal, Bobby? demandai-je.

- Je leur ai fait mal quand j'ai volé l'automobile, m'avoua Bobby. Non pas d'un air triomphant, mais avec une lourdeur sombre et désespérée.

- Crois-tu que c'est pour ça que tu as volé l'automobile, pour faire mal à tes parents?

- Non.

- Je suppose que tu ne voulais pas leur faire mal. Peux-tu me donner une autre raison pour laquelle tu leur as fait mal?

Bobby ne répondit pas.

- Eh bien? insistai-je après un long silence.

- Je sais que je leur ai fait mal.

- Comment le sais-tu?

- Je ne sais pas.

- Est-ce qu'ils te punissent?

- Non, ils sont bons pour moi.

- Alors, comment sais-tu que tu leur fais mal?

- Ils crient après moi.

- Oui? Dis-moi un peu ce qui les fait crier?

- Je ne sais pas, répondit-il.

Bobby grattait ses boutons fièvreusement et il penchait la tête en avant aussi loin qu'il pouvait. Je crus bon de choisir des questions plus générales dans l'espoir qu'il s'ouvre un peu et que nous puissions amorcer une relation.

- As-tu des animaux chez toi? demandai-je.

- Un chien.

- Quelle sorte de chien?

- Un berger allemand.

- Comment s'appelle-t-il?

- Elle! corrigea Bobby. Elle s'appelle "Inge".

- C'est un nom allemand?

- Oui.

- Un nom allemand pour un berger allemand, fis-je, essayant en quelque sorte d'abandonner mon rôle d'inquisiteur. Sors-tu souvent avec elle?

- Non.

- Tu en prends soin?

- Oui.

- Tu ne sembles pas très emballé.

- C'est le chien de mon père.

- Ah, oui? Tu en prends soin quand même?

- Oui.

- Je ne trouve pas cela très juste. Ça te déplait?

- Non.

- N'as-tu pas un animal favori bien à toi?
- Non.

Il était évident que nous n'allions nulle part. Je décidai d'attaquer un sujet plus susceptible de réveiller son enthousiasme.

- Noël vient de passer. Qu'est-ce que tu as eu à Noël?
- Rien d'extraordinaire.
- Tes parents ont dû te donner quelque chose. Qu'est-ce qu'il t'ont donné?
- Un fusil.
- Un fusil? répétai-je, sottement.
- Oui.
- Quelle sorte de fusil? lui demandai-je, avec douceur.
- Un vingt-deux.
- Un pistolet vingt-deux?
- Non. Un fusil vingt-deux.

Il y eut un autre long silence. Je me sentais désorienté. Je voulais mettre fin à l'entrevue. Je voulais rentrer chez moi. Finalement, je me résignai à dire ce qu'il fallait.

- Je crois que c'est avec un fusil que ton frère s'est suicidé?
- Oui.
- Est-ce que c'était ce que tu avais demandé pour Noël?
- Non.
- Qu'avais-tu demandé?
- Une raquette de tennis.
- Mais, c'est un fusil qu'on t'a donné?
- Oui.
- Qu'as-tu ressenti en recevant un fusil comme ton frère avait?
- Ce n'était pas un fusil comme mon frère avait.

Je commençais à me sentir mieux. Somme toute, je n'étais peut-être que confus.

- Excuse-moi. Je croyais que c'était la même sorte de fusil.
- Ce n'était pas la même sorte de fusil, répliqua Bobby. C'était "le" fusil.
- Le fusil?
- Oui.

55

- Veux-tu dire que c'était le fusil de ton frère? A ce moment, je voulais rentrer chez moi plus que jamais.

- Oui.

- Tu dis que tes parents t'ont donné le fusil de ton frère à Noël, celui avec lequel il s'est tué?

- Oui.

- Qu'as-tu ressenti quand tu as reçu le fusil de ton frère pour Noël? lui demandai-je.

- Je ne sais pas.

Je m'en voulais quasiment d'avoir posé cette question. Comment pouvait-il savoir? Comment pouvait-il répondre? Je le regardai. Son apparence n'avait pas changé pendant que nous parlions du fusil. Il n'avait pas cesser de frotter ses boutons. N'eut été ce geste, il m'aurait semblé mort: les yeux éteints, amorphe, apathique et sans vie, plus troublant que la terreur.

- Non, je ne crois pas que tu le saches, continuai-je. Dis-moi, est-ce que tu vois tes grands-parents parfois?

- Non. Ils habitent dans le Dakota du Sud.

- As-tu des parents que tu fréquentes?

- Quelques-uns.

- Que tu aimes?

- J'aime ma tante Helen.

J'ai cru saisir une pointe d'enthousiasme dans sa réponse.

- Aimerais-tu que ta tante Helen vienne te voir à l'hôpital? lui demandai-je.

- Elle habite très loin.

- Si elle venait quand même?

- Si elle veut.

Encore une fois, je détectai un brin d'espoir, en lui et en moi-même. Il me fallait prendre contact avec la tante Helen. Il me fallait aussi mettre fin à cette entrevue. Je n'en pouvais plus. J'expliquai la routine de l'hôpital à Bobby, promis que je le verrais le lendemain et l'assurai que les infirmières garderaient l'oeil sur lui et lui donneraient un somnifère à l'heure du coucher. Je le ramenai au poste de garde. Après avoir signé ses ordonnances, je sortis sous le porche de l'établissement. Il neigeait. J'étais content qu'il neige. Je restai sous la neige pendant quelques minutes. Puis, je retournai dans mon bureau et me plongeai dans la rédaction d'ennuyeux rapports. J'étais content de cela, aussi.

Le lendemain, je vis les parents de Bobby. Selon eux, ils étaient de gros travailleurs. Le père était mouleur et outilleur, un expert machiniste très fier de la grande précision de son métier. La mère occupait un poste de secrétaire dans un bureau d'assurances et s'énorgueillissait de la propreté de son intérieur. Ensemble, ils fréquentaient l'église luthérienne tous les dimanches. Lui prenait un verre de bière avec modération au cours des week-ends. Elle était membre d'une ligue de quilles du jeudi soir. Ni beaux ni laids, de taille moyenne, ils appartenaient à la couche supérieure des cols bleus. C'étaient des gens tranquilles, ordonnés, solides. Les tragédies qui les frappaient n'avaient ni rime ni raison. D'abord Stuart, aujourd'hui Bobby.

- Je n'ai pas arrêté de pleurer, me dit la mère.
- Le suicide de Stuart vous a bouleversés?
- Complètement. Un gros choc, répondit le père. C'était un garçon si équilibré. Il allait bien à l'école. Il était membre des Scouts. Il aimait chasser les marmottes dans le champ, en arrière de la maison. C'était un enfant tranquille et tout le monde l'aimait.
- Semblait-il déprimé avant de s'enlever la vie?
- Non, pas du tout. Il était comme d'habitude. C'était un garçon paisible qui ne parlait pas beaucoup.
- A t-il laissé une note?
- Non.
- D'un côté ou de l'autre de votre parenté, y a t-il déjà eu des maladies mentales, des dépressions graves ou des suicides?
- Rien dans ma famille, répondit le père. Ma famille vient d'Allemagne où j'ai encore beaucoup de parents que je ne connais pas. Je ne sais rien d'eux.
- Ma grand-mère devint sénile et nous avons dû l'hospitaliser, ajouta la mère. Il n'y a pas eu d'autres problèmes du genre. Certainement pas de suicide. Oh! Docteur, vous ne croyez pas que Bobby pourrait... pourrait se faire du mal, aussi?
- Oui, répondis-je. Les chances sont fortes.

- Mon Dieu! Je ne pourrais pas endurer ça, gémit la mère, doucement. Est-ce que ce genre de choses, je veux dire se faire du mal, est-ce que cela tient de famille?

- Définitivement. Les statistiques nous disent que le plus grand risque existe chez ceux dont une soeur ou un frère s'est suicidé.

- Mon Dieu! gémit la mère, encore une fois. Vous croyez vraiment que Bobby pourrait le faire?

- Vous n'aviez pas pensé que Bobby était en danger? lui demandai-je.

- Non, pas jusqu'à maintenent, répliqua le père.

- Mais, si je comprends bien, Bobby est déprimé depuis quelque temps, soulignai-je. Vous n'étiez pas inquiets?

- Oui, bien sûr, répondit le père. Nous avons cru que c'était normal à cause de la mort de son frère. Nous pensions que ça passerait.

- Vous n'avez pas songé à consulter un psychiatre? poursuivis-je.

- Non, certainement pas, répondit le père, l'air ennuyé. Je vous l'ai dit, nous pensions que ça passerait. Nous n'aurions jamais imaginé que c'était aussi sérieux.

- Je crois que les résultats de Bobby ont dégringolé, à l'école?

- Oui, c'est une honte, confirma la mère. C'était un si bon élève.

Je poursuivis.

- On devait s'inquiéter à l'école. Est-ce qu'on vous a parlé du problème?

La mère semblait quelque peu mal à l'aise.

- Oui. J'étais inquiète également. J'y suis même allé à l'école pendant mes heures de travail.

- J'aimerais avoir votre permission de communiquer avec l'école, si c'est nécessaire. Je pourrais trouver ça utile.

- Naturellement.

Quand vous êtes allée à l'école, on ne vous a pas suggéré un psychiatre pour Bobby? voulus-je savoir.

- Non, répondit la mère. Elle avait repris son sang-froid si rapidement que je ne savais plus si elle l'avait réellement perdu.

- On m'a dit qu'il avait besoin de conseils, mais pas d'un psychiatre, poursuivit-elle. Si on m'avait parlé d'un psychiatre, nous aurions sûrement fait quelque chose.

- Oui. Alors, nous aurions su que c'était grave, ajouta le père. Etant donné qu'ils n'ont parlé que de conseils, nous avons pensé qu'il ne s'agissait que de ses notes. Nous étions inquiets de ses notes, c'est certain. Mais, nous n'avons jamais poussé les enfants dans le dos à moins d'y être forcés. Ce n'est pas bien de pousser trop fort sur les enfants, n'est-ce pas, Docteur?

- Je ne suis pas sûr que le fait d'emmener Bobby voir un conseiller serait lui pousser dans le dos, lui fis-je remarquer.

- Eh bien! C'est un autre problème, Docteur, reprit la mère, sur l'offensive plutôt que sur la défensive. Ce n'est pas facile de trainer Bobby ici et là durant les jours de semaine. Nous sommes des travailleurs, voyez-vous. Les conseillers ne travaillent pas en fin de semaine. Nous ne pouvons prendre trop de congés. Nous avons besoin de gagner notre vie, vous savez.

Je ne voyais pas l'utilité d'engager une discussion avec les parents de Bobby pour voir s'il n'y avait pas des conseillers convenables disponibles le soir ou en fin de semaine. Je décidai de parler de la tante Helen.

- Il se pourrait que mes supérieurs et moi décidions qu'il faudrait plus qu'une simple hospitalisation pour Bobby; qu'il aurait besoin d'un nouvel environnement, pendant une bonne période de temps. Avez-vous des parents chez qui il pourrait demeurer?

- J'ai bien peur que non, répliqua le père immédiatement. Je n'en connais pas qui aimeraient avoir un adolescent sur les bras. Ils ont tous leur vie à vivre.

- Bobby m'a parlé de sa tante Helen. Elle consentirait peut-être à le prendre.

La mère sursauta.

- Bobby vous a t-il dit qu'il ne voulait plus vivre avec nous?

- Non. Nous n'en n'avons pas discuté, lui répondis-je. Je ne fais que sonder le terrain. Qui est tante Helen?

- C'est ma soeur, répondit la mère. Il n'en est pas question. Elle vit à plusieurs centaines de kilomètres d'ici.

- Ce n'est pas trop loin, lui fis-je remarquer. Je songe à un changement de décor pour Bobby. La distance conviendrait. Ce n'est pas assez loin pour l'empêcher de vous rendre visite, mais assez loin de l'endroit du suicide et des autres pressions qu'il subit présentement.

- Je ne crois pas que cela puisse aller, fit la mère.

- Oh?

- Helen et moi ne sommes pas très unies. Pas unies du tout.

- Pourquoi?

- Nous n'avons jamais été sur la même longueur d'ondes. Une pimbêche, c'est tout ce qu'elle est. Je ne comprends pas qu'elle soit si hautaine. Ce n'est qu'une femme de ménage. Son mari n'est pas une lumière, vous savez. Ils possèdent une petite entreprise d'entretien ménager. Je me demande pourquoi ils affichent toujours un air supérieur.

-Je comprends que vous ne vous entendiez pas très bien. Avez-vous d'autres parents chez qui Bobby pourrait rester?

- Non.

- Même si vous n'aimez pas votre soeur, Bobby semble avoir un penchant pour elle, et c'est ce qui compte.

- Ecoutez, Docteur, interjecta le père. Je ne sais pas ce que vous insinuez. Vous agissez en policier. Nous n'avons rien fait de mal. Vous n'avez pas le droit d'enlever un enfant à ses parents, si c'est ce que vous pensez. Nous avons fait beaucoup d'efforts pour cet enfant. Nous avons été de bons parents.

Mon estomac se soulevait de minute en minute. Je repris.

- Parlons du cadeau de Noël que vous avez donné à Bobby.

- Le cadeau de Noël? Ils semblèrent confus.

- Je crois que vous lui avez donné un fusil.

- C'est vrai.

- C'est ce qu'il avait demandé?

- Comment saurais-je ce qu'il avait demandé? demanda le père, sur un pied de guerre. Puis, il enchaîna immédiatement sur un ton plaintif. Je ne me souviens plus de ce qu'il avait demandé. Il s'est passé beaucoup de choses, vous savez. Nous avons eu une année difficile.

- C'est ce que je pense, lui dis-je. Mais, pourquoi lui donner un fusil?

- Pourquoi? Pourquoi pas? C'est un cadeau approprié pour un garçon de son âge. C'est ce que désirent le plus au monde la plupart des garçons de son âge.

Je pesai mes mots.

- Je suis porté à croire que puisque votre autre fils s'est suicidé à l'aide d'un fusil, vous ne voyiez plus les fusils d'un bon oeil.

- Etes-vous un de ceux qui s'opposent aux armes à feu? me demanda le père, retrouvant un peu le sentier de la guerre. C'est bien; c'est votre choix. Moi-même, je ne suis pas fou des fusils, mais je ne blâme pas les fusils; je blâme ceux qui s'en servent.

- Je suis de votre avis, jusqu'à un certain point. Stuart ne s'est pas tué simplement parce qu'il avait un fusil. Il a dû avoir d'autres raisons plus importantes. Savez-vous ce qu'elles étaient?

- Non. Nous vous avons déjà dit que nous ne savions même pas que Stuart était déprimé.

- C'est exact. Stuart était déprimé. Les gens ne se suicident pas à moins d'être déprimés. Vous ne saviez pas que Stuart était déprimé et vous n'aviez peut-être pas à vous en faire parce qu'il possédait un fusil. Mais, vous saviez que Bobby était déprimé. Vous le saviez bien avant Noël, bien avant de lui donner le fusil.

- S'il vous plaît, Docteur. Vous ne semblez pas comprendre, fit la mère, insinuante. Nous ne savions pas que c'était si grave. Nous pensions qu'il était bouleversé à cause de son frère.

- Alors, vous lui avez donné l'arme qui a servi au suicide de son frère. Pas n'importe quel fusil. Ce fusil en particulier.

Le père reprit l'initiative.

- Nous n'avions pas les moyens de lui en acheter un neuf. Je ne sais pas pourquoi vous nous harcelez. Nous lui avons fait le meilleur cadeau possible. L'argent ne pousse pas dans les arbres, voyez-vous. Nous ne sommes que des travailleurs ordinaires. Nous aurions pu vendre le fusil, mais nous ne l'avons pas fait. Nous l'avons gardé pour offrir un beau présent à Bobby.

- Avez-vous songé à ce que Bobby penserait? demandai-je.

- Que voulez-vous dire?

- Je veux dire qu'en lui donnant l'arme qui a servi au suicide, c'était comme lui demander de suivre les traces de son frère, de se suicider lui-même.

- Nous ne lui avons rien dit de la sorte.

- Bien sûr que non. Mais, n'avez-vous pas eu l'idée que c'est peut-être ce que Boby penserait?

- Non, nous n'avons pas songé à cela. Nous n'avons pas votre instruction. Nous ne sommes pas allés au collège et nous n'avons pas appris toutes ces façons savantes de penser. Nous sommes de simples travailleurs. On ne peut s'attendre à ce que nous pensions à toutes ces choses.

- Peut-être pas, remarquai-je. Et c'est ce qui me fait peur. Ce sont des choses auxquelles il faut penser.

Nous nous sommes regardés pendant un long moment. Je me suis demandé ce qu'ils ressentaient. Ils ne semblaient certes pas se sentir coupables. Irrités? Effrayés? Trompés? Je ne savais pas. Je n'éprouvais aucune empathie. Je ne savais que ce que je ressentais moi-même. Je les trouvais repoussants. Et je me sentais très fatigué.

- J'aimerais que vous me donniez une permission écrite pour me permettre de communiquer avec votre soeur Helen, au sujet de Bobby et de sa situation, leur dis-je, me tournant vers la mère. Votre permission aussi, m'adressant au père.

- Eh bien! Vous n'aurez pas la mienne, répondit celui-ci. Je ne vous laisserai pas sortir cette affaire hors de la famille. Vous prenez un air trop supérieur, comme si vous étiez juge ou quelque chose de semblable.

- Au contraire, leur ai-je expliqué, froidement rationnel. Je fais ce que je peux pour que tout demeure dans la famille aussi longtemps que possible. En ce moment, vous, Bobby et moi-même sommes les seuls concernés. Je crois nécessaire d'impliquer la tante de Bobby afin de savoir, au moins, si elle peut nous être utile. Si vous m'empêchez de le faire, je n'aurai pas d'autre solution que de fouiller la question avec les membres de l'administration. La décision finale serait sans doute de respecter l'obligation que nous avons de transférer le cas de Bobby aux autorités officielles de la Protection de la Jeunesse. Vous aurez alors un vrai juge sur les bras. Vous en aurez peut-être un d'une façon ou de l'autre. Je suis d'avis que si Helen était en mesure d'aider, nous n'aurions pas à nous adresser à l'Etat. Il n'en tient qu'à vous. Vous êtes les seuls à pouvoir m'accorder la permission de communiquer avec Helen.

- Voyons, Docteur. Mon mari n'est pas sérieux, s'écria gaiement la femme avec un charmant sourire. Il est bouleversé de voir notre fils dans un hôpital psychiatrique. De plus, nous ne sommes pas habitués de parler à des gens aussi instruits que vous. Nous allons signer la permission, bien sûr. Je n'ai aucune objection à voir ma soeur s'impliquer. Nous ferons notre possible pour aider Bobby. C'est son bien que nous voulons, rien d'autre.

Ils signèrent l'autorisation et partirent. Plus tard, ma femme et moi assistâmes à une soirée du personnel et j'ai pris un peu plus d'alcool que d'habitude.

Le lendemain, je pris contact avec la tante Helen et elle me rendit visite immédiatement, accompagnée de son mari. Ils saisirent la situation rapidement et m'apparurent inquiets de Bobby. Travailleurs eux-mêmes, ils étaient prêts à prendre Bobby chez eux à la condition de ne pas avoir à payer pour ses soins psychiatriques. Heureusement, grâce à leurs situations, les parents de Bobby jouissaient d'une couverture d'assurance plus que suffisante pour surmonter cet obstacle. Dans la ville de tante Helen, je découvris un psychiatre compétent qui se chargea du cas de Bobby et accepta de lui dispenser des soins prolongés en clinique externe. Quant à Bobby, il ne comprenait pas la nécessité d'aller vivre chez son oncle et sa tante, et je n'ai pas jugé le temps venu de lui fournir une explication détaillée. Je lui ai simplement dis que c'était mieux comme ça.

Après quelques jours, Bobby devint beaucoup plus disposé envers le changement. En effet, il s'améliora rapidement grâce aux visites d'Helen, la perspective d'un nouveau mode de vie et les bons soins des infirmières et des auxiliaires. Trois semaines après son entrée à l'hôpital, quand il reçut son congé et fut confié à Helen, les plaies sur ses mains et ses bras n'étaient plus que des cicatrices. Il put même blaguer avec le personnel. Six mois plus tard, Helen m'annonça qu'il allait bien et que ses résultats scolaires étaient meilleurs. Son psychiatre m'affirma qu'ils avaient tous deux établi une relation thérapeutique satisfaisante, mais qu'il ne faisait que commencer à découvrir la réalité psychologique de l'attitude de ses parents envers lui. Je n'eus pas d'autres renseignements par la suite. Je ne vis les parents qu'à deux reprises après notre première rencontre, pendant quelques minutes chaque fois alors que Bobby était encore hospitalisé. Pour moi, c'était suffisant.

Chaque fois qu'un enfant nous est amené pour des soins psychiatriques, c'est la coutume de parler de lui, ou d'elle, comme du "patient identifié". Cette appellation signifie pour nous, psychothérapeutes, que les parents, ou autres "identificateurs," ont jugé que l'enfant est un malade, c'est-à-dire que quelque chose ne va pas et qu'il a besoin de thérapie. Nous utilisons ces termes parce que nous sommes sceptiques quant à cette méthode d'identification. Plus souvent qu'autrement, en analysant le problème, nous découvrons que la source n'est pas chez l'enfant, mais plutôt chez les parents, la famille, l'école, ou la société. Simplement dit, nous constatons généralement que l'enfant est moins malade que ses parents. Bien que les parents aient identifié leur enfant comme étant celui qui a besoin de soins, c'est habituellement eux qui en bénéficieraient le plus. Ils devraient eux-mêmes s'inscrire en thérapie.

Le cas de Bobby en est l'exemple. Bien qu'il eut été gravement déprimé et en grand besoin d'aide, la cause, la source de sa dépression n'était pas lui-même, mais plutôt le comportement de ses parents envers lui. Il n'y avait rien de maladif dans sa dépression. Tout garçon de quinze ans n'aurait pas réagi autrement dans les mêmes circonstances. Le mal fondamental de cette situation ne se trouvait pas dans sa dépression, mais dans l'environnement familial qui avait provoqué chez lui cette dépression toute naturelle.

Les enfants, même les adolescents, considèrent leurs parents comme des dieux. Les parents font les choses comme elles *devraient* être faites. Les enfants sont rarement capables de comparer objectivement leurs parents avec d'autres parents. Ils sont incapables de juger leur conduite avec réalisme. S'il est malmené par ses parents, il est probable qu'un enfant se croira méchant. Si on lui dit qu'il est laid, stupide et inférieur, il grandira avec l'idée qu'il est laid, stupide et inférieur. Elevé sans amour, il finira par croire qu'il n'est pas aimable. Nous pouvons considérer ce qui suit comme une règle générale dans l'éducation des enfants: *Dès qu'il y a une importante insuffisance d'amour parental, l'enfant, en toutes probabilités, réagira devant cette déficience comme s'il en était lui-même la cause et se fera une image négative et mensongère de lui-même.*

Quand il arriva à l'hôpital pour la première fois, Bobby se creusait littéralement des trous dans la peau et se détruisait peu à peu. On aurait dit qu'il avait senti quelque chose de mauvais sous la surface, quelque chose de mal qu'il aurait voulu extirper. Pourquoi?

Si quelqu'un qui nous touche de près se suicidait, notre première réaction après le choc initial, en qualité d'êtres normaux doués d'une conscience normale, serait de chercher où nous avons fait fausse route. C'est ce qu'a fait Bobby. Au cours des jours qui suivirent la mort de Stuart, il a dû se souvenir d'une foule de petits incidents: les injures de la semaine précédente; les querelles du mois passé; son voeu qu'il disparaisse chaque fois qu'ils s'agaçaient. Jusqu'à un certain point du moins, Bobby se sentit responsable de la mort de son frère.

A ce moment, comme on l'aurait fait dans un foyer bien portant, ses parents auraient dû essayer de le rassurer. Ils auraient dû lui parler du suicide de Stuart. Ils auraient dû lui expliquer qu'eux-mêmes n'avaient pas réalisé que Stuart était mentalement malade. Ils auraient dû lui dire que personne ne s'enlève la vie à cause de chamailleries ou de petites rivalités entre enfants. Ils auraient dû lui souligner que s'il fallait des coupables, ils étaient ceux-là puisque c'est eux qui exerçaient la plus grande influence sur Stuart. Mais, dans la mesure où j'ai pu le constater, Bobby avait été laissé à lui-même.

N'étant pas rassuré, Bobby devint visiblement abattu. Ses notes tombèrent. C'est alors que ses parents auraient dû corriger la situation ou, s'ils ne savaient pas comment s'y prendre, obtenir l'aide d'un thérapeute. Mais, ils ont négligé de le faire en dépit des exhortations reçues à l'école. Il est même probable que Bobby interpréta ce manque d'attention comme la confirmation de sa culpabilité. Personne n'était touché par sa dépression, se dit-il, car il la méritait. Il méritait de se sentir misérable. C'était normal qu'il se sente coupable.

Par conséquent, à Noël, Bobby se voyait déjà comme un criminel endurci. Puis, sans qu'il le demande, on lui donna l'arme qui avait servi au suicide de son frère. Que pouvait-il comprendre quand il reçut ce "cadeau?" Pouvait-il se dire: "Mes parents sont des gens méchants et c'est pourquoi ils veulent ma destruction, probablement comme ils ont détruit mon frère?" Il ne le pouvait sûrement pas. Pas plus qu'il aurait pu penser avec son cerveau de quinze ans: "Mes parents m'ont donné le fusil à cause d'un mélange de paresse, d'irréflexion et de mesquinerie. Donc, ils ne m'aiment pas beaucoup; et après!" Comme il se croyait déjà mauvais et n'avait pas assez de maturité pour juger ses parents avec justesse, il ne lui restait qu'une seule interprétation: "Prends ce fusil et fais comme ton frère. Tu mérites de mourir."

Heureusement, Bobby n'a pas imité Stuart. Il choisit ce qui était peut-être la seule autre option conforme à son état mental: s'afficher publiquement comme criminel afin d'être puni et que la société se protège en l'emprisonnant. Il vola une automobile. Le sens véritable de son geste était son désir de vivre.

Tout ceci n'était que supposition. Je ne pouvais d'aucune façon savoir ce qui s'était passé dans la tête de Bobby. D'abord, les adolescents sont des plus hermétiques. Ils ne sont pas portés à confier leurs pensées intimes à qui que ce soit, encore moins à un adulte étranger vêtu d'une blouse blanche. Même s'il avait été consentant et capable de se confier à moi, Bobby n'aurait pu le faire car il n'était pas tout à fait conscient lui-même de son état d'âme. Quand nous sommes à l'état adulte, la plus grande partie de notre "vie cérébrale" se passe dans l'inconscient; chez les enfants et les adolescents, presque toutes les activités cérébrales sont inconscientes. Ils ont un sentiment et tirent une conclusion; ils agissent sans trop savoir ce qui les pousse à agir. Nous devons donc étudier leur comportement pour savoir ce qui se passe. Quoi qu'il en soit, l'expérience confirme que nos déductions sont remarquablement précises.

Ces déductions nous placent devant une autre vérité sur l'éducation des enfants, loi qui vise spécifiquement le problème du mal: *Quand un enfant est rudement mis en présence de l'importante méchanceté de ses parents, il sera porté à mal interpréter la situation et croira que le mal réside à l'intérieur de lui-même.*

L'adulte le plus sage et le plus calme, sera généralement plongé dans la confusion s'il est mis en face du mal. Imaginez alors ce que doit ressentir un enfant naïf devant la méchanceté de ceux qu'il aime le plus et dont il dépend. Ajoutez à ceci le fait que les personnes mauvaises, ne pouvant admettre leur propre faillite, tendent généralement à projeter leur malice chez autrui. Il ne faut pas alors s'étonner si les enfants mésestiment la situation et se détestent eux-mêmes. Rien d'étonnant, non plus, de voir Bobby se creuser des trous dans la peau.

Nous pouvons donc constater que Bobby, le "patient identifié", n'était pas si malade, mais qu'il réagissait de façon prévisible, comme l'auraient fait d'autres enfants, devant la maléfique et étrange "maladie" de ses parents. Bien qu'on l'eût identifié comme celui qui n'était pas normal, le foyer du mal n'était pas en lui, mais ailleurs. Il avait beaucoup plus besoin de protection que de traitements. Ceux-ci viendraient plus tard, longs et difficiles, comme c'est toujours le cas pour renverser une image de soi qui ne correspond pas à la réalité.

Tournons-nous maintenant vers les parents, la vraie source du problème. Il aurait fallu les reconnaître officiellement comme ceux qui étaient malades. Ils auraient dû se faire traiter, mais ils ne l'ont pas fait. Pourquoi? Pour trois raisons.

D'abord, et c'est ce qu'il y a peut-être de plus important, ils ne l'ont pas voulu. Dans une certaine mesure, pour recevoir des traitements il faut le vouloir. Pour le vouloir, il faut admettre en avoir besoin. Il faut en quelque sorte reconnaître sa déficience. Dans ce bas monde, il y a un nombre effarant de gens aux prises avec des problèmes psychiatriques graves et identifiables qui, aux yeux des psychiatres, ont un immense besoin de se faire soigner et ne le savent pas. Il s'ensuit qu'ils ne reçoivent pas de traitements, même si on leur en offre sur un plateau d'argent. Il ne s'agit pas toujours des personnes mauvaises. En vérité, la grande majorité ne le sont pas et s'opposent farouchement à toutes suggestions de traitements. C'est à ceux-ci que le mal s'attaque en profondeur.

Il était évident que les parents de Bobby refuseraient tout genre de thérapie que j'aurais pu leur offrir. Il n'affichaient pas le moindre sentiment de culpabilité à la suite du suicide de Stuart. Leur seule réaction fut d'opposer des excuses belliqueuses à mes suggestions qu'ils avaient été négligents en ne faisant pas traiter Bobby plus tôt, et qu'ils avaient, pour ne pas dire plus, manqué de jugement dans leur choix d'un cadeau de Noël. Je ne sentais en eux nulle envie de prendre soin de leur fils, mais l'idée que Bobby serait mieux ailleurs leur était insupportable car ils y voyaient une critique implicite de leurs qualités de parents. Au lieu d'admettre quelque déficience que ce soit, ils refusaient tout blâme sous prétexte qu'ils n'étaient que de "simples travailleurs."

Pourtant, j'aurais dû leur offrir une thérapie. Ils auraient probablement refusé, mais ce n'est pas une excuse de ne pas l'avoir fait, ou du moins avoir essayé de les aider à acquérir compassion et compréhension. J'ai eu l'impression que même si par miracle ils avaient accepté, la psychothérapie n'aurait pas réussi dans leur cas.

C'est triste de le constater, mais les mieux portants, les plus honnêtes, ceux dont les pensées sont les plus droites, sont les plus faciles à traiter et les plus susceptibles de bénéficier d'une psychothérapie. Au contraire, les plus malades, les plus malhonnêtes, ceux dont les pensées sont les plus obtuses, sont ceux qui sont les plus difficiles à traiter avec succès. La tâche est même impossible s'ils semblent très malhonnêtes et tourmentés. Entre eux, les thérapeutes n'hésiteront pas à dire d'une de ces thérapies en particulier qu'elle est "écrasante." L'expression est juste. Nous sommes littéralement écrasés par une sinueuse masse de mensonges, par des récits gonflés de faux motifs, quand nous essayons de communiquer avec certains patients dans le cadre intime de la psychothérapie. La plupart du temps, nous savons sans nous tromper, non seulement que nous ne réussirons pas à les sortir de leur marasme, mais aussi que nous pourrions nous y engouffrer nous-mêmes. Nous sommes trop faibles pour aider ces malades, trop aveugles pour voir le bout du tunnel dans lequel il nous faudrait nous engager, trop petits pour conserver notre amour en face de leur haine. Il en était ainsi de mes rapports avec les parents de Bobby. J'étais dépassé par le mal que je voyais en eux. Ils refuseraient probablement toute offre d'aide et, pis encore, je ne me sentais pas capable de réussir.

Ensuite, je ne voulais pas travailler avec ces gens-là parce que je ne les aimais pas. Ils me révoltaient. Pour leur être utile en psychothérapie, il m'aurait fallu au moins un soupçon de positivisme, un brin de sympathie pour leur situation fâcheuse, un peu d'empathie pour leurs souffrances, un certain respect pour leur qualité de parents. Et de l'espoir. Je ne ressentais aucune de ces choses. Je ne me voyais pas assis avec eux, heure après heure, semaine après semaine, mois après mois, m'efforçant de les aider. Je ne pouvais souffrir de me trouver dans la même pièce. Je me sentais sale en leur présence. Je ne pouvais les expédier hors de mon bureau assez rapidement. De temps à autre, j'accepterai de m'occuper d'un malade que je croirais sans espoir, dans l'éventualité d'une erreur de ma part, ou dans le but d'enrichir mes connaissances. Mais, non pas les parents de Bobby. Ils auraient peut-être rejeté mes soins, mais ils n'en ont pas eu l'occasion.

Les gens réagissent les uns envers les autres. Quand un psychothérapeute éprouve des sentiments pour un patient, ces sentiments sont des "transferts." Les transferts englobent toute la gamme des émotions humaines, depuis l'amour le plus intense jusqu'à la haine la plus profonde. On a beaucoup écrit sur le sujet; le transfert peut être extrêmement utile ou nuisible dans une relation thérapeutique. Si le thérapeute ressent des émotions inappropriées, le contre-transfert déformera et reléguera la guérison au second plan. Si les émotions sont appropriées, le transfert pourra devenir l'instrument le plus utile pour comprendre le problème du malade.

Le psychothérapeute a la tâche cruciale de décider du bien-fondé d'un transfert. Il doit continuellement s'auto-analyser et analyser ses patients également. En présence d'un transfert qui ne convient pas, il a la responsabilité de se corriger lui-même ou de confier son patient à un autre thérapeute plus objectif.

Une personne normale, mise en présence d'un individu méchant, éprouvera un sentiment de répulsion. Ce sentiment de répulsion se produira presque immédiatement si le mal saute aux yeux; mais, si le mal est plus subtil, ce sentiment s'intensifiera graduellement au fur et à mesure que la relation s'approfondira.

Un sentiment de répulsion peut s'avérer extrêmement utile au thérapeute. C'est un outil de diagnostic par excellence. Il permettra au thérapeute de constater avec plus de certitude et plus rapidement qu'autrement, qu'il est en face d'un être mauvais. Cependant, il faut utiliser cet outil avec le plus grand soin, comme un scalpel. Si cette répulsion ne provient pas du patient, mais plutôt d'un défaut quelconque du thérapeute, ce dernier devra être assez humble pour l'admettre car, autrement, toutes sortes de torts deviendront possibles.

Qu'est-ce qui peut rendre profitable un sentiment de répulsion? Comment un thérapeute émotivement stable peut-il tirer profit d'un transfert de bon aloi? La répulsion est une puissante émotion qui nous pousse à vouloir immédiatement éviter, fuir une présence repoussante. En temps ordinaire, c'est exactement ce qu'une personne normale voudra faire dans les circonstances: s'esquiver. Le mal est révoltant parce qu'il est dangereux. Il contaminera ou finira par détruire celui qui demeure trop longtemps en sa présence. A moins de savoir exactement comment se comporter devant lui, le mieux à faire est de courir de l'autre côté. Le transfert de répulsion est un système radar instinctif à détection rapide ou, si vous permettez, un bienfait de Dieu.(19) Malgré la somme de littérature qui existe sur les transferts, je n'ai jamais rien lu au sujet de la répulsion. Il y a plusieurs raisons pour cette absence. Le transfert de répulsion est si particulier au mal qu'il est presque impossible de parler de l'un sans parler de l'autre. Comme le mal n'entrait pas jusqu'à maintenant dans les cadres de la recherche psychiatrique, il en fut de même pour les transferts de répulsion.(20) De plus, les psychothérapeutes sont habituellement des gens bienveillants et une réaction aussi dramatiquement négative de leur part pourrait ternir leur image. Par conséquent, ils tendent fortement à éviter les patients qui sont "méchants". Finalement, comme je le soulignais plus haut, très peu de personnes méchantes consentiront à s'inscrire en psychothérapie. Sauf dans des circonstances extraordinaires, elles feront tout pour éviter les bienfaits d'une thérapie. Il n'a donc pas été facile pour les psychothérapeutes de se trouver en présence du mal assez longtemps pour étudier leurs réactions et celles du patient.

Le mal provoque souvent une autre réaction en nous: la confusion. Parlant de sa rencontre avec une personne mauvaise, une femme écrivait: c'était comme si "j'avais soudainement perdu la capacité de penser."(21) Cette réaction est, elle aussi, très appropriée. Le mensonge confond. Les gens mauvais sont "les gens du mensonge," qui vont décevant les autres en érigeant la supercherie couche sur couche. S'il réagit de manière confuse devant un patient, le thérapeute doit se demander si ce n'est pas à cause de sa propre ignorance. Il lui incombe aussi de s'interroger: "Est-ce que le patient agit pour me confondre?" Mon intervention décrite dans le quatrième chapitre a été inefficace pendant des mois parce que j'avais négligé de me poser cette question.

J'ai dit qu'un transfert de répulsion est une réaction convenable, salutaire même, en présence de gens mauvais. Mais il y a une exception. S'il est possible de percer la confusion, si le mal peut être diagnostiqué et si le thérapeute, sachant ce qu'il fait, décide d'établir un rapport de guérison avec son malade, c'est à ce moment, à ce moment seulement, qu'un transfert de répulsion peut, et doit, être mis de côté. Il y a beaucoup de "si". Il ne faut pas prendre à la légère une tentative de guérir le mal; elle doit être fondée sur une remarquable force psychologique et spirituelle.

Cette force n'est possible que lorsque le thérapeute, sachant qu'il faut toujours être appréhensif devant une personne mauvaise, sait aussi qu'il faut en avoir pitié. Cette personne, craignant toujours d'être exposée et fuyant sa propre conscience, est la plus effrayée des êtres humains. Elle vit dans la terreur. Il ne faut pas la vouer à l'enfer, elle y est déjà.(22)

Il faut donc essayer de libérer les méchants de leurs tourments, non seulement dans l'intérêt de la société, mais aussi

71

pour eux-mêmes. Nous en savons si peu sur la nature du mal que nous ne pouvons pas encore le guérir. Cependant, cette carence thérapeutique n'a rien de remarquable quand on sait que nous ne reconnaissons pas encore le mal comme une maladie distincte. Mon livre formule la thèse que le mal est une forme bien définie de maladie mentale et devrait faire l'objet d'au moins autant de recherches scientifiques que celles que nous consacrons à d'autres maladies psychiatriques graves.

En temps normal, il est naturel et sage de se tenir loin d'un nid de vipères. Mais on accepte qu'un homme de science, un herpétologiste expérimenté, s'en approche pour apprendre ou pour obtenir du venin servant à la préparation d'antitoxines servant à protéger l'humanité, ou même pour le bien-être du serpent lui-même. Les serpents peuvent se laisser pousser des ailes et devenir des dragons, lesquels peuvent être domptés et devenir de farouches et bons serviteurs de Dieu. Si nous pouvons prendre les méchants en pitié et les considérer comme malades, quoique dangereux, et sachant ce que nous faisons, il est approprié de transformer notre répulsion en une prudente compassion et d'essayer de les guérir.

Vingt ans se sont écoulés depuis, et en analysant le cas de Bobby et ses parents avec toute l'expérience depuis, je n'agirais pas de façon différente aujourd'hui. En tout premier lieu, je m'efforcerais encore d'éloigner Bobby de ses parents et, comme je l'avais fait à l'époque, j'aurais recours à des pouvoirs temporels pour arriver à cette fin. En vingt ans, je n'ai rien appris à l'effet que l'on puisse influencer rapidement une personne mauvaise autrement que par la force brutale. A brève échéance, elle ne réagira ni à la douceur, ni à la persuasion spirituelle dont je suis capable. Mais quelque chose a changé depuis lors: je sais maintenant que les parents de Bobby étaient des gens mauvais. Jadis, je ne le savais pas. Je sentais leur méchanceté sans pouvoir l'identifier. Mes surveillants ne pouvaient m'aider à nommer ce qui me confrontait. Ce nom était absent de notre vocabulaire professionnel. Nous étions des scientifiques, non pas des prêtres, et nous n'étions pas censés penser dans ces termes.

Le fait de nommer quelque chose correctement nous procure un certain pouvoir sur cette chose.(23) A l'époque où

72

je voyais les parents de Bobby, je ne connaissais pas la nature de ce que j'affrontais. J'étais révolté, non pas curieux. J'ai voulu les éviter non seulement par respect de cette force mauvaise, mais aussi parce que j'en avais peur sans savoir pourquoi. Aujourd'hui, j'en ai encore peur, mais il ne s'agit plus d'une peur aveugle. Je sais le nom du mal et je connais quelques-unes de ses dimensions. Je sais à quoi m'en tenir et puis me permettre d'être curieux à son sujet. Je peux m'en approcher. J'agirais donc quelque peu différemment. Après avoir réussi à éloigner Bobby de la maison paternelle, et si j'en avais l'occasion, j'essaierais doucement et en termes aussi vagues que possible, de dire au parents qu'ils sont possédés par une puissance destructice non seulement pour eux-mêmes, mais pour leurs enfants également. De plus, si j'en avais l'audace et l'énergie, je leur offrirais mes services dans l'espoir de subjuguer cette force. Si, par le plus grand des hasards, ils acceptaient, je travaillerais avec eux, non pas parce que je les aimerais plus qu'avant, non plus parce que j'ai une meilleure confiance en mes capacités, mais uniquement parce que, connaissant le nom du mal, je me sens assez solide aujourd'hui pour en faire l'apprentissage et tenter de le guérir. Notre tâche est d'oeuvrer dans les domaines que nous connaissons.

Le mal et le péché

Pour mieux comprendre les parents de Bobby et les autres dont il sera question dans le prochain chapitre, il faut d'abord distinguer entre le mal et le péché. Ce n'est pas leurs péchés qui caractérisent les gens mauvais, c'est plutôt le caractère subtil de ces péchés, leur persistance et leur consistance. La raison en est que le défaut premier du mal n'est pas le péché en soi, mais le refus de le reconnaître.(24)

A l'exception de leur méchanceté, les parents de Bobby et les autres décrits dans le chapitre suivant, sont des gens très ordinaires. Ce sont vos voisins, n'importe où. Ils sont riches ou pauvres, instruits ou illettrés. Ils n'ont rien de spectaculaire. Ce ne sont pas des criminels notoires. La plupart du temps, ce sont de "solides citoyens": animateurs de l'école du dimanche, policiers ou banquiers, membres des associations de parents.

Comment cela est-il possible? Comment peuvent-ils être mauvais sans être désignés comme criminels? Le mot-clé est "désignés". Ce sont des criminels dans le sens qu'ils commettent des "crimes" contre la vie et la vitalité. Mais, sauf en de rares occasions, le cas d'Hitler par exemple, qui a atteint des sommets politiques extraordinaires, leurs "crimes" sont si subtils et voilés qu'on ne peut les qualifier clairement de crimes. C'est un thème qui apparaît à maintes reprises dans ce livre. Il est à la base du titre *Les Gens du Mensonge*.

J'ai passé beaucoup de temps en prison avec des criminels reconnus. Je ne les ai presque jamais perçus comme des êtres mauvais. Certes, ils sont destructeurs, souvent récidivistes. Mais le hasard est omniprésent dans leurs activités destructrices. De plus, bien qu'ils nient généralement leur responsabilité quand ils sont en présence des autorités, leur perversité possède une certaine qualité de franchise. Qualité qu'ils soulignent eux-mêmes volontiers, affirmant qu'ils se sont fait prendre parce qu'ils sont précisément des "criminels honnêtes." Ils vous affirmeront que le mal véritable réside à l'extérieur de la prison. Ils tentent ainsi de se justifier et je crois qu'ils ont généralement raison.

Les prisonniers, d'une façon ou d'une autre, sont presque toujours en mesure d'obtenir une évaluation psychiatrique courante. L'éventail de diagnostics est énorme et, en termes profanes, comprend des verdicts tels que fou, impulsif, agressif, ou sans scrupules. Les hommes et les femmes dont je parlerai, tout comme les parents de Bobby, n'entrent ni dans ces catégories, ni dans nos classifications psychiatriques de routine. Ce n'est pas que les gens mauvais soient en santé, mais c'est plutôt parce que nous n'avons pas encore réussi à définir leur maladie.

Etant donné que je fais une distinction entre les gens mauvais et les criminels ordinaires, je fais aussi une distinction entre le mal en tant que trait de caractère, et les actes mauvais. Autrement dit, une mauvaise action ne rend pas nécessairement quelqu'un mauvais, car nous serions alors tous mauvais puisque nous faisons tous de mauvaises choses.

On dit généralement que pécher c'est "rater l'objectif."

Ceci veut dire que nous péchons chaque fois que nous ne faisons pas mouche. Le péché n'est ni plus ni moins que l'impossibilité de toujours atteindre la perfection. Puisque nous ne pouvons toujours être parfaits, nous sommes tous des pécheurs. Nous omettons couramment de faire notre possible et, chaque fois, nous nous rendons coupables d'un "crime", que ce soit contre Dieu, contre nos voisins, contre nous-mêmes ou contre la loi.

Il y a évidemment des crimes plus graves les uns que les autres. Il est faux, cependant, de juger le mal ou le péché selon leur importance. C'est peut-être moins grave de voler les riches que les pauvres, mais c'est toujours un vol. La loi fait une distinction entre frauder une compagnie, rédiger un faux rapport d'impôt, tricher dans un examen, mentir à sa femme pour la tromper, ou dire à son conjoint que nous n'avons pas eu le temps de passer chez le teinturier quand nous avons gaspillé une heure à bavarder au téléphone. L'un est moins grave que l'autre, c'est sûr, et moins encore selon les circonstances; mais il n'en reste pas moins que ce sont tous des mensonges et des trahisons. Si vous ne croyez pas avoir commis l'une ou l'autre de ces fautes dernièrement, demandez-vous si vous êtes bien franc envers vous-même? Si vous ne vous bernez pas vous-même? Si vous ne vous trahissez pas vous-même? Soyez parfaitement honnête et vous vous rendrez compte que vous avez péché. Sinon, vous manquez d'honnêteté envers vous-même, ce qui est aussi un péché. On ne peut s'en sortir: nous sommes tous des pécheurs.(25)

Comment pouvons-nous définir les êtres mauvais si nous ne pouvons le faire d'après l'illégalité de leurs actions ou l'importance de leurs péchés? Par leur persistance dans le péché. Quoiqu'habituellement subtil, leur pouvoir destructeur est remarquablement consistant. Ceux qui ont "franchi la barrière" sont caractérisés par leur refus *absolu* de tolérer le sentiment de leur propre criminalité.

J'ai dit que George, *grâce à son sentiment de culpabilité*, évita de devenir mauvais. De façon plutôt rudimentaire, il a consenti à tolérer son propre caractère criminel, ce qui le rendit capable de rompre son pacte avec le diable. S'il n'avait pas supporté le fardeau de la culpabilité que lui causa ce pacte, il aurait continué de se détériorer moralement. Plus que toute autre chose, c'est le sens de notre propre cupabilité qui nous empêche d'être victimes d'une telle déchéance. Comme je l'ai écrit ailleurs:

"Bienheureux les pauvres d'esprit," a dit Jésus quand vint pour lui le temps de s'adresser à la foule. Que voulut-il dire? Qu'y a-t-il de si bon à se sentir démuni, à se croire personnellement coupable? Quand on se pose cette question, il est souhaitable de se souvenir des Pharisiens. C'étaient les mieux nantis de l'époque de Jésus. Ils ne se croyaient pas pauvres d'esprit: au contraire! Ils se croyaient les mieux renseignés, dignes de contrôler la culture à Jérusalem et en Palestine. Pourtant, ce sont eux qui assassinèrent Jésus.

Les pauvres d'esprit ne font pas de mal. Le mal n'est pas le lot de ceux qui ne se sentent pas sûrs de leur propre droiture, qui s'interrogent sur leurs propres motifs, qui ont peur de se trahir eux-mêmes. Dans ce monde, ce sont les riches d'esprit qui commettent le mal, nos Pharisiens modernes qui se croient sans péché parce qu'ils refusent de se livrer à un examen de conscience sérieux.

Exercice désagréable peut-être, mais la pensée de nos propres déficiences est ce qui nous empêche précisément de perdre le contrôle. C'est parfois très pénible, mais c'est aussi un très grand bienfait car c'est notre seule et unique protection contre notre tendance au mal. Sainte Thérèse de Lisieux en parle de façon si agréable: "Si vous acceptez avec sérénité de vous déplaire à vous-même, vous deviendrez alors un asile agréable pour Jésus."(26)

Les êtres mauvais n'acceptent pas avec sérénité de se déplaire à eux-mêmes; ils ne le supportent pas du tout. Par exemple, je n'ai pu trouver un soupçon d'autocritique chez les parents de Bobby. Le mal se développe quand on refuse de passer jugement sur soi-même.

La malice humaine a beaucoup de visages. Comme résultat de leur refus de tolérer leur caractère coupable, les gens mauvais deviennent d'incorrigibles fourre-tout du péché. L'expérience m'a appris qu'ils sont extrêmement gourmands. Ils sont par conséquent si mesquins que leurs "cadeaux" sont souvent meurtriers. Dans *Le Chemin le moins fréquenté*, j'ai écrit que le péché fondamental est la paresse. Plus loin dans ce chapitre, je suggérerai que c'est peut-être l'orgueil, car tous les péchés sont réparables, sauf celui de se croire sans péché. Mais le problème de savoir quel péché est le plus grave est peut-être, jusqu'à un certain point, une question discutable. Tous les péchés nous isolent et trahissent le divin comme l'humain. Comme le disait un profond penseur religieux, tout péché "peut endurcir" à l'enfer:

...Il y a peut-être un état d'esprit contre lequel l'Amour lui-même est impuissant parce qu'il s'est endurci à l'Amour. L'enfer est essentiellement un état d'être que nous avons nous-mêmes fabriqué: un état de séparation définitive d'avec Dieu, séparation qui ne provient pas de la répudiation de l'homme par Dieu, mais de la répudiation de Dieu par l'homme. Cette répudiation est éternelle précisément parce qu'elle est devenue immuable en soi. On compte plusieurs analogies dans l'expérience humaine: la haine si aveugle, si sombre, que l'amour ne fait que la rendre plus violente; l'orgueil si endurci que l'humilité ne fait que le rendre plus dédaigneux; la dernière et non la moindre, l'inertie qui s'empare de la personnalité à tel point que nulle crise, nulle incitation, nulle supplication ne peuvent la rendre active mais, au contraire, l'enfonceront encore plus profondément dans son immobilisme. Voici ce qu'il en est de l'âme et de Dieu: l'orgueil peut s'endurcir à l'enfer, la haine peut s'endurcir à l'enfer, les sept péchés capitaux peuvent s'endurcir à l'enfer, ainsi que cet indolence qu'est l'ennui devant le divin, que cette inertie qu'on ne peut amener à se repentir, même si elle voit le gouffre dans lequel l'âme s'enfonce, parce que, depuis longtemps et un peu à la fois peut-être, elle s'est habituée à rejeter tout ce qui lui demanderait un effort quelconque. Que Dieu, dans sa bonté, nous protège de ces fléaux.(27)

La recherche d'un bouc émissaire est une des caractéristiques du comportement de ceux que j'appelle mauvais. Comme ils se considèrent au-dessus de tout reproche, ils s'emportent contre tous ceux qui leur en font. Ils sacrifient les autres pour préserver leur propre image de perfection. Prenons l'exemple d'un bambin de six ans qui demande à son père: "Papa, pourquoi as-tu appelé grand-mère une chienne?" En réponse, le père tonitrue: "Je t'ai dit de cesser de me harceler. Tu vas recevoir ta leçon. Je vais t'apprendre à ne pas utiliser un langage ordurier. Je vais te laver la bouche avec du savon. Tu apprendras à ne pas dire n'importe quoi et à te taire quand on te le demande." Puis, il traîne l'enfant jusqu'au lavabo et lui rince la bouche avec du savon. Au nom d"une "bonne discipline," le mal a été fait.

La recherche d'un bouc émissaire dépend d'un mécanisme que les psychiatres appellent projection. Puisque les gens mauvais se sentent fautifs au fond d'eux mêmes, il est inévitable qu'ils blâment le monde entier pour le conflit dans lequel ils sont engagés. Il se doivent de nier leur propre méchanceté et de voir les autres comme méchants. Ils *projètent* leur mal dans le monde. Ils ne se croient jamais mauvais; par contre, ils voient beaucoup de mal chez autrui. Le père constata que l'irrespect et la grossièreté existaient chez son fils et prit les mesures nécessaires pour nettoyer ces "saletés." Pourtant, nous savons que c'était le père qui était sale et irrespectueux. Il projeta sa propre grossièreté sur son fils pour ensuite le punir sous prétexte d'être un bon parent.

Plus souvent qu'autrement, on commet le mal dans le but de trouver un bouc émissaire, et les gens que j'identifie comme mauvais sont des adeptes chroniques de cette habitude. Dans *Le Chemin le moins fréquenté*, j'ai défini le mal comme "l'exercice d'un pouvoir politique, c'est-à-dire l'imposition de sa volonté sur les autres par la contrainte, ouverte ou masquée, afin d'éviter ... la croissance spirituelle." Autrement dit, le mauvais attaque les autres au lieu de faire face à ses propres faillites. L'évolution spirituelle exige la constatation de son besoin de grandir. Si nous ne pouvons faire cette constatation, nous n'avons pas d'autre choix que celui d'essayer d'effacer l'évidence de notre imperfection.(28)

Chose étrange, les gens mauvais sont souvent destructeurs parce qu'ils cherchent à détruire le mal. Cependant, leur problème est de ne pas placer le mal au bon endroit. Au lieu de détruire les autres, c'est leur propre maladie qu'ils devraient faire disparaître. Comme l'existence souvent menace l'image de perfection qu'ils se font d'eux-mêmes, ils sont très occupés à détruire et détester cette même existence, généralement au nom du droit chemin. Leur faute n'est peut-être pas autant celle de détester la vie, que celle *de ne pas* détester leur propre côté pécheur. Je doute que les parents de Bobby aient voulu délibérement le tuer, ou tuer son frère Stuart. J'imagine que si j'avais eu le temps de bien les connaître, j'aurais découvert que leur comportement meurtrier était totalement dicté par un instinct de préservation intense qui, invariablement, pousse à sacrifier autrui plutôt que soi.

A quoi doit-on ce refus de se détester soi-même, le refus de se déplaire qui constitue le point central à la racine du péché de ceux que j'appelle mauvais parce qu'ils sont toujours à la recherche d'un bouc émissaire? Je ne crois pas que la cause soit un manque de conscience. A l'intérieur des prisons comme à l'extérieur, il y a des individus qui semblent complètement dépourvu de conscience ou de sur-moi. Les psychiatres les appellent psychopathes ou sociopathes. Ils ne se sentent pas coupables pour des crimes qu'ils commettent parfois avec grande désinvolture. Leur criminalité n'a ni signification ni modèle; elle ne se distingue pas spécialement par la recherche d'un bouc émissaire. Sans conscience, les psychopathes ne sont que très peu ennuyés ou inquiétés, y compris par leur criminalité. Ils ont l'air aussi heureux dans une prison qu'ailleurs. S'ils essaient de cacher leurs crimes, leurs tentatives sont souvent faibles, nonchalantes et mal planifiées. On a dit que ce sont des "imbéciles moraux" et leur manque de souci et d'inquiétude possède une certaine qualité d'innocence.

Ce n'est vraiment pas le cas de ceux que je qualifie de mauvais. Tout à fait soucieux de protéger leur image de per-fection, ils s'efforcent sans cesse de maintenir une apparence de pureté morale. C'est une grande préoccupation pour eux. Ils sont vivement sensibles aux conventions sociales et à l'opinion des autres. A l'instar des parents de Bobby, ils sont bien vêtus, ponctuels à l'ouvrage, s'acquittent des leurs impôts, et leur vie s'écoule sans reproches.

Les mots "image," "apparence," et "extérieurement" sont cruciaux pour comprendre le sens moral du mal. Bien qu'ils n'aient pas du tout envie d'être bons, les gens mauvais ont un désir intense de paraître bons. Leur "bonté" n'est que de l'ostentation. C'est un mensonge. C'est pourquoi ils sont "les gens du mensonge."

En réalité, le but de ce mensonge est beaucoup plus de se tromper eux-mêmes que de tromper les autres. Ils ne peuvent souffrir de se faire des reproches. Leur décorum leur sert de miroir dans lequel ils voient leur vie se dérouler dans la vertu. Mais cette illusion ne serait pas nécessaire s'ils ne pouvaient distinguer le bien du mal. Nous ne mentons que lorsque nous voulons dissimuler quelque chose que nous savons illicite. L'acte de mentir doit être précédé d'un rudiment de conscience. Inutile de cacher ce qui n'a pas besoin de l'être.

Nous sommes ici devant un paradoxe. J'ai dit que les gens mauvais se croyaient parfaits. Pourtant, je crois qu'ils ont une quelconque connaissance de leur vraie nature. Oui, mais ils essaient de fuir cette connaissance à tout prix. L'essentiel du mal n'est pas l'absence d'un sentiment de péché ou d'imperfection, mais le refus d'entretenir ce sentiment. Les mauvais, simultanément, sont conscients de leur "mal" et cherchent avec acharnement à se défaire de cette conscience. Plutôt que de manquer sereinement de sens moral comme les psychopathes, ils ne cessent de balayer la preuve de leurs péchés sous le tapis de leur conscience. Les parents de Bobby disposaient d'une logique et d'excuses suffisantes pour eux, mais non pour moi. Le problème n'est pas un défaut de conscience, mais le refus d'accorder à la conscience le rôle qui lui est dû. Nous devenons mauvais en essayant de nous tromper nous-mêmes. L'individu mauvais ne commet pas le mal directement, mais indirectement en voulant se blanchir. Le mal ne provient pas de l'absence de culpabilité, mais de l'effort de l'éviter.

Il arrive souvent que l'on peut reconnaître le mal par son déguisement. On perçoit le mensonge avant la mauvaise action qu'il doit cacher: la dissimulation avant le geste. Nous voyons le sourire qui cache la haine, la mine douce et onctueuse qui cache la furie, le velours sur la main de fer. Les gens mauvais sont de tels experts du déguisement qu'il est parfois difficile de reconnaître leur méchanceté. Leur déguisement est souvent impénétrable. Ce que nous pouvons entrevoir, c'est "le mystérieux jeu de cache-cache dans l'obscurité de l'âme, qui fait que l'âme humaine s'évade, se fuit, se cache d'elle-même."(29)

Dans *Le chemin le moins fréquenté,* j'ai suggéré que la paresse, ou le désir d'éviter une "souffrance légitime," était à l'origine de toute maladie mentale. Ici encore, nous parlons d'éviter la douleur. Cependant, ce qui nous distingue, nous les malades mentaux du péché, des gens mauvais, c'est le type de douleur que ceux-ci tentent d'éviter. En général, ils ne craignent pas la douleur et ne sont pas paresseux. Au contraire, ils s'épuiseront plus que d'autres dans leur effort soutenu pour projeter et soutenir l'image de leur honorabilité. Ils se soumettront volontiers, passionnément même, à de grands tracas dans leur quête d'un statut social. Il n'y a qu'une douleur qu'ils ne peuvent endurer: le chagrin de leur propre conscience, la douleur de constater leurs propres péchés et imperfections.

En temps normal, les êtres mauvais seront les derniers à s'adresser à un psychothérapeute, car ils font tout pour éviter l'épreuve d'un examen de conscience. Le mauvais déteste la lumière, la lumière de la bonté qui les expose, les démasque; la lumière de la vérité qui perce leur déception. La psychothérapie est une méthode d'illumination par excellence. À moins d'avoir des motifs dénaturés, une personne mauvaise préférera toute autre route à celle du cabinet d'un psychiatre. Il lui semblera suicidaire de se soumettre à la discipline de l'examen indispensable en psychanalyse. Une des raisons les plus importantes pour laquelle nous possédons si peu de connaissances scientifiques sur le mal, c'est précisément parce que les êtres mauvais refusent obstinément de se laisser étudier.

Si le défaut premier du mal n'en est pas un de conscience, alors quel est-il? Je crois que le problème psychologique essentiel du mal humain est une variété particulière de narcissisme.

Narcissisme et volonté

Le narcissisme, ou auto-absorption, a plusieurs visages. Certains narcisses sont normaux; d'autres ne le sont que pendant l'enfance. Plusieurs individus sont évidemment très atteints. Ce sujet est aussi complexe qu'important et je n'ai pas l'intention, dans ce livre, d'en faire une étude détaillée. Alors, je m'attaquerai immédiatement à cette espèce pathologique, le "narcissisme malin," dont parlait Erich Fromm.

Le narcissisme malin est caractérisé par une volonté rebelle. Tous les adultes sains d'esprit sont, d'une façon ou de l'autre, soumis à quelque chose de supérieur à Dieu, à la vérité, à l'amour, ou à un idéal quelconque. Ils obéissent à la volonté de Dieu plutôt qu'à leurs désirs. "Que ta volonté soit faite et non la mienne," dira la personne soumise à Dieu. Elle croit à la "vraie" vérité plutôt qu'à la sienne. Contrairement aux parents de Bobby, elle attache plus d'importance aux besoins de ses enfants qu'aux siens. En somme, tous ceux et celles qui sont mentalement sains se soumettent plus ou moins aux exigences de leur propre conscience. Par ailleurs, ce n'est pas ce que fait une personne mauvaise. Déchirée entre "sa" volonté et son sentiment de culpabilité, sa propre volonté aura le dessus.

Le lecteur sera sans doute étonné par l'extraordinaire opiniâtreté des gens mauvais. Ce sont des femmes et des hommes très entêtés, ancrés dans leurs idées. Ils font preuve d'une grande puissance lorsqu'ils s'appliquent à dominer autrui.(30)

Les théologiens disent que le mal est une conséquence du libre arbitre. Quand Dieu nous a créés à son image, ils nous a doté d'un libre arbitre qui nous permet d'opter pour le mal. Les évolutionnistes ont aussi leur théorie sur le sujet. La "volonté" des moins évolués est contrôlée par leurs instincts. Cependant, quand les humains descendirent du singe, ils abandonnèrent ces contrôles instinctifs pour faire l'acquisition d'un libre arbitre. Cette évolution plaça les humains en position d'agir de propos délibéré ou de trouver de nouveaux modes de maîtrise personnelle en ayant recours à des principes supérieurs. Mais, il nous faut encore découvrir pourquoi certains humains sont plus capables que d'autres de pratiquer ce genre de soumission.

Nous sommes sûrement tentés de croire que le problème du mal se trouve dans la volonté même. Les êtres mauvais sont peut-être nés assez forts de caractère pour qu'ils soient incapables de subordonner leur volonté. Je pense que les "grands" de ce monde sont extrêmement forts de caractère, que ce soit pour le bien ou pour le mal. La force de caractère, la puissance et l'autorité de Jésus rayonnent dans l'Evangile; il en est de même pour Hitler dans *Mein Kampf*. Mais la force de Jésus était celle de son père, tandis que celle de Hitler était la sienne. C'est entre "consentement et obstination" qu'une distinction cruciale reste à faire.(31)

L'absence délibérée de soumission qui caractérise le narcissisme malin est illustrée dans l'histoire de Satan, ainsi que dans celle de Caïn et Abel. Satan refusa d'admettre que le Christ lui était supérieur; que Dieu préférait le Christ. Aux yeux de Dieu, Satan se voyait inférieur au Christ. Pour accepter le jugement de Dieu, il eût fallu qu'il admette son imperfection. Par conséquent, il lui fut impossible de se soumettre, il se rebella et sa chute devint inévitable. Quant à Abel, Dieu accepta son sacrifice, ce qui signifiait qu'à ses yeux Caïn lui était inférieur. Il devenait inévitable que Caïn, à l'instar de Satan, ne pouvant admettre son imperfection, prenne la loi dans ses mains et commette un meurtre. De façon similaire, mais généralement avec plus de subtilité, tous ceux qui sont mauvais prennent la loi dans leurs mains et détruisent la vie et la vitalité pour défendre leur narcissisme.

"L'orgueil appelle l'échec," dit-on, et, bien sûr, ce que le profane appelle orgueil est ce que nous définissons avec une certaine élégance psychiatrique: "narcissisme malin." L'orgueil est à la racine du mal; il ne faut donc pas s'étonner que l'Eglise le définisse comme le premier des péchés. Le péché d'orgueil n'est pas ce sentiment de satisfaction qui couronne un travail bien fait. Cette forme d'orgueil, comme le narcissisme de bon aloi, comporte peut-être certains pièges, mais il fait aussi partie d'une saine confiance en soi et d'un sens réaliste de ses propres valeurs. Nous parlons plutôt de cet orgueil peu réaliste qui rejette nos culpabilités et nos imperfections; une sorte d'orgueil, d'arrogance, qui nous force à repousser, attaquer même, les opinions que suscitent tous les jours les déficiences de notre comportement. Malgré les résultats, les parents de Bobby n'ont rien vu de répréhensible dans leur manière d'élever leurs enfants. Pour emprunter les mots de Buber, le narcisse malin affiche une "assertion indépendante de toutes autres conclusions."(32)

Quelle est la cause de cet orgueil présomptueux, de cette arrogante image de perfection, de cette forme particulièrement maligne de narcissisme? Pourquoi si peu en sont-ils affectés, alors que la plupart en sont exempts? Nous n'en savons rien. Au cours des quinze dernières années, les psychiatres se sont mis à reconnaître le phénomène du narcissisme, mais nos connaissances dans ce domaine sont encore embryonnaires. Par exemple, nous n'avons pas réussi à faire la distinction entre les différents types de l'auto-absorption excessive . Beaucoup sont nettement narcissiques, parfois jusqu'à l'exagération, sans être mauvais. En ce moment, je ne peux qu'affirmer que cette forme de narcissisme qui est l'apanage des gens mauvais, semble surtout affliger la volonté. Je ne peux que conjecturer vaguement pourquoi certains en sont victimes et d'autres pas du tout.

L'expérience m'a appris que le mal est parfois de famille. La personne que je décrirai dans le quatrième chapitre avait des parents mauvais. Exact ou pas, le modèle familial ne résout pas la vieille controverse: "par nature ou par éducation?" Le mal est-il de famille parce qu'il est génétique et héréditaire? Est-il appris par l'enfant qui imite ses parents? Est-ce une défense contre les parents? Comment expliquer que certains enfants de parents mauvais ne le soient pas eux-mêmes, quoique généralement craintifs? Nous ne le savons pas, et seule une laborieuse somme de recherches scientifiques nous le dira.

Néanmoins, une théorie courante sur l'origine du narcissisme pathologique veut que ce soit un phénomène défensif. Considérant que tous les enfants en bas âge font preuve d'un imposant déploiement de narcissisme, nous présumons que c'est une habitude qui finit par disparaître en cours d'évolution vers une enfance stable sous les soins de parents affectueux et compréhensifs. Par ailleurs, si les parents sont cruels et froids, ou si l'enfant est traumatisé pendant son enfance, il est probable que le narcissisme infantile demeurera pour agir comme une forteresse psychologique et protéger l'enfant contre les vicissitudes de son intolérable existence. Cette théorie est très acceptable en ce qui concerne l'origine du mal humain. Les bâtisseurs des cathédrales médiévales plaçaient, sur des piliers, des gargouilles symbolisant le mal, afin de chasser des mauvais esprits encore plus maléfiques. Ainsi, des enfants deviendraient mauvais afin de se défendre contre les assauts de mauvais parents. On peut donc considérer le mal humain, en tout ou en partie, comme une forme de "gargouillisme" psychologique.

On peut aussi définir autrement la génèse du mal humain. Certains sont très bons, d'autres très mauvais, mais la grande majorité d'entre nous sommes quelque part au centre. Nous pouvons alors considérer le bien et le mal comme une sorte de phénomène continu. De même que les riches ont tendance à devenir plus riches et les pauvres plus pauvres, il semble que les bons deviennent meilleurs et les mauvais plus mauvais. Erich Fromm en parle abondamment:

Notre capacité de choisir change constamment au fur et à mesure que nous avançons dans la vie. Plus nos décisions sont mauvaises, plus notre coeur s'endurcit; plus nos décision sont bonnes, plus notre coeur ramollit, ou mieux encore, se ranime... Chaque étape de ma vie qui augmente mon assurance, mon intégrité, mon courage, mes convictions, augmente également ma capacité de faire le bon choix, jusqu'à ce que je trouve plus difficile d'opter pour une mauvaise action que pour une bonne. D'autre part, chacun de mes gestes de lâcheté et d'abandon m'affaiblit, m'entraîne vers d'autres abandons, et je finis par perdre ma liberté. Entre ne plus pouvoir faire de mauvaises actions et perdre ma liberté de faire le bien, la volonté de choisir est énormément plus ou énormément moins intense. Dans la vie, la liberté de choisir se modifie à tous moments. Si j'éprouve un grand besoin de faire le bien, il me faudra moins d'efforts pour choisir le bien. Si mon besoin est moindre, il me faudra un effort plus grand, ainsi que l'aide d'autrui et un ensemble de circonstances favorables... La plupart de ceux qui échouent dans l'art de vivre ne le font pas parce qu'ils sont foncièrement mauvais, ou parce qu'ils sont si dépourvus de volonté qu'il ne peuvent choisir une meilleure existence; ils échouent parce qu'ils ne se sont pas rendu compte qu'ils étaient à un carrefour de leur vie et qu'ils avaient une décision à prendre. Ils sont distraits quand la vie les interroge alors qu'ils peuvent encore fournir des réponses. Puis, à chaque pas dans le mauvais chemin, il leur devient de plus en plus difficile d'admettre qu'ils ne sont pas sur la bonne voie, souvent parce qu'ils devraient admettre avoir à retourner là où ils ont pris un mauvais virage, et accepter le fait d'avoir perdu du temps et de l'énergie.(33)

Fromm voyait l'origine du mal humain comme un procédé de développement: nous ne sommes pas créés mauvais et ne sommes pas forcés de le devenir, mais nous le devenons lentement à travers une longue suite de choix. J'applaudis son point de vue, particulièrement l'emphase qu'il met sur le choix et la volonté. Je crois qu'il a raison jusqu'à un certain point, non pas du tout au tout. Il ne tient pas compte des forces énormes qui cherchent à façonner un jeune enfant avant qu'il ne puisse vraiment se servir de sa volonté pour exercer sa liberté de choix. De plus, il sous-estime peut-être la puissance de la volonté elle-même.

J'ai eu connaissance de cas où certains individus faisaient un choix mauvais pour nulle autre raison apparente que le désir d'exercer leur liberté de choisir. C'est comme si ces personnes se disaient: "Pardi! Je sais ce que je devrais faire, mais je ne m'en laisserai pas imposer par des notions de moralité, ni même par ma conscience. Si j'agis bien, c'est parce que c'est bien de le faire. Si j'agis mal, c'est parce que je l'aurai voulu. Je vais donc mal agir puisque j'ai la liberté de le faire."

Malachi Martin, dans son récit d'un homme possédé qui essaie de se libérer, donne la meilleure description que je connaisse du libre arbitre à l'oeuvre:

Nous avons découvert tout à coup la nature de cette force. C'était sa volonté. Sa volonté autonome. C'était lui-même en sa qualité d'individu choisissant librement. D'un seul regard oblique de son esprit, il fit disparaître une fois pour toutes ce tissu d'illusions mentales au sujet de motivations psychologiques, de stimulations behavioristes, d'analyses raisonnées, de haies cérébrales, d'éthique de situation, de loyautés sociales. Tout était scories et déjà rongé et désintégré dans les flammes de son expérience, qui pourraient encore le consumer. Il ne lui restait plus que sa volonté. Seule sa liberté spirituelle de choisir tenait bon. Seule l'agonie du libre arbitre demeurait... Ensuite, il se demanda longuement combien de choix véritables il avait fait librement dans sa vie avant ce soir-

là. C'était cette agonie de choisir librement, tout à fait librement, qui était maintenant son partage. Dans le seul intérêt de choisir. Sans aucune incitation de l'extérieur. Sans souvenir en arrière-plan. Sans aucune poussée provenant de goûts acquis ou de vieilles persuasions. Sans raison ni cause ni motif de décider. Sans plainte ni grief provenant d'un désir de vivre ou de mourir, indifférent qu'il était devant ces deux possibilités. En quelque sorte, il était comme l'âne de ce philosophe du moyen-âge, qui était sur le point de mourir de faim parce que, impuissant et immobilisé à égale distance entre deux tas d'avoine, il ne savait par où commencer. Libre arbitre total... Il lui fallait choisir. Liberté de choisir l'un ou de choisir l'autre. Un pas à faire dans les ténèbres... Tout semblait reposer sur son prochain geste. Le sien. Seulement le sien.(34)

Selon mon point de vue, la question du libre arbitre, comme tant de grandes vérités, est un paradoxe. D'une part, le libre arbitre est une réalité. Nous *pouvons* être libres de choisir. D'autre part, nous ne pouvons choisir la liberté. Il n'y a que deux états d'être: la soumission à Dieu et au bien, ou le refus de se soumettre à autre chose qu'à notre propre volonté, ce qui nous rend automatiquement esclaves des forces du mal. En fin de compte, il nous faut appartenir à Dieu ou au diable. Jésus, bien sûr, illustrait ce paradoxe quand il a dit: "Qui cherche à conserver sa vie la perdra; qui perd la vie à cause de moi la retrouvera."(35) L'idée fut reprise par le héros Dysert, dans les dernières lignes de la pièce *Equus* de Peter Shaffer: "Je ne puis m'avancer jusqu'à dire que c'était le destin prescrit par Dieu. Cependant, je lui rendrai grand hommage. Il y a maintenant dans ma bouche cette chaîne tranchante. Et elle n'en sort plus."(36) Comme le disait C.S.Lewis: "Il n'y a pas de territoire neutre dans l'univers: la moindre seconde et chaque pouce carré sont réclamés par Dieu, tandis que Satan oppose ses propres demandes reconventionnelles."(37) J'imagine que la seule liberté véritable est de se tenir exactement à mi-chemin entre Dieu et le Diable, non-engagés ni au bien ni à l'égoïsme pur. Mais cette liberté ne saurait durer. Elle est intolérable. Comme le dit Martin, il faut choisir. Un esclavage ou l'autre.

En concluant cette section de mon livre, section qui

traite de concepts scientifiques tirés de la psychologie, il convient que nous nous retrouvions face-à-face avec la notion de volonté. Il a été question de multiples facteurs à l'origine du mal humain. Je ne pense pas que nous ayons besoin d'en choisir un et de rejeter les autres. C'est la règle en psychiatrie que tous les problèmes psychologiques graves sont trop délimités; c'est-à-dire qu'ils ont probablement plusieurs causes différentes, qu'ils ont, comme les plantes, plusieurs racines. Je suis convaincu que le problème du mal ne fait pas exception. Cependant, nous ne devons pas oublier que parmi tous ces facteurs réside la mystérieuse liberté de la volonté humaine.

3

LA PRÉSENCE DU MAL
DANS LA VIE DE TOUS LES JOURS

Nous avons vu que George n'était pas encore mauvais, mais qu'il courait un grand danger de le devenir. Ensuite, au chapitre précédent, pour éclairer les principes impliqués, nous avons parlé d'un couple qui avait, pour une raison quelconque, sauté la barrière. Je vais maintenant poursuivre avec la description de personnes franchement mauvaises. Je parlerai également de la guérison de ceux qui, comme Bobby, sont leurs victimes.

Comme c'est en pratiquant la psychiatrie que j'ai rencontré les hommes, femmes et familles dont je parle ici, je crains que le lecteur ne se dise: Ah! Oui, mais tous ces cas sont inusités. Ces gens sont peut-être mauvais, mais ce n'est pas mon genre de monde, mes collègues, mes connaissances, mes amis, ma parenté. Les "profanes" ont tendance à penser que tous ceux qui consultent un psychiatre sont anormaux, qu'ils ont quelque chose de fondamentalement à part des autres. Il n'en est rien. Croyez le ou non, un psychiatre rencontre autant de cas de psycho-pathologie dans un cocktail, une réunion ou une conférence, que dans son cabinet. Je ne m'affirme pas qu'il n'y ait absolument pas de différences entre les patients d'un psychiatre et les autres, mais ces différences sont subtiles et, plus souvent qu'autrement, sont mal vues par la population "normale." La vie est difficile et compliquée, même dans les

89

meilleures conditions. Nous avons tous nos problèmes. Est-ce que les gens consultent un psychiatre parce que leurs problèmes sont plus graves en moyenne, ou parce qu'ils ont assez de courage et de discernement pour affronter leurs difficultés? L'une ou l'autre raison s'applique, souvent les deux à la fois. Même si mes données proviennent de ma pratique, je ne parlerai pas tellement de mes patients, mais surtout de l'ensemble des humains, ici et partout.

Le cas de Bobby et ses parents n'avait qu'un seul aspect inusité: son dénouement plutôt heureux. Bobby a eu la chance d'avoir attiré l'attention avant de se tuer lorsqu'il a volé une automobile. Il a eu la chance d'avoir une tante qui était prête à le prendre en charge. Il a eu également la chance que ses parents aient possédé une police d'assurance suffisante pour couvrir le coût de sa psychothérapie. La plupart des victimes du mal n'ont pas autant de chance.

Sous d'autres aspects, le cas de Bobby n'avait rien d'inusité. Ma pratique, quoique peu considérable, me fait rencontrer des parents semblables à ceux de Bobby, une fois par mois ou à peu près. Il en est de même pour les autres psychiatres. Nous côtoyons le mal, non pas une fois ou deux dans l'espace d'une vie, mais quasi quotidiennement au contact de crises humaines. C'est pourquoi je prétends que le nom du mal devrait définitivement trouver sa place dans nos lexiques. C'est vrai qu'une telle nomination comporte des dangers réels; nous parlerons de ces dangers dans le dernier chapitre. Mais, sans cette appellation, nous ne saurons jamais exactement ce que nous faisons en pareils cas. Nous serons restreints dans nos efforts pour aider les victimes du mal. Nous n'aurons jamais l'espoir de transiger avec les gens mauvais eux-mêmes. Comment pourrions-nous guérir ce que nous n'osons même pas étudier?

Le lecteur a sans doute compris que les parents de Bobby avaient un côté mauvais, mais plusieurs diront que ce fut un cas aberrant. Le seul fait de dire que je côtoie le mal régulièrement ne veut pas dire que le mal soit partout. Après tout, il ne doit pas y avoir beaucoup de parents qui donnent l'arme d'un suicide en cadeau de Noël à leur enfant! Maintenant, je vais présenter le cas d'un autre adolescent de quinze ans qui était à la fois "patient identifié" et victime du mal. Ce cas plus subtil tire sa valeur précisément de ses différences avec celui de Bobby. Il sera question du fils de parents cossus qui, sans manifester le désir de le tuer littéralement, semblaient vouloir, pour une raison ou une autre, détruire son esprit.

Le cas de Roger et ses parents

A un moment de ma carrière, j'ai détenu un poste administratif dans le gouvernement, poste qui ne me demandait généralement pas d'agir comme thérapeute. Cependant, j'accordai de temps à autres de brèves consultaions, souvent à des personnages politiques en vue. L'un d'eux était Monsieur R., un riche avocat en permission de son étude pendant qu'il agisssait comme conseiller pour un important ministère fédéral. C'était en juin. Monsieur R. m'avait consulté au sujet de son fils Roger qui venait d'avoir quinze ans le mois précédent. Roger avait été un bon élève dans une école de banlieue, mais ses notes baissaient lentement mais sûrement depuis son entrée au secondaire. En fin d'année scolaire, les professeurs avaient annoncé aux parents que Roger serait promu, mais leur avaient aussi conseillé de voir un psychiatre au sujet de la détérioration de ses résultats académiques.

Fidèle à mes habitudes, je rencontrai Roger d'abord, le "patient identifié." Il ressemblait beaucoup à une version haute-société de Bobby. Arborant cravate et complet de bonne coupe, il avait l'allure étriquée et maladroite du grand adolescent en fin de puberté. Peu loquace, il fixait le sol. Il ne se grattait pas les mains et ne me semblait pas aussi déprimé que Bobby l'avait été. Mais il avait le même regard sans vie. Ce n'était certes pas un enfant heureux.

Comme avec Bobby, le début de nos entretiens fut laborieux. Il ne savait pas pourquoi ses notes avaient chuté. Il ne se croyait pas déprimé. Tout dans sa vie, m'a t-il affirmé, était "O.K." Je décidai finalement de jouer un jeu que je ne joue normalement qu'avec de plus jeunes enfants. Je pris un vase décoratif sur mon bureau et lui dit:

- Supposons que ceci soit une bouteille magique, qu'un génie apparaîtra si tu la frottes et que tu pourras alors faire trois voeux qui se réaliseront. Que choisirais-tu?"

- Un stéréo, je suppose.

- Très bien, lui dis-je. Voilà une bonne chose à désirer. Il te reste deux voeux. J'aimerais que tu voies grand. Ne t'inquiètes pas si ton voeu semble impossible. Souviens-toi que le génie peut tout faire. Demande-lui ce que tu désires le plus.

- Disons, une motocyclette? demanda Roger avec un peu moins de nonchalance.

J'ai noté qu'il semblait préférer ce jeu à tout que ce qui s'était passé entre nous auparavant.

- Bon, remarquai-je. C'est un très bon choix. Mais il ne t'en reste qu'un seul. Alors, pense encore plus grand, à la chose la plus importante.

- J'aimerais aller au pensionnat.

Je le regardai, surpris. Soudainement, sa réflexion l'avait amené à quelque chose de réel et de personnel. Mentalement, je me croisai les doigts.

- C'est un choix très intéressant, lui dis-je. Voudrais-tu m'en parler un peu?

- Il n'y a rien à dire, murmura Roger.

- Je suppose que tu n'aimes pas l'école que tu fréquentes dans le moment?

- Mon école est O.K., répondit Roger.

J'essayai une autre fois.

- Alors, tu veux peut-être t'éloigner de la maison. Peut-être qu'il y a quelque chose qui t'agace, chez toi?

- C'est O.K. à la maison, dit Roger, avec un soupçon de crainte dans la voix.

- As-tu dis à tes parents que tu voulais aller au pensionnat?

- L'automne dernier. Sa voix n'était plus qu'un murmure.

- Je parie qu'il t'a fallu du courage. Qu'est-ce qu'ils ont dit?

- Ils ont refusé.

- Oh! Pourquoi?

- Je ne sais pas.

- Qu'as-tu ressenti quand ils ont dit "non"?

- C'était O.K., répondit Roger.

C'était tout ce que nous pouvions accomplir en une seule session. J'ai compris qu'il faudrait beaucoup de temps avant que Roger tombe en confiance et s'ouvre un peu plus. Je lui dis que je parlerais à ses parents pendant quelques minutes et que je le reverrais brièvement ensuite.

Monsieur et Madame R. formaient un beau couple: voix articulée et mise impeccable, manifestement de bonne souche.

- Vous êtes bien aimable de nous recevoir, Docteur, dit l'épouse d'un ton maniéré, retirant ses gants. Vous avez une excellente réputation et vous devez être très occupé.

Je leur demandai ce qu'ils pensaient du problème de leur fils.

- Eh bien! C'est précisément la raison de notre visite, Docteur, sourit le mari, avec courtoisie. Nous ne savons que penser. Si nous le savions, nous aurions pris les mesures qui s'imposent et nous ne serions pas ici.

Dans un style vif et coulant, répondant tour à tour, ils me brossèrent un tableau de la situation. Roger avait connu un été des plus agréables dans un camp de tennis, jusqu'au début de l'année scolaire. Il n'y avait pas eu de changement dans la famille. Il avait toujours été un enfant normal. La grossesse avait été ordinaire. L'accouchement s'était déroulé sans anicroche. Une enfance sans difficulté d'alimentation. Propreté d'évacuation acquise sans complication. Bons rapports avec ses semblables. Peu ou pas de tension à la maison. Tous deux affirmèrent avoir un mariage heureux. Très peu de disputes, bien sûr, et jamais en présence des enfants. Roger avait une soeur de dix ans qui réussissait bien à l'école. Les deux enfants avaient leurs petites querelles, certes, mais rien de grave. C'était probablement difficile pour Roger d'être l'aîné, mais ce n'était pas une excuse, n'est-ce pas? Non, ses basses notes sont un mystère.

C'était agréable d'interviewer des gens si intelligents et si sophistiqués qui répondaient à mes questions avant même que je ne les pose. Pourtant, j'étais mal à l'aise.

- Même si vous ignorez ce qui préoccupe Roger, demandai-je, je suis sûr que vous avez songé à quelques explications?

- Naturellement, nous avons cherché à savoir si son école était en cause, répondit Madame R. J'aurais peine à y croire puisqu'il allait si bien jusqu'à maintenant. Mais, les enfants changent, n'est-ce pas? Ce n'est peut-être plus ce qu'il lui faut.

- En effet, poursuivit Monsieur R. Nous avons pensé l'inscrire dans une école catholique du voisinage, près d'ici, dans notre rue. De plus, les frais scolaires y sont minimes.

- Etes-vous catholiques?

- Non, épiscopaliens, répondit Monsieur R. Mais nous avons pensé que Roger bénéficierait de la discipline d'une école de paroisse.

- Cette école est bien réputée, ajouta Madame R.

- Dites-moi, demandai-je, n'avez-vous jamais songé à envoyé Roger dans un pensionnat?

- Non, répondit Monsieur R. Nous le ferons certainement si vous nous le recommandez, Docteur. Mais, c'est une solution coûteuse, n'est-ce pas? C'est scandaleux ce que chargent ces pensionnats de nos jours.

Il y eut un court silence. Puis, je repris:

- Roger m'a dit qu'il vous en a parlé, l'automne dernier.

- Il vous a dit ça? fit Monsieur R., déconcerté pendant une seconde.

- Tu te souviens, chéri, interjeta Madame R, mielleusement. Nous y avons songé très sérieusement, à l'époque.

- Oui. C'est vrai, confirma Monsieur R. Quand vous nous avez demandé si nous y avions pensé, j'ai cru que vous vouliez dire depuis que Roger a des problèmes. Nous y avons beaucoup songé l'automne dernier. Certainement.

- Si j'ai bien compris, vous avez refusé?

Madame R. se chargea de répondre:

- Nous sommes peut-être remplis de préjugés, mais mon mari et moi sommes d'avis, que les jeunes enfants doivent rester à la maison. À mon sens, il y en a trop qui sont au pensionnat parce que leurs parents désirent s'en débarrasser. Je crois que les enfants réussissent mieux quand ils sont dans un bon foyer stable, n'est-ce pas, Docteur?

- Nous devrions peut-être y songer une autre fois si le Docteur le suggère, lança Monsieur R. Qu'en pensez-vous,

Docteur? Croyez-vous que ses problèmes disparaîtraient si nous envoyions Roger au pensionnat?

J'étais extrêmement confus. Je sentais que quelque chose n'allait pas du tout entre Monsieur et Madame R. Quelque chose de subtil. Comment pouvaient-ils avoir oublié que leur fils leur avait demandé d'aller au pensionnat? Ensuite, ils me dirent s'en souvenir. Ils avaient menti. C'était de la dissimulation, mais je ne pouvais en être certain. Et après? Devrais-je fonder toute cette affaire sur un si petit mensonge? J'ai pensé qu'il y avait quelque chose d'assez grave à la maison pour que Roger veuille partir à tout prix et aller au pensionnat. Ce n'était qu'une idée. Roger m'avait dit que tout allait bien à la maison. De prime abord, les parents étaient des gens responsables, inquiets et très intelligents. J'étais porté à croire que le pensionnat serait l'endroit par excellence pour Roger. Pourtant, je n'avais rien sur quoi me baser. Comment justifier mon choix auprès de parents qui, malgré leur richesse, semblaient si soucieux des dépenses? Pourquoi étaient-ils si près de leurs sous? Certes, je ne pouvais pas leur donner l'assurance que les notes de Roger seraient meilleures, ni qu'il serait plus heureux loin de la maison. Je ne voulais pas non plus blesser Roger en tergiversant. J'aurais voulu me voir ailleurs.

- Eh bien? demanda Monsieur R.

- Premièrement, répondis-je, Roger est déprimé et je ne sais pas pourquoi. Les jeunes de quinze ans ne sont généralement pas capables de nous dire pourquoi ils sont déprimés. Il nous faut beaucoup de temps et d'efforts pour en découvrir la raison. Ses notes qui baissent sont un symptôme de sa dépression, et sa dépression indique que quelque chose ne tourne pas rond. Des changements s'imposent. La situation ne s'améliorera pas d'elle même. Il ne s'agit pas d'un caprice et je crois que le problème s'envenimera si rien n'est fait. Avez-vous des questions jusqu'à présent?

Ils n'en avaient pas.

- Ensuite, il est fort probable qu'envoyer Roger au pensionnat serait une bonne chose, du moins une des bonnes choses à faire. Cependant, je n'en suis pas encore sûr. Je ne puis que m'en remettre à ce qu'il désire. C'est quand même beaucoup. L'expérience m'a appris que les enfants de cet âge ne font pas de telles demandes à la légère. En outre, sans pouvoir exprimer leurs motifs, ils ont souvent une très bonne idée de ce qui serait bon pour eux. Six mois après vous en avoir parlé pour la première fois, Roger veut toujours aller au pensionnat. Je crois que vous devriez traiter son désir sérieusement et avec respect. Avez-vous des questions jusqu'ici? Y a-t-il quelque chose que vous ne comprenez pas?

Ils affirmèrent tout comprendre.

- Si vous deviez prendre une décision dès maintenant, continuai-je, je vous dirais de l'envoyer au pensionnat. Mais, il n'y a rien d'urgent et nous avons heureusement le temps d'y songer plus profondément. Comme je suis incapable de garantir que Roger réussirait mieux au pensionnat, et que vous désiriez vous convaincre que cette solution serait ou ne serait pas la meilleure, je vous suggère d'y réfléchir plus longuement. Comme je vous l'ai dit au téléphone quand vous m'avez appelé, je n'accepte que de courtes consultations. Je ne pourrai donc pas poursuivre avec vous. De plus, je ne suis pas la personne la mieux qualifiée pour vous aider. Quand nous travaillons avec des jeunes qui ne sont pas encore sûrs de leurs sentiments, les tests psychologiques sont nos meilleurs outils. J'aimerais vous suggérer de consulter, avec Roger, le docteur Marshall Levenson. C'est un psychologue qui non seulement administre ces tests, mais se spécialise également dans l'évaluation et la psychothérapie des adolescents.

- Levenson? s'enquit Monsieur R. C'est un nom juif, n'est-ce pas?

Je le regardai, étonné.

- Je ne sais pas. Je suppose que oui. Dans notre profession, la moitié des gens sont juifs. Pourquoi voulez-vous savoir?

- Rien en particulier, répondit Monsieur R. Je n'ai pas de préjugés. Simple curiosité.

- Vous dites que cet homme est un psychologue, s'informa Madame R. Quelles sont ses références? Je ne suis pas certain de vouloir confier Roger à quelqu'un qui ne serait pas psychiatre.

- Le docteur Levenson détient les meilleurs diplômes, fis-je pour la rassurer. On doit lui accorder autant de confiance qu'à un psychiatre. Je me ferai un plaisir de vous recommander un psychiatre si c'est ce que vous voulez; mais, franchement, je n'en connais pas dans la région qui pourraient comprendre votre cas mieux que le docteur Levenson. De plus, il est fort probable qu'un autre psychiatre, lui aussi, enverra Roger subir des tests chez un psychologue; les psychologues sont les seuls à faire passer ces tests. Finalement, ajoutai-je en fixant Monsieur R., les psychologues coûtent un peu moins cher que les psychiatres.

- L'argent n'est pas un problème quand il s'agit de nos enfants, répondit Monsieur R.

- Quant à moi, enchaîna Madame R. en remettant ses gants, je suis certaine que le docteur Levenson est un bon choix.

J'ai alors écrit le nom et le numéro de téléphone de Marshall Levenson sur une formule d'ordonnance et la remis à Monsieur R.

- Si vous n'avez pas d'autres questions, je vais maintenant revoir Roger.

- Roger? Monsieur R. prit un air inquiet. Pourquoi voulez-vous revoir Roger?

- Je lui ai dit que je le reverrais. C'est ma méthode avec tous les adolescents que j'ai comme patients. J'en profite pour leur faire part de mes recommandations.

Madame R. se leva.

- Il faut que nous partions. Nous ne pensions pas que ce serait aussi long. Vous avez été bien bon, Docteur, de nous consacrer tout ce temps. Puis, elle me tendit la main.

Pendant que je pris sa main gantée, je la regardai dans les yeux.

- J'ai besoin de voir votre fils. Pendant quelques minutes seulement.

Monsieur R. ne semblait pas pressé. Toujours assis, il dit:

- Je ne comprends pas pourquoi vous voulez revoir Roger? Ce que vous nous avez recommandé ne le regarde pas. Après tout, c'est nous qui déciderons, n'est-ce pas? Ce n'est qu'un enfant.

- En fin de compte, c'est votre décision, ai-je admis.

Vous êtes les parents et vous payez la note. Mais, il s'agit de sa vie. C'est lui qui est le plus touché par ce qui se passe ici. Je lui annoncerai que j'ai recommandé le pensionnat avec ou sans le docteur Levenson; je spécifierai également que ce n'est qu'une recommandation et que la décision finale est entre vos mains. En réalité, je lui dirai que vous êtes mieux placés que moi pour décider ce qu'il y a de meilleur pour lui. J'ai passé moins d'une heure avec lui et vous, quinze ans! Mais, il a quand même le droit de savoir ce qu'il lui arrivera et, supposant que vous le conduisiez chez le docteur Levenson, c'est normal qu'il sache à quoi s'attendre. Ce serait plutôt cruel de ne pas l'informer, ne croyez-vous pas?

Madame R. regarda son mari.

- Laisse le docteur agir pour le mieux, chéri. Nous serons encore plus en retard si nous nous engageons dans une discussion philosophique.

J'ai donc eu l'occasion de parler à Roger une autre fois et je lui expliquai l'essentiel de mes recommandations. Je lui annonçai également qu'il lui faudrait probablement passer quelques tests psychologiques s'il rencontrait le docteur Levenson, mais qu'il ne fallait pas avoir peur. Ces tests sont plutôt amusants. Roger répondit que tout était "O.K." Il n'avait pas de questions. Avant de terminer, je posai un geste un peu inusité pour moi. Je lui donnai ma carte et lui dit de m'appeler au besoin. Il plaça soigneusement la carte dans son portefeuille.

Le même soir, je téléphonai à Marshall Levenson pour lui apprendre que je l'avais recommandé à Roger et ses parents, mais que je n'étais pas convaincu qu'ils iraient le voir. Un mois plus tard, je le rencontrai dans une réunion médicale. A ma question, il répondit que les parents n'avaient jamais pris contact avec lui. Je ne fus pas étonné. J'ai pensé que je n'entendrais jamais plus parler de Roger.

Je me trompais.

Sept mois plus tard, à la fin de janvier, Monsieur R. m'appela pour me demander une deuxième consultation.

- Cette fois, Roger s'est vraiment mis les pieds dans les plats, annonça-t-il.

Il me dit que la directrice de l'école m'enverrait une lettre au sujet de cet "incident", lettre que je recevrais dans quelques jours. Je pris rendez-vous pour la semaine suivante.

La lettre arriva le lendemain après-midi. Elle portait la signature de soeur Marie-Rose, directrice de l'école secondaire Saint-Thomas-d'Aquin située dans la banlieue où vivait la famille.

Cher docteur Peck,

Quand j'ai conseillé à Monsieur et Madame R. de consulter un psychiatre au sujet de leur fils, ils m'ont dit que vous aviez déjà traité Roger et m'ont demandé de vous envoyer ce rapport.

Roger arriva chez nous l'automne dernier, en provenance de l'école publique locale où ses notes avaient commencé à baisser. Académiquement parlant, il n'a pas très bien réussi ici non plus: il n'obtint qu'un "C" de moyenne pour le trimestre. Par contre, son ajustement social a été excellent. Les autres élèves l'aiment, ainsi que les profeseurs. Nous avons été particulièrement impressionnés par son comportement à l'intérieur de notre programme d'action communautaire. A titre de participant, Roger avait choisi d'oeuvrer, après ses heures de classe, parmi les enfants arriérés du voisinage. Non seulement démontra-t-il énormément d'enthousiasme pour cette tâche, mais ses surveillants soulignèrent son empathie peu habituelle et sa grande dévotion pour les enfants. A tel point qu'on lui vota des fonds pour qu'il puisse assister à une conférence sur la débilité mentale, à New York, pendant les congés de Noël.

Les événements qui m'amènent à vous écrire se sont produits le 18 janvier. Cet après-midi-là, Roger et un autre élève pénétrèrent par effraction dans la chambre de Père Jérome, prêtre à la retraite qui vit dans notre école. Ils s'emparèrent de sa montre et de quelques autres objets personnels. Normalement, une telle offense est une cause de renvoi, et c'est justement la punition qui a été infligée à l'autre garçon. Cependant, ce mauvais coup ne ressemble pas du tout à Roger. Par conséquent, au cours d'une réunion du corps enseignant, nous avons pris le vote et décidé de garder Roger malgré ses pauvres résultats académiques, à la condition d'obtenir votre accord. Nous croyons avoir agi dans son meilleur intérêt puisque nous aimons ce jeune garçon et sommes en mesure de faire beaucoup pour lui.

J'ai ceci à ajouter, qui pourrait vous être utile. A la réunion du corps enseignant, plusieurs professeurs ont exprimé l'avis que Roger semblait très déprimé à son retour des congés de Noël, ainsi que tout juste avant les événements décrits plus haut.

Je compte recevoir vos recommandations sous peu et je me ferai un devoir de vous transmettre d'autres renseignements, si nécessaire.

Sincèrement vôtre
Marie-Rose OSC, directrice

Quand la famille arriva pour ce deuxième rendez-vous, je vis Roger d'abord. Il me parut aussi déprimé qu'avant. Cependant, il avait quelque chose de différent: un soupçon de fermeté. Il affichait un petit air d'amertume et de fausse bravade. Il ne savait pas pourquoi il avait pénétré par effraction dans la chambre du vieux prêtre.

- Parle-moi du Père Jérome, lui demandai-je.

Roger eut l'air surpris.

- Je n'ai rien à dire, répondit-il.

- Est-il agréable ou désagréable. J'insistais. L'aimes-tu, oui ou non?

- Il est O.K., je crois, répondit Roger comme s'il n'y avait jamais songé auparavant. Il nous invitait parfois dans sa chambre et nous offrait du thé et des gâteaux. Je l'aime bien, je suppose.

- Je me demande pourquoi tu as volé un homme que tu aimes?

- Je ne sais pas pourquoi je l'ai fait. Je vous l'ai dit.

- Tu voulais peut-être d'autres gâteaux.

- Oh!

Roger m'apparut gêné.

- Tu recherchais peut-être un peu d'amitié? Tu as peut-être besoin de toute la gentillesse que tu peux trouver.

- Non, fit Roger brusquement. Nous cherchions quelque chose à voler.

Je changeai le sujet.

- La dernière fois que je t'ai vu, Roger, je t'ai recommandé un psychologue, le docteur Levenson. L'as-tu rencontré?

- Non.

- Pourquoi?

- Je ne sais pas.

- Tes parents t'en ont-ils parlé?

- Non.

- Qu'en penses-tu? Ne trouves-tu pas bizarre que je te l'aie recommandé et que tes parents et toi n'en ayez jamais parlé?

- Je ne sais pas.

- Au même moment, nous avons aussi parlé du pensionnat, poursuivis-je. En a-t-il été question entre tes parents et toi?

- Non. Ils m'ont seulement dit que je m'en allais à Saint-Thomas.

- Qu'est-ce que tu as pensé de cette annonce?

- C'était O.K.

- Aimerais-tu encore aller au pensionnat si tu en avais la chance?

- Non. Je veux rester à Saint-Thomas. Je vous en prie, docteur Peck, aidez-moi à rester à Saint-Thomas.

J'étais à la fois touché et surpris par la spontanéité soudaine de Roger. L'école avait pris beaucoup d'importance à ses yeux.

- Pourquoi veux-tu rester là? demandai-je.

Roger sembla confus pour un moment, puis devint pensif.

- Je ne sais pas, dit-il après une pause. Ils m'aiment. Je crois que je suis aimé à cet endroit.

- Je crois que c'est vrai, répondis-je. Soeur Marie-Rose m'a écrit et m'a bien dit qu'elle t'aime et veut que tu restes. Si c'est ce que tu désires, c'est probablement ce que je vais recommander. Soeur Marie-Rose m'a dit que tu faisais de l'excellent travail avec les enfants attardés. Comment as-tu aimé ton voyage à New York?

- Quel voyage? Roger semblait dérouté.

- Voyons! Le voyage pour assister à la conférence sur les maladies mentales. Soeur Marie-Rose m'a dit qu'on avait levé des fonds pour tes dépenses. C'est tout un honneur pour quelqu'un qui n'a pas encore seize ans. Comment as-tu trouvé la conférence?

- Je n'y suis pas allé.

- Tu n'y es pas allé, répétai-je sottement. Une certaine appréhension m'envahit. Mon intuition me faisait craindre le reste. Pourquoi n'y es-tu pas allé?

- Mes parents n'ont pas voulu.

- Pourquoi?

- Ils ont dit que ma chambre était en désordre.

- Comment l'as-tu pris?

- O.K.

Roger me parut gourd. Je pris un air quelque peu outragé.

- O.K.? On t'accorde un voyage excitant dans la ville de New York à cause de tes propres mérites, puis, on ne te permet pas d'y aller et tu me dis que c'est O.K.? C'est de la foutaise.

Roger semblait très malheureux.

- Ma chambre était en désordre, dit-il.

- Crois-tu que la punition était proportionnée à l'offense? Penses-tu que le fait de ne pas avoir mis d'ordre dans ta chambre soit une raison suffisante pour te priver d'un beau voyage, un voyage que tu avais mérité, un voyage enrichissant pour toi?

- Je ne sais pas, fit encore Roger, l'air passif.

- Tu n'étais pas déçu? Furieux?

- Je ne sais pas.

- Ne crois-tu pas que ta grande déception et ta colère soient à l'origine de ton effraction contre le Père Jérome?

- Je ne sais pas.

C'était évident qu'il n'en savait rien. Comment aurait-il pu savoir? Tout avait été inconscient.

- N'es-tu jamais en colère contre tes parents, Roger? lui demandai-je doucement.

Il garda les yeux fixés sur le sol.

- Ils sont O.K., répondit-il.

La courtoisie des parents de Roger n'avait pas plus changé que sa dépression.

- Nous regrettons de vous déranger encore une fois, Docteur, me dit Madame R. pendant que je faisais entrer le couple dans mon bureau après mon entrevue avec Roger. Elle

102

s'assit, enleva ses gants et sourit.

- Nous n'avons pas d'objections à venir ici mais, naturellement, nous aurions voulu ne plus avoir à le faire pour le bien de Roger. La directrice vous a écrit, je crois?

- En effet, lui dis-je.

- Ma femme et moi avons très peur que Roger ne soit en train de devenir un criminel d'habitude, enchaîna Monsieur R. Nous aurions dû suivre votre conseil d'aller voir le psychologue... Quel était son nom? Un nom à consonnance étrangère.

- Le docteur Levenson.

- C'est ça. Comme je disais, nous aurions dû le conduire chez votre docteur Levenson.

- Pourquoi ne l'avez-vous pas fait?

Je m'attendais à une réponse toute prête. En revenant me voir, ils devaient savoir que la question était inévitable. Au point qu'ils ne perdirent pas de temps et attaquèrent le sujet eux-mêmes. Je voulus quand même connaître leur réponse.

- Eh bien! Vous nous avez donné l'impression qu'il n'en tenait qu'à Roger, répondit Monsieur R. avec complaisance. Je me souviens que vous avez dit qu'il s'agisssait de sa vie à lui, ou quelque chose de semblable. Ensuite, je savais que vous lui en aviez parlé. Comme il n'a pas manifesté d'enthousiasme, nous avons déduit qu'il ne voulait pas rencontrer votre docteur Levenson et nous avons cru bon de ne pas insister.

- Nous nous sommes également souciés de son amour-propre, poursuivit Madame R. Il avait déjà des problèmes à l'école et nous avons craint les effets d'une visite chez un psychologue. L'amour-propre est si important pour les jeunes gens, n'est-ce pas, Docteur?... Mais, nous nous sommes peut-être trompés, finit-elle dans un charmant petit sourire.

C'était ingénieux. Avec peu de mots, ils avaient transféré sur mes épaules et sur celles de Roger, tout le blâme pour n'avoir pas donné suite à mes recommandations. Je ne vis pas l'utilité de les contredire.

- Avez-vous une idée de la raison pour laquelle Roger a été impliqué dans l'incident du vol? demandai-je.

- Aucune, Docteur, répondit Monsieur R. Naturellement, nous avons essayé de le faire parler, mais il n'a rien dit. Non.

Nous sommes dans le noir.

- Voler est souvent un geste de colère, continuai-je. Connaissez-vous des raisons qui auraient poussé Roger à se sentir irrité ou à éprouver du ressentiment? A se révolter contre le monde, contre l'école, ou contre vous?

- Aucune à ce que nous sachions, répondit Madame R.

- Avant le vol, y at-il eu des affrontements entre vous et Roger? Des situations qui auraient pu le mettre en colère ou provoquer sa rancune?

- Non, Docteur, reprit Madame R. Nous vous l'avons dit, nous sommes complètement perdus.

- On m'a dit que vous n'aviez pas permis à Roger de se rendre à New York pour une conférence sur les enfants attardés pendant les congés de Noël.

- Ah, oui? Roger s'en fait pour ça? s'exclama Monsieur R. Il n'a pas semblé déçu quand nous lui avons défendu d'y aller.

- Roger éprouve beaucoup de difficultés à exprimer sa colère, leur soulignai-je. C'est un aspect important de son problème. Dites-moi, avez-vous pensé qu'il serait bouleversé si vous ne le laissiez pas partir?

- Comment pouvions-nous savoir? Nous ne pouvons prévoir ces choses, répondit Madame R., quelque peu belligérante. Nous ne sommes pas des psychologues, vous savez. Nous avons agi pour le mieux.

Dans mon esprit, je songeais aux interminables réunions de stratégie auxquelles Monsieur R. participait et où les politiciens devaient étudier et ébaucher d'importantes prédictions. Mais, encore une fois, je ne vis pas l'utilité d'insister.

- Pourquoi étiez-vous convaincus d'avoir raison en ne laissant pas Roger aller à New York? leur demandai-je.

- Parce qu'il ne veut pas ranger sa chambre, répondit Monsieur R. Nous lui avons demandé à maintes reprises de garder sa chambre en ordre, mais sans succès. Alors, nous lui avons annoncé que s'il ne pouvait mettre de l'ordre chez lui, il ne méritait sûrement pas d'agir comme ambassadeur à l'étranger.

- Je ne vois pas le rapport entre un ambassadeur à l'étranger et un week-end à New York, fis-je, avec un début d'exaspération. Je ne crois pas que vos attentes soient réalistes. Très peu d'adolescents de quinze ans gardent leur chambre en ordre. En réalité, je m'inquiéterais s'ils le faisaient. Ce n'est pas une raison suffisante pour empêcher un jeune homme de faire un voyage enrichissant qu'il a mérité pas ses propres efforts dans un champ d'action très louable.

- Eh bien! Nous avons quelques réserves à ce sujet, Docteur, fit Madame R. doucement, avec gentillesse même. Je ne sais pas si c'est bon pour Roger de travailler avec des enfants arriérés. Après tout, plusieurs de ces enfants sont aussi des malades mentaux.

Je me sentais sans ressource.

- Tout ce bavardage est bien beau, trancha Monsieur R., mais il faut en finir. Il faut faire quelque chose avant que notre fils ne devienne un criminel. L'été dernier, nous avons parlé de l'envoyer au pensionnat: est-ce encore ce que vous recommandez, Docteur?

- Non, répondis-je. En juin dernier, j'étais indécis et je voulais que Roger consulte le docteur Levenson avant de prendre une décision finale. Je n'abandonne pas l'idée du pensionnat, mais je suis encore indécis aujourd'hui. Roger aime sa nouvelle école. Il se sent aimé à cet endroit et je suis d'avis qu'un changement soudain serait trop traumatisant pour lui. Je ne vois pas le besoin d'une action précipitée. Je vous suggère encore une fois de consulter le docteur Levenson.

- Ça nous ramène au point de départ, s'exclama Monsieur R., visiblement ennuyé. N'avez-vous pas une recommandation plus précise à nous faire?

- Oui, j'en ai une autre.

- Laquelle?

- Je vous recommande fortement d'entrer tous deux en thérapie. Je crois que Roger a grand besoin d'aide. Je crois que vous en avez besoin également.

Il y eut un silence glacial. Puis, Monsieur R. eut un petit sourire amusé.

- C'est très intéressant, Docteur, observa-t-il tranquillement. J'aimerais beaucoup savoir pourquoi vous pensez que nous ayons besoin de traitements, comme vous dites.

- Je suis content que vous soyez intéressé, répondis-je.

J'ai eu peur de vous vexer. Je pense que vous devriez entreprendre une psychothérapie tous deux parce que vous semblez manquer d'empathie pour Roger. La thérapie pourrait, je crois, vous rendre capables de mieux le comprendre.

- Vraiment, Docteur, poursuivit Monsieur R., tranquillement et avec courtoisie, votre recommandation m'intrigue. Sans me vanter, je crois avoir très bien réussi dans ma profession. Ma femme également dans son domaine. Nous n'avons pas de difficultés avec notre autre enfant. Ma femme est chef de file au sein de notre communauté, savez-vous? Elle siège au comité de zonage et s'implique à fond dans des activités paroissiales. Je suis curieux de savoir pourquoi vous nous considérez comme des malades mentaux?

- Vous êtes en train de me dire, expliquai-je, que Roger est le malade et que vous êtes en santé. Les problèmes de Roger sont très apparents, c'est vrai. Cependant, les problèmes de Roger sont aussi vos problèmes et, selon moi, rien n'a réussi de tout ce que vous avez tenté jusqu'à présent pour les corriger. Roger voulait aller au pensionnat et vous avez refusé sans même y penser une seconde fois. Je vous ai suggéré de l'amener chez le docteur Levenson, mais vous n'avez rien fait. Puis, quand on a reconnu la valeur de sa participation dans des activités communautaires, vous lui avez enlevé sa récompense sans vous préoccuper des conséquences. Je ne prétends pas que vous essayiez de le blesser volontairement mais psychologiquement, vous vous comportez comme si vous entreteniez une bonne dose d'animosité inconsciente envers lui.

- Je suis heureux de connaître votre point de vue, Docteur, commenta Monsieur R. avec ses manières suaves d'avocat. Mais ce n'est que votre point de vue, n'est-ce pas? Et, il y a d'autres points de vue, n'est-ce pas? J'admets que je commence à ressentir un peu d'animosité pour Roger depuis que je le vois se transformer en bandit. J'admets également que, selon votre point de vue psychologique, vous soyez porté à nous rendre responsables, nous les parents, de ses moindres peccadilles. C'est facile pour vous de nous pointer du doigt. Vous n'avez pas sué comme nous l'avons fait pour lui donner la meilleure éducation et un foyer stable. Non, vous n'avez pas sué du tout.

- Ce que mon mari veut dire, interjeta Madame R., c'est qu'il y a peut-être une autre explication. Par exemple, mon oncle était alcoolique. Serait-ce possible que le problème de Roger soit héréditaire? Qu'il ait reçu de mauvais gènes? Qu'il aurait mal tourné peu importe comment nous l'élevons?

Je les regardai de plus en plus horrifié.

- Vous vous demandez si c'est possible que Roger soit incurable? C'est bien ce que vous voulez dire, n'est-ce pas?

- Heu! Nous hésiterions à le dire incurable. J'espère qu'il y a des remèdes pour lui, opina Madame R., calmement. Mais, vous n'avez certainement pas des remèdes pour tous les maux, n'est-ce pas?

Qu'aurais-je pu répondre? Je devais faire preuve d'objectivité scientifique.

- Plusieurs conditions psychiatriques sont partiellement ou entièrement héréditaires et génétiques. Cependant, rien ne nous dit que le cas de Roger entre dans cette catégorie. Mon diagnostic est qu'il souffre d'une dépression qui n'est ni héréditaire, ni incurable. Au contraire, je le crois parfaitement guérissable à la condition qu'on l'aide à comprendre ses sentiments et si vous acceptez que l'on vous aide à changer votre manière d'agir envers lui. Je ne vous garantis pas l'exactitude de mon diagnostic. Mon opinion est basée sur mon expérience et mon jugement, et mes chances d'être vrai sont de quatre-vingt-dix-neuf pour cent. Je ne puis vous assurer qu'elles sont de cent pour cent. Si vous manquez de confiance, vous devriez vous rassurer en consultant un deuxième psychiatre. Je puis vous en recommander plusieurs, ou vous pouvez en trouver un vous-mêmes. Par contre, le temps presse. Il faut guérir le problème maintenant; il ne faut pas attendre qu'il soit trop tard.

- C'est votre opinion personnelle, n'est-ce pas Docteur? Monsieur R. me cuisinait en bon avocat.

- Oui, ce n'est que mon opinion.

- Vous n'avez aucune preuve scientifique, n'est-ce pas? Vous pensez, mais vous n'êtes pas certain. C'est bien cela, n'est-ce pas?

- Oui, c'est cela.

- Il est donc tout à fait possible que Roger souffre d'un

mal héréditaire et incurable, et que vous ne soyez pas capable, aujourd'hui, d'en établir le diagnostic?

- C'est possible, mais fort peu probable.

Je m'interrompis pour allumer une cigarette. Mes mains tremblaient. Je les regardai.

- Ce qui m'intrigue le plus à votre sujet, savez-vous, c'est que vous êtes plus désireux de croire que Roger soit atteint d'un mal incurable, plus capables de le mettre au rancart, que de croire que ayez vous-mêmes besoin de traitements.

Tout ce que j'ai pu voir pendant une fraction de seconde fut de la crainte dans leurs yeux, une crainte purement animale. Puis, ils retrouvèrent immédiatement leur habituelle courtoisie.

- Tout ce que nous voulons, Docteur, c'est y voir clair. Vous ne pouvez nous reprocher de vouloir séparer la vérité de la fiction, n'est-ce pas? expliqua Monsieur R.

- Beaucoup de gens ont peur de la psychothérapie, continuai-je, en ayant l'impression d'essayer de vendre des bibles au Kremlin. C'est une répugnance normale. Personne n'aime étaler ses pensées intimes et ses sentiments, mais l'expérience n'a rien d'épouvantable quand on s'y met. Si c'est plus facile pour vous, je pourrais me charger moi-même de votre thérapie. Je briserais ma résolution de ne faire que des consultations afin de m'assurer que vous et Roger receviez toute l'aide dont vous avez besoin.

Je ne prévoyais sûrement pas qu'ils acceptent mon offre et, au fond, je souhaitais qu'ils refusent. Cependant, je me croyais obligé d'agir ainsi. Bien que j'eus trouvé repoussante l'idée de travailler avec eux, ma conscience m'empêchait de les envoyer automatiquement à quelqu'un d'autre. A l'époque, sept ans après le cas de Bobby, j'avais au moins une idée de ce qui m'attendait.

- Oh! Vous avez sûrement raison, Docteur, me dit aimablement Madame R., comme si nous avions été en train de prendre le thé. Ce serait agréable de vous parler de moi et de pouvoir m'appuyer sur quelqu'un. Mais cela prend tellement de temps et c'est si coûteux, n'est-ce pas, Docteur? Nous voudrions être en mesure de nous le permettre, mais nous avons deux enfants à faire instruire. J'ai peur que nous n'ayons pas des milliers de dollars à dépenser chaque année pour des services professionnels.

- Je ne connais pas vos revenus, répondis-je, mais je sais que vous êtes probablement protégés par le plan d'assurance du gouvernement fédéral en ce qui concerne une psychothérapie externe. Vous-mêmes n'auriez qu'à payer le tiers du coût des traitements. Et, si c'est encore trop cher, vous pourriez peut-être vous prévaloir d'une thérapie familiale, laquelle prévoit des séances de groupe pour vous trois, conjointement.

Monsieur R. se leva.

- Cette conversation a été très intéressante, Docteur. Oui, très enrichissante. Mais, nous avons trop pris de votre temps et je dois rentrer au bureau.

- Alors, que ferons-nous de Roger? demandai-je.

- Roger? Monsieur R. me regarda, l'air perdu.

- Oui, Roger. Il est coupable d'un vol par effraction. Ses notes sont mauvaises à l'école. Il est déprimé. Il a peur. Il est en difficultés. Que va t-il lui arriver?

- Eh bien! Nous allons beaucoup réfléchir sur son cas, répondit Monsieur R. Oui, nous allons y penser à la lueur de tout ce que vous nous avez dit, Docteur. Vous nous avez été très utile.

- J'espère l'avoir été, leur dis-je en me levant.

Que je l'aie voulu ou non, l'entrevue était bel et bien terminée.

- J'espère aussi que vous songerez sérieusement à tout ce que j'ai recommandé.

- Bien sûr, Docteur, roucoula Madame R. Nous allons considérer sérieusement tout ce que vous nous avez dit.

Comme la première fois, Monsieur et Madame R. essayèrent de m'empêcher de revoir Roger.

- Ce n'est pas un meuble, insistai-je. Il a le droit de savoir ce qui se passe.

Je passai donc quelques derniers moments avec Roger. Il avait encore ma carte dans son portefeuille. Je lui dis que je téléphonerais à soeur Marie-Rose pour lui annoncer que mon conseil était qu'il reste à Saint-Thomas. Je lui fis part également que je maintenais ma recommandation au sujet du docteur Levenson. J'ajoutai que j'avais suggéré à ses parents de se faire traiter également.

- Tu vois, Roger, lui dis-je, je ne crois pas que ce problème n'appartienne qu'à toi. Je crois que tes parents ont des troubles psychologiques qui sont au moins aussi graves que les tiens. Je ne crois pas qu'ils fassent assez d'efforts pour te comprendre. Je ne sais pas non plus s'ils rechercheront toute l'assistance dont vous avez besoin.

Comme il fallait s'y attendre, il partit sans se compromettre.

Trois semaines plus tard, le courrier m'apporta un chèque accompagné d'une note de Madame R. écrite sur son élégant papier personnel.

Cher docteur Peck,

Vous avez été très aimable de nous recevoir si rapidement le mois passé. Mon mari et moi apprécions vraiment votre souci pour Roger. Permettez-moi de vous annoncer que nous avons suivi votre conseil et avons envoyé Roger au pensionnat: il s'agit d'un collège militaire en Caroline du Nord, qui a une excellente réputation pour ses résultats avec les enfants difficiles. Je suis certaine que tout ira bien maintenant. Je vous remercie pour tout ce que vous avez fait pour nous.

Très sincèrement,
Madame R.

C'était il y a dix ans. Je n'ai aucune idée de ce qu'il advint de Roger. Il devrait avoir vingt-cinq ans aujourd'hui. Parfois, je me souviens de prier pour lui.

L'ingéniosité du mal est un des facteurs qui nous empêche de parler de lui sans difficultés. J'ai débuté par le cas de Bobby et ses parents à cause de son évidente clarté. Le monde entier sera d'avis qu'il est monstrueux de donner à un enfant l'arme qui a servi au suicide de son frère aîné. Oui, c'est mal en effet. Les parents de Roger n'ont pas posé de gestes aussi grossièrement scandaleux; il ne s'agissait pour eux que de décisions de routine, comme permettre un voyage ou choisir une école. Le simple fait que mon jugement ait été différent de celui des parents de Roger dans cette affaire, n'est pas une raison suffisante pour que je les qualifie de mauvais. En effet, n'est-il pas mauvais de ma part d'étiqueter ainsi les clients qui ne partagent pas mes opinions et refusent mes conseils? Ne serais-je pas coupable d'abuser du concept du mal si je m'en servais complaisamment contre tous ceux que ne sont pas d'accord avec moi?

Le problème d'une éventuelle utilisation abusive du concept du mal est très réel et nous en parlerons longuement dans notre dernier chapitre. Je suis certainement dans l'obligation de justifier ma conclusion que Roger fut victime du mal. Je le suis d'autant plus que des deux cas de Bobby et de Roger, celui de Roger est le plus typique. Alors que le mal peut se manifester de manière évidente, comme dans le cas de Bobby, il ne le fait que rarement. Le plus souvent, il est ordinaire, normal en surface, logique même en apparence. Comme je le disais plus haut, les gens mauvais sont des maîtres dans l'art du déguisement; ils ne se montreront pas sous leur vrai jour, ni aux autres, ni à eux-mêmes.Ce n'est pas sans raison que le serpent est renommé pour sa subtilité.

Par conséquent, il est extrêmement rare de pouvoir dire d'une personne qu'elle est mauvaise en se basant sur une seule de ses actions; notre jugement doit plutôt reposer sur un ensemble de gestes, y compris la manière d'agir et le style. Ce n'est pas seulement le fait que les parents de Roger aient choisi une école à l'encontre de son choix, ou sans suivre mes conseils: dans l'espace d'une année ils ont agi de façon semblable à trois reprises consécutives. Ce n'est pas qu'ils aient ignoré les sentiments de Roger une fois seulement: c'est ce qu'ils faisaient chaque fois qu'ils en avaient l'occasion. Ils manquaient régulièrement de considération envers lui en sa qualité d'être humain.

Mais, est-ce mal? Ne suffirait-il pas de dire que Monsieur et Madame R. étaient des gens remarquablement insensibles et d'oublier le reste? En vérité, ce n'était pas des gens insensibles. Hautement intelligents, ils avaient une excellente connaissance des caprices sociaux. Il ne s'agissait pas de pauvres fermiers des Appalaches, mais d'un couple éduqué, gracieux, sophistiqué, très à l'aise au sein d'un comité ou d'une soirée mondaine. Ils n'auraient pas atteint le même statut social s'ils avaient manqué de sensibilité. Monsieur R. n'aurait pas pris de décision juridique à la légère, et Madame R. n'oubliait pas d'envoyer des fleurs dans les occasions propices. Pourtant, nulle considération pour Roger. Ils étaient sélectifs dans leur insensibilité. Conscient ou inconscient, c'était un choix.

Pourquoi? Pourquoi faire un tel choix? Est-ce qu'ils refusaient de s'en occuper et choisissaient toujours l'issue la plus facile et la moins coûteuse plutôt que de combler ses besoins? Ou encore utilisaient-ils des méthodes plus ou moins ténébreuses pour le détruire? Je ne sais pas. Je ne le saurai jamais. Il y a quelque chose de fondamentalement incompréhensible au sujet du mal. Si ce n'est pas incompréhensible, c'est du moins impénétrable. Le mal dissimule ses motifs sous le mensonge.

En relisant mon exposé sur les rapports entre les R. et moi-même, le lecteur se retrouvera plongé dans une ou deux douzaines de mensonges. La continuité est frappante. Il ne s'agit pas d'un mensonge ou deux. Les parents de Roger mentaient constamment et par habitude. C'étaient des gens du mensonge. Il ne s'agissait pas de mensonges grossiers. Il ne s'agisait pas de mensonges suffisants pour les traîner en cour. Pourtant, le procédé était envahissant. Le fait même d'être venu me voir était un mensonge.

Pourquoi sont-ils venu me voir alors qu'ils ne se souciaient vraiment pas de Roger et n'étaient pas intéressés à suivre mes conseils? Cela faisait partie de leur simulation. Ils voulaient projeter l'apparence de vouloir aider Roger en donnant suite aux rapports de l'école. Quelqu'un aurait pu leur demander: "Vous avez consulté un psychiatre, n'est-ce pas?" Alors, Monsieur et Madame R. voulaient être en position de répondre: "Certainement. Plusieurs fois. Mais rien n'y fait."

Pendant quelque temps, je me suis demandé pourquoi ils avaient ramené Roger chez moi une deuxième fois, alors que notre première rencontre n'avait certes pas été très agréable pour eux, et sachant qu'ils auraient, encore une fois, à m'expliquer leur refus de suivre mes recommandations. Leur décision m'apparaissait bizarre. Je me rappelai avoir clairement dit que je n'acceptais que de brèves consultations, ce qui signifiait qu'ils n'auraient pas de pression considérable à subir. Leur porte de sortie était grande ouverte. Mon horaire était fait sur mesure pour accomoder leurs prétextes.

Naturellement, comme il a pour but de dissimuler son opposé, le prétexte le plus souvent choisi par le mal est un prétexte d'amour. Le message qu'essayaient de transmettre Monsieur et Madame R. était celui-ci: "Nous sommes de bons parents affectueux et nous nous inquiétons beaucoup de Roger". Souvenons-nous que le mal cherche autant à se décevoir lui-même qu'à décevoir les autres. Je suis à peu près convaincu que Monsieur et Madame R. croyaient faire tout ce qu'ils pouvaient pour Roger. En disant, et j'étais certain qu'ils le diraient: "Nous l'avons amené plusieurs fois voir un psychiatre, mais sans succès", ils omettraient ces petits détails qui font partie de la vérité.

Tous les psychothérapeutes expérimentés savent qu'il y a abondance de parents peu aimants, et que la grande majorité de ceux-ci cherchent à se cacher derrière un prétexte d'amour. Ils ne méritent pas tous la qualification de mauvais! Je crois que non. C'est une question de degré; comme les deux mythes de Martin Buber: il y a les "tombants" et les "tombés." Je ne sais pas où tirer la ligne. Je sais cependant que Monsieur et Madame R. avaient franchi cette ligne.

D'abord, il faut voir jusqu'à quel point ils étaient prêts à sacrifier Roger afin de préserver leur image narcissique. Rien n'était à leur épreuve. Ils n'avaient aucune objection à le considérer comme un "criminel génétique", à le qualifier miel-leusement de sans espoir, d'incurable, de difforme, pour se protéger contre toutes allusions qu'ils avaient eux-mêmes besoin de thérapie. Je les voyais sans limites dans leur désir d'en faire au besoin leur bouc émissaire.

Ensuite, il y a le degré de leur capacité de mentir, la profondeur et la distorsion de leurs mensonges. Madame R. écrivait: "Je veux vous annoncer que nous avons suivi votre conseil et envoyé Roger au pensionnat." Quelle phrase extraordinnaire! Elle affime que je leur ai conseillé de sortir Roger de Saint-Thomas, alors que j'avais spécifiquement suggéré le contraire. Elle m'annonce qu'ils ont suivi mon conseil alors qu'ils ont fait le contraire; ma recommandation principale étaient qu'eux-mêmes se fassent traiter. Finalement, elle prétend qu'ils ont fait ce qu'ils ont fait *parce* que je l'avais conseillé, alors qu'en réalité ils considéraient mes conseils hors de propos. Non pas un mensonge, même pas deux mensonges, mais trois mensonges tressés dans une seule petite phrase. Je suppose que nous devrions admirer cette forme de génie pour sa perversité. Je suppose également que Madame R. se croyait elle-même quand elle disait: "...nous avons suivi votre conseil." Buber a visé juste quand il a écrit au sujet de cette "inquiétante partie de cache-cache dans les ténèbres de l'âme, au cours de laquelle l'esprit humain s'échappe de lui-même, s'évite lui-même, se cache de lui même."(38)

L'enfant est le type même de la victime du mal. Il fallait s'y attendre puisque les enfants sont non seulement les êtres les plus faibles et les plus vulnérables de notre société, mais leurs parents exercent en plus sur eux un pouvoir essentiellement absolu. La domination d'un maître sur son esclave ne diffère pas beaucoup de celle d'un parent sur son enfant. Le manque de maturité d'un enfant et la dépendance qui en résulte, accordent un grand pouvoir aux parents, sans toutefois annuler le fait que ce pouvoir, comme tous les autres pouvoirs, soit susceptible d'abus à des degrés de malveillance plus ou moins considérables. En outre, la relation entre les parents et leur enfant en est une d'intimité forcée. Un maître pouvait toujours vendre son esclave s'il trouvait sa présence intolérable; mais, ainsi que l'enfant ne peut se libérer de ses parents, il est très difficile pour les parents de se défaire de leurs enfants et des pressions que ceux-ci génèrent.(39)

Une autre grande caractéristique plutôt intrigante des cas de Bobby et de Roger, c'est l'extraordinaire unité des parents. Chaque couple de parents fonctionnait en équipe. Nous ne pouvons affirmer que le père de Bobby était mauvais et que sa mère ne l'était pas; ou que sa mère était mauvaise et que son père ne faisait que suivre le courant. A mon avis, ils étaient tous deux mauvais. Il en était de même pour Monsieur et Madame R. Tous deux sonnaient faux au même degré; tous deux semblaient participer aux prises de décisions destructrices; tous deux semblaient également pressés d'en finir avec le problème de Roger en le déclarant incurable.(40)

Cependant, les victimes du mal rencontré dans le cabinet d'un psychiatre ne sont pas toujours des enfants. Penchons-nous maintenant sur le cas de Hartley et Sarah, un couple sans enfant dans la quarantaine avancée. Je me contenterai de décrire une seule entrevue alors qu'ils étaient tous deux présents. Cette entrevue servira à démontrer que la tyrannisation d'un adulte par le mal est complètement différente de celle d'un enfant. Elle nous aidera aussi à mieux comprendre le phénomène d'un "couple mauvais" semblable à celui dont nous venons de parler. Finalement, ce cas nous révèlera des dimensions nouvelles et troublantes concernant la classification psychiatrique du mal humain.

Le cas de Hartley et Sarah

Hartley venait de recevoir son congé de l'hôpital quand je les rencontrai pour la première fois. Un mois auparavant, un samedi matin à onze heures, Hartley s'était tailladé les deux côtés du cou avec un rasoir à tranchant droit. La poitrine nue, il sortit de la salle de bains pour entrer dans le salon où Sarah était en train de calculer son budget. "Je viens d'essayer de me suicider encore une fois," annonça-t-il.

Sarah se retourna et vit le sang couler sur sa poitrine. Elle appela la police et celle-ci fit venir une ambulance. On conduisit Hartley à la salle d'urgence locale. Les blessures étaient superficielles; ni la carotide ni la jugulaire n'avaient été atteintes. Sutures faites, il fut transféré à l'hôpital. C'était sa troisième tentative de suicide et son troisième séjour à l'hôpital depuis cinq ans.

Comme ils venaient d'arriver dans la région, Hartley fut envoyé plus tard à notre clinique pour recevoir des soins post-hospitaliers. On avait diagnostiquer une "réaction dépressive involutive," et on lui faisait absorber des doses massives de tranquillisants et d'antidépresseurs.

Quand je me rendis dans la salle d'attente pour l'accueillir, Hartley était assis en silence auprès de sa femme, le regard triste perdu dans l'espace. C'était un homme de taille moyenne, mais qui semblait plus petit comme si on l'avait coincé dans un espace réduit. Je me sentis fatigué en le regardant. Seigneur, pensai-je, j'aimerais que l'hôpital les remonte un peu plus avant

115

de nous les envoyer. Il est aussi déprimé que les bas-fonds de Calcutta. Je m'efforcai tout de même d'être cordial.

- Je suis le docteur Peck, lui dis-je. Venez dans mon bureau.

- Ma femme peut-elle venir, elle aussi? murmura Hartley, d'un ton suppliant.

Je regardai Sarah. C'était une femme maigre au corps anguleux, plus petite que son mari quoique d'apparence plus grande.

- Si vous voulez bien, Docteur, ajouta t-elle avec un gentil sourire.

Son sourire ne me rendit pas plus joyeux. D'une manière ou d'une autre, ce sourire ne convenait pas à l'expression amère accentuée par les petits rides serrés autour de sa bouche. Elle portait des lunettes à monture d'acier et ressemblait à une missionnaire.

Je les fis entrer dans mon bureau et, quand nous fûmes tous assis, je regardai Hartley.

- Pourquoi vouliez-vous que votre femme soit avec vous? lui demandai-je.

- Je me sens plus à l'aise quand elle est près de moi, répondit-il d'un ton monocorde. C'était un simple énoncé sans chaleur.

J'ai dû sembler perplexe.

- Hartley est comme ça depuis longtemps, Docteur, fit Sarah avec un gai sourire. Il veut toujours m'avoir sous les yeux.

- Etes-vous jaloux? demandai-je à Hartley.

- Non, répondit-il faiblement.

- Alors, pourquoi?

- J'ai peur.

- Peur de quoi?

- Je ne sais pas. J'ai peur, c'est tout.

- Je pense que c'est à cause de ses idées, Docteur, interrompit Sarah. Vas-y, Hartley, parle-lui de tes idées, insista-t-elle.

Mais Hartley resta muet.

- De quelles idées parle-t-elle? demandai-je.

- Mes idées de tuer, répondit Harvey sur un ton neutre.

- Tuer? répétai-je. Vous avez l'idée de tuer quelqu'un?

116

- Non, seulement tuer.

- Je ne comprends pas, m'excusai-je.

- Ce n'est rien d'autre qu'un mot-pensée, expliqua Hartley sans émotion. Le mot "tuer" me vient à l'esprit. Comme si quelqu'un l'avait prononcé. Le mot peut m'apparaître n'importe quand, le matin surtout. Quand je me lève et commence à me raser, je regarde dans le miroir et il est là: TUER. Tous les matins, ou presque.

- Vous voulez dire que c'est comme une hallucination? m'informai-je. Vous entendez une voix qui vous demande de tuer?

- Non, répondit Hartley. Aucune voix. Rien que ce mot dans mon esprit.

- Pendant que vous vous rasez?

- Oui. Je me sens toujours plus mal le matin.

- Vous rasez-vous avec un rasoir à tranchant droit? demandai-je, aux prises avec une soudaine intuition.

Hartley fit signe que oui.

- C'est comme si vous vouliez tuer quelqu'un avec votre rasoir, continuai-je.

Hartley m'apparut effrayé. C'était le premier signe d'émotion que je voyais sur son visage.

- Non, fit-il avec emphase. Je ne veux tuer personne. Ce n'est pas un sentiment. Seulement un mot.

- Eh bien! Il semble que vous ayez essayé de vous tuer, remarquai-je. Pourquoi?

- Je me sens si affreux. Je ne suis pas bon pour qui que ce soit. Je ne suis qu'un fardeau pour Sarah.

Sa voix lourde m'affectait. Il ne semait sûrement pas la joie autour de lui.

- Est-il un fardeau pour vous, demandai-je à Sarah.

- Oh! Ça ne me dérange pas, répondit-elle avec entrain. J'aimerais avoir un peu plus de temps pour moi. J'aimerais aussi, bien sûr, avoir plus d'argent.

- Donc, vous le voyez comme un fardeau?

- Le Seigneur m'aide, répondit Sarah.

- Comment se fait-il que vous n'ayez pas assez d'argent?

- Hartley n'a pas travaillé depuis huit ans. Il est si déprimé, le pauvre. Nous nous tirons d'affaire avec mon salaire de la compagnie de téléphone.

- J'étais vendeur, interjeta Hartley sur un ton plaintif.

- Il a pu travailler pendant les dix premières années de notre mariage, précisa Sarah. Mais il n'a jamais été très agressif, n'est-ce pas, cher?

- J'ai gagné plus de vingt mille dollars en commission seulement l'année de notre mariage, opposa Hartley.

- Oui, mais c'était en 1956. Ce fut une année très forte pour les interrupteurs, expliqua Sarah patiemment. Tous ceux qui vendaient des interrupteurs cette année là ont fait beaucoup d'argent.

Hartley ne dit rien.

- Pourquoi avez-vous cessé de travailler? lui demandai-je.

- Ma dépression. Je me sentais si mal en point le matin. Je ne pouvais plus aller travailler.

- Qu'est-ce qui vous rendait aussi déprimé?

Hartley sembla perdu, comme s'il eut été incapable de se rappeler quelque chose.

- Ce devait être à cause des mots, dit-il enfin.

- Les mots dans votre esprit? Comme "tuer?"

Il fit signe que oui.

- Vous avez parlé de mots au pluriel. Y a-t-il d'autres mots?

Hartley demeura silencieux.

- Continue, chéri, dit Sarah. Parle au Docteur des autres mots.

- Bien, il y a parfois d'autres mots, admit-il à contre-coeur. Comme "couper" ou "marteau."

- Y en a t-il d'autres.

- Parfois, il y a "sang."

- Ce sont tous des mots violents, soulignai-je. Je ne crois pas qu'ils ne viennent à l'esprit à moins d'être très en colère.

- Je ne suis pas fâché, insista Hartley, tristement.

- Qu'en pensez-vous, demandai-je en m'adressant à Sarah. Croyez-vous qu'il soit en colère?

- Oh! Je pense qu'il me déteste, répondit-elle avec son petit sourire joyeux, comme s'il ne s'agissait que de la gentille incartade d'un gamin du voisinage.

Je la fixai, ébahi. J'avais déjà un aperçu de la vérité, mais je ne m'attendais pas à ce que Sarah soit au courant et aussi calme.

- Ne craignez-vous pas qu'il vous fasse du mal? lui demandai-je.

- Bien sûr que non. Hartley ne ferait pas de mal à une mouche, n'est-ce pas, chéri?

Hartley ne répondit pas.

- Sérieusement, dis-je à Sarah, il a des pensées de sang, de marteau et d'homicide. À votre place, j'aurais peur de vivre avec un mari qui me déteste et entretient des idées semblables.

- Vous ne comprenez pas, Docteur, reprit Sarah, calmement. Il ne pourrait me faire du mal. Il est si faible de caractère.

Je lançai un coup d'oeil rapide vers Hartley et ne vit aucune expression sur son visage. Je demeurai coi pendant une bonne minute, essayant de me concentrer sur ce que je devrais faire. Finalement, je lui demandai:

- Qu'est-ce que vous ressentez quand votre femme vous appelle un faiblard?

- Elle a raison, je suis faible, murmura-t-il.

- Même si elle a raison, comment vous sentez-vous?

- J'aimerais être plus fort, répondit-il sans enthousiasme.

- Hartley ne peut même pas conduire une automobile, enchaîna Sarah. Il ne peut sortir seul, sans moi. Il ne peut pas aller au supermarché, ni dans la foule. N'est-ce pas, chéri?

Hartley fit signe que oui, comme un automate.

- Vous me semblez être toujours d'accord avec votre femme, lui soulignai-je.

- Elle a raison. Je ne peux aller nulle part sans elle.

- Pourquoi ne le pouvez-vous pas?

- J'ai peur.

- Peur de quoi, que diable! demandai-je, le pressant de répondre.

- Je ne sais pas, répondit-il, misérablement. Tout ce que je peux vous dire, c'est que je prends panique chaque fois que je dois sortir seul. La peur m'envahit quand Sarah n'est pas là pour m'aider.

- Vous parlez comme un petit bébé, remarquai-je.

Sarah sourit d'un air suffisant.

- Hartley agit souvent comme un bébé, dit-elle. Tu n'as vraiment pas grandi, n'est-ce pas, chéri?

- Serait-ce que vous ne désiriez pas qu'il grandisse? repris-je vivement, me tournant vers elle.

Sarah me lança soudainement un regard lourd de haine.

- Désirer? s'écria-t-elle brusquement. S'occupe-t-on jamais de mes désirs, mes besoins? Ils ne comptent pas. Personne ne s'est jamais préoccupé de ce que je veux. Il n'est jamais question de ce que je veux ou ne veux pas. Je ne fais que ce que j'ai à faire, ce que le Seigneur veut que je fasse. Ce que je voudrais, moi, n'entre jamais en ligne de compte. On s'en fiche que Hartley soit un fardeau! On s'en fiche que j'accomplisse toutes les tâches, que je fasse toutes les courses en automobile et tous les achats. Mais, je ne me plains pas. Non. Je n'ai pas le droit de me plaindre. Non, Sarah n'a pas de droits! Sarah ne se plaint pas. Hartley est déprimé. Ce n'est pas à moi de se plaindre. Hartley est un minable. Mais personne ne se soucie de Sarah. Je ne fais que supporter le fardeau que le Seigneur m'a donné. Sarah fait ce qu'elle doit faire.

Cette diatribe me renversa et j'étais indécis quant à me colleter avec elle une autre fois. Je le fis quand même, plutôt par curiosité que dans le but d'aider la situation.

- Je crois que vous n'avez pas d'enfant, repris-je. Est-ce que c'est par choix?

- Hartley ne peut faire d'enfants, proclama Sarah.

- Ah oui? Comment le savez-vous?

Sarah me regarda d'un air qui en disait long sur mes connaissances des réalités de la vie.

- Parce que je me suis fait examiner par un gynécologue, précisa-t-elle. Il m'a trouvée parfaitement normale. Il n'a rien trouvé de défectueux.

- Et vous? Avez-vous passé des examens? demandai-je à Hartley.

Il hocha la tête de droite à gauche.

- Pourquoi pas?

- Pourquoi moi? riposta Hartley. Comme si je ne pouvais me rendre à l'évidence. Sarah n'a pas de problèmes, alors c'est sûrement ma faute.

- Hartley, vous êtes à peu près l'homme le plus passif que je n'aie jamais rencontré, lui dis-je. Vous admettez passivement que votre femme disait la vérité au sujet de son examen. Vous admettez passivement que puisque sa condition est normale, la vôtre ne l'est pas. Il arrive très souvent que mari et femme sont normaux sans avoir d'enfants. Vous êtes peut-être très normal, vous aussi. Pourquoi ne vérifiez-vous pas?

- Ce serait inutile, Docteur, répondit Sarah pour lui. Nous sommes trop âgés pour avoir des enfants. De plus, nous n'avons pas assez d'argent pour nous payer d'autres tests. N'oubliez pas que je suis la seule à travailler. Et puis, dit-elle en souriant, pouvez-vous imaginer un père comme Hartley? Il ne peut même pas gagner sa vie.

- Est-ce que cela ne vaudrait pas la peine pour lui de savoir qu'il est capable d'avoir des enfants?

- Sarah a raison, fit Hartley se portant à la défense de l'opinion de sa femme. Ça ne servirait à rien.

Je me sentais très fatigué. Je disposais de vingt minutes avant le patient suivant et j'éprouvais une forte envie de mettre fin à cette entrevue. Je n'espérais aucun changement. Il n'y avait pas d'aide possible pour Hartley. Il était rendu trop loin. Mais pourquoi? Je me demandais comment, nom de Dieu! une telle misère était-elle possible?

- Parlez-moi de votre enfance, lui demandai-je.

- Il n'y a rien à dire, murmura Hartley.

- Jusqu'où êtes-vous allé à l'école?

- Hartley est allé à Yale, répondit Sarah encore une fois pour lui. Mais on t'a recalé, n'est-ce pas, chéri?

- Hartley fit signe que oui.

Je me sentis mal à la pensée que ce minable, comme l'avait appelé Sarah avec justesse et sans pitié, eut été un jeune étudiant au regard vif.

- Comment se fait-il que vous ayez fréquenté Yale? voulus-je savoir.

- Ma famille était riche.

- Vous avez dû être très intelligent, remarquai-je.

- C'est inutile d'être intelligent quand on ne travaille pas, riposta Sarah encore une fois. L'intelligence n'apporte pas à dîner, comme je dis toujours.

Je me retournai vers elle.

- Vous rendez-vous compte que chaque fois que j'essaie de faire ressortir les qualités de votre mari, vous sautez dans la conversation pour le démolir?

Elle poussa des cris rauques.

- Le démolir? Le démolir, dites-vous? Les docteurs sont tous semblables. Vous le châtrez peut-être, disent-ils. Tout est de ma faute, n'est-ce pas? Oh! Oui, c'est toujours la faute de Sarah. Il ne travaille pas, il ne peut conduire une automobile, il ne peut rien faire, mais tout est la faute de Sarah. Eh bien! Laissez-moi vous dire quelque chose. Il a été châtré bien avant que je le connaisse. Sa mère était une dégoûtante alcoolique. Son père était une pâte molle comme lui. Il n'a même pas pu finir ses cours. Et puis, on m'accuse de l'avoir épousé pour son argent. Ah! Quel argent? Sa salope de mère a tout dépensé à se soûler. Je n'ai pas vu le moindre sou. Je n'ai jamais reçu d'aide de qui que ce soit. Personne n'aide Sarah. Sarah doit tout faire. Mais, on m'accuse de le démolir. Pensez-vous qu'un seul d'entre eux s'intéresse à moi? Non. Personne. Ils ne font que m'accuser.

- Je pourrais m'intéresser à vous si vous le vouliez, Sarah, lui dis-je doucement. Parlez-moi de votre famille et de votre enfance?

- Eh bien! Maintenant c'est moi la patiente, n'est-ce pas? fit-elle amèrement. Je regrette. Je ne serai pas votre cobaye. Je n'ai pas besoin de votre aide. Je ne suis pas malade. J'ai tout ce que je veux de mon pasteur. Il me comprend. Il connait mes problèmes. Dieu me donne la force dont j'ai besoin. Je vous ai amené Hartley pour qu'il reçoive de l'aide. C'est lui qui a besoin d'aide. Aidez-le, si vous le pouvez.

- Je suis très sérieux, Sarah, poursuivis-je. Vous avez tout à fait raison: Hartley a besoin d'aide et nous allons l'aider le mieux possible. Mais, je crois que vous avez besoin d'aide également. Vous êtes dans une situation terriblement difficile et je vois que vous êtes bouleversée. Je pense que vous vous sentirez beaucoup mieux si vous avez quelqu'un pour vous écouter, ou si permettez que je vous donne un léger calmant.

Sarah avait eu le temps de se ressaisir. Elle s'enfonça dans son fauteuil et me regarda en souriant comme si j'étais un gentil jeune homme sans jugement.

- Merci, Docteur, vous êtes bien bon, commenta-t-elle. Mais, je regrette de vous annoncer que je ne suis pas bouleversé. Il n'y a pas grand'chose qui me bouleverse en ce bas monde.

- Permettez-moi de vous contrarier, ripostai-je. Je crois que vous étiez vexée, très vexée.

- Vous avez peut-être raison, Docteur, répliqua Sarah qui ne voulait pas se montrer agacée une autre fois. La maladie de Hartley a été très pénible pour moi. Ce serait si facile s'il n'existait pas!

Je tressaillis intérieurement. Hartley semblait indifférent; il était déjà si déprimé et battu que plus rien ne pouvait le troubler davantage.

- Alors, pourquoi ne le quittez-vous pas? lui demandai-je. Vous vous sentiriez beaucoup mieux. De plus, ce serait peut-être bon pour Hartley d'être obligé de se tenir debout.

- Oh! J'ai peur que Hartley ait trop besoin de moi, répondit Sarah, arborant un sourire maternel. Elle se tourna vers son mari.

- Tu ne pourrais pas fonctionner si je t'abandonnais, n'est-ce pas, chéri?

Hartley eut l'air terrifié.

- Ce serait certainement difficile pour lui, ai-je reconnu. Mais nous pourrions peut-être lui assurer une longue hospitalisation. Vous sauriez alors qu'il recevrait les meilleurs soins pendant le temps qu'il faut.

- Penses-tu que tu aimerais cela, chéri? lui demanda Sarah. Veux-tu retourner à l'hôpital et que je te quitte?

- Je t'en prie, gémit Hartley, pas ça.

- Dis au Docteur pourquoi tu ne veux pas que je te laisse, chéri, lui ordonna Sarah.

- Je t'aime, se lamenta Hartley.

- Vous voyez, Docteur, s'écria Sarah victorieusement. Je ne puis le quitter puisqu'il m'aime.

- Mais vous, l'aimez vous?

- L'aimer? fit Sarah, quasi amusée. Qu'y a-t-il à aimer? Non, je crois que c'est plutôt un devoir, Docteur. J'ai le devoir de prendre soin de lui.

- Je ne sais pas quelle est la part du devoir et quelle est celle du besoin, lui opposai-je. Je suis porté à croire que vous avez un profond besoin du fardeau qu'il représente. Serait-ce parce que vous n'avez jamais eu d'enfant? Peut-être voudriez-vous que Hartley soit l'enfant que vous n'avez jamais eu? Je ne sais pas. Mais, je sais que pour une raison ou une autre, vous avez un besoin irrésistible de dominer Hartley, comme lui ressent un besoin irrésistible de dépendre de vous. Vos besoins sont aussi comblés que les siens dans cet étrange mariage.

Sarah eut un rire bizarre; un gloussement creux et singulier.

- Des pommes et des oranges, Docteur, dit-elle. Oui, des pommes et des oranges. On ne peut les comparer. Vous ne pouvez comparer Hartley et moi; nous sommes comme les pommmes et les oranges. Mais, vous ne savez pas lequel est lequel, n'est-ce pas? Suis-je la pomme ou l'orange? Ai-je la peau plissée ou lisse? Ai-je la peau dure?

Elle eut encore son gloussement étrange.

- Oui, j'ai la peau dure. Il faut avoir la peau dure pour affronter ceux qui nous persécutent. Vous êtes les persécuteurs de la pseudo-science. Ce n'est pas grave. Je sais comment traiter les éplucheurs d'oranges et les trancheurs de pommes. Le Seigneur m'aime. Nous possédons le pouvoir céleste. Pensez et dites ce que bon vous semble: ce n'est que déchets, cracha-t-elle. C'est là qu'elles aboutissent n'est-ce pas? Les pelures d'orange et les tranches de pomme? Avec les déchets. Et c'est là que vous aboutirez tous, vous les persécureurs de la pseudo-science. Avec les déchets. Avec tous les autres fruits, termina-t-elle sur un ton triomphant.

En écoutant Sarah perdre son sang-froid, j'ai craint d'avoir commis une erreur en la provoquant. Déjà, c'était assez d'avoir sur les bras Hartley et sa misère, ses tentatives de suicide et son existence pathétique; à quoi bon l'expédier, elle aussi, à l'hôpital? Elle se sentait probablement coincée. Il me fallait lui procurer une porte de sortie afin qu'elle reprenne ses esprits.

- Nous arrivons à la fin de l'entrevue, dis-je. Il nous faut prendre des arrangements pour sa thérapie. J'admets, Sarah, que vous ne croyiez pas avoir vous-même besoin de traitements.

Vous me semblez très bien fonctionner. Mais Hartley a définitivement besoin d'assistance, ne croyez-vous pas?

- Oui. Ce pauvre Hartley n'est pas bien, opina Sarah, comme si rien n'était arrivé. Nous devrons faire tout ce que nous pouvons pour l'aider.

Je poussai un soupir de soulagement. Le fait de m'ingérer dans leur mariage n'avait rien réglé, mais n'avait pas nui non plus.

- Pensez-vous que vous devriez continuer de prendre vos médicaments? demandai-je à Hartley.

Il acquiesça de la tête.

- Tes idées sont pires quand tu ne les prends pas, n'est-ce pas, chéri? ajouta Sarah.

Il fit signe que oui.

- Je suppose que c'est le cas, opinai-je. Que pensez-vous de la psychothérapie? Que penseriez-vous de passer quelques instants avec quelqu'un et parler de ce que vous ressentez à l'intérieur?

Hartley hocha la tête.

- Je ne me sentirais pas bien, murmura-t-il.

- Sa dernière tentative de suicide, avant celle-ci, eut lieu quand on a voulu l'inscrire en psychothérapie, confirma Sarah.

Je rédigeai une ordonnance pour les mêmes médicaments qu'on lui avait donné à l'hôpital, au même dosage, et lui dis que je les reverrais dans trois semaines pour faire les ajustements nécessaires.

- Mais, ce rendez-vous ne sera pas aussi long que celui-ci, ajoutai-je. En réalité, il sera très bref.

- Bien sûr, Docteur, dit Sarah, se levant en même temps que nous. Vous en avez déjà tellement fait pour Hartley. Nous ne saurions vous remercier suffisamment.

Deux minutes plus tard, quand j'eus fini d'inscrire mes remarques au dossier, je sortis pour prendre une tasse de café. Hartley et Sarah venaient de payer la secrétaire pour leur visite et, pendant qu'ils franchissaient la porte, j'ai entendu Sarah qui disait: "Ce médecin est beaucoup plus plaisant que celui de l'autre clinique, n'est-ce pas, chéri? Au moins, c'est un Américain. Nous ne pouvions même pas comprendre ce que l'autre disait, n'est-ce pas, chéri?"

125

Peut-être que l'aspect le plus intéressant de ce cas n'est pas le mal chez Sarah, mais plutôt les relations entre le mal et Hartley. Hartley était l'esclave de Sarah. Le thème de la servitude n'est pas rare dans les contes de fées et les légendes où princes et princesses, ou autres individus, sont faits prisonniers par le pouvoir mauvais d'une sorcière malfaisante ou d'un démon. Comme tous les autres mythes sur le mal, ceux-ci méritent d'être approfondis. Mais je n'ai pu imiter les héros de ces histoires et sauver Hartley de son esclavage, car il s'agissait d'un esclavage voulu. Il avait volontairement vendu son âme à Sarah. Pourquoi?

À un certain moment de notre séance, j'avais dit à Hartley qu'il était "probablement l'homme le plus passif que je n'aie jamais rencontré." L'être passif est un être inactif: un preneur et non pas un donneur, un disciple et non pas un chef de file, celui qui reçoit et non pas celui qui donne. J'aurais pu utiliser un bon nombre d'autres mots: sujétion, infantilisme, paresse.(41) Hartley était immensément paresseux. Ses rapports avec Sarah étaient ceux d'un enfant qui se campronne à sa mère. Il ne voulait même pas se présenter seul dans mon bureau et encore moins prendre le risque ou l'énergie d'une pensée personnelle.

Nous ne savons pas avec certitude pourquoi Hartley était si paresseux. Sarah m'avait appris que sa mère était alcoolique et son père aussi faible de caractère que lui, ce qui signifiait que ses parents furent probablement des modèles de paresse et ne comblèrent pas adéquatement ses besoins d'enfant. Nous pouvons donc supposer qu'il était déjà profondément paresseux quand il rencontra Sarah, qu'il n'était qu'un enfant dans un costume d'adulte, cherchant inconsciemment une mère solide pour prendre soin de lui. Sarah faisait parfaitement l'affaire, tandis que lui-même possédait sans aucun doute le potentiel nécessaire pour devenir son esclave. Une fois cette relation bien établie, elle n'était plus qu'un cercle vicieux qui intensifiait naturellement la maladie de chacun. La domination de Sarah favorisait la docilité de Hartley, tandis que la faiblesse de celui-ci nourrissait l'ambition qu'avait sa femme d'excercer sa puissance sur lui.

126

Ainsi, Hartley n'était pas que la victime peu enthousiaste du mal de Sarah. Cet aspect est important car le cas met en évidence cette règle générale: nous ne devenons pas partenaires du mal par accident. En qualité d'adultes, nous ne sommes pas piégés par le destin pour tomber victimes du mal; nous tendons le piège nous-mêmes. Nous verrons ce principe à l'oeuvre encore une fois dans l'avant-dernier chapitre, quand nous étudierons le phénomène du mal collectif et pourquoi un grand nombre d'individus peuvent si facilement s'unir pour accomplir des choses aussi atroces.

Pour l'instant, nous nous concentrerons sur le plus petit des groupes, c'est-à-dire le couple, et nous verrons comment deux personnes deviennent complices du mal. Dans le cas de Hartley et Sarah, on a pu observer qu'il semblait impossible de déterminer lequel des deux était le mauvais partenaire du couple. Les deux parents de Bobby semblaient mauvais. Monsieur et Madame R. semblaient s'appliquer, à part égale, à détruire l'esprit de Roger. À cause de la nature même de leur malveillance, je n'ai pu m'en approcher suffisamment pour bien les connaître. Par simple conjecture, j'ai cru découvrir qu'ils n'étaient pas aussi également mauvais qu'ils le semblaient. Je ne crois pas qu'il soit possible pour deux personnes véritablement mauvaises de vivre ensemble, dans la promiscuité d'un mariage de longue durée. Trop destructrices, elles ne sauraient faire preuve de coopération. Par conséquent, je suis d'avis que l'un ou l'autre des parents de Bobby était le plus dominant dans leur malice mutuelle, de même que l'un ou l'autre de Monsieur et Madame R. Dans chaque couple mauvais, si nous pouvions les étudier plus à fond, nous pourrions constater que l'un des partenaires est plus ou moins esclave de l'autre, comme Hartley était l'esclave de Sarah à un degré supérieur.

Si le lecteur trouve que les relations entre Hartley et Sarah étaient bizarres, je suis d'accord avec lui. J'ai choisi leur cas précisément parce qu'ils formaient le plus "malade" de tous les couples que j'aie vus au cours de mes années de pratique de la psychiatrie. Aussi bizarre qu'elle eut été, leur relation était d'un type très courant. L'asservissement dans le mariage n'est pas rare. Les psychiatres qui lisent ce livre reconnaîtront en avoir été témoins des douzaines de fois dans leur pratique quotidienne. De plus, j'imagine à bien y penser, que le lecteur ordinaire découvrira que ce genre de mariage existe chez certaines de ses connaissances.

On a défini le mal comme étant l'utilisation de la force pour détruire la croissance spirituelle d'autrui, dans le but de défendre et de préserver l'intégrité de son propre ego malade. En bref, c'est la recherche d'un bouc émissaire. Nous cherchons un bouc émissaire parmi les faibles, et non parmi les forts. Pour que le mauvais exerce sa puissance, il faut d'abord qu'il soit en position de force. Il doit être en mesure de dominer sa victime. La domination la plus commune est celle qu'exerce un parent sur son enfant. Les enfants sont faibles, sans défense, sous le joug de leurs parents. Ils sont nés esclaves. Il ne faut donc pas s'étonner que la majorité des victimes du mal, comme Bobby et Roger, soient des enfants. Ils ne sont ni libres ni assez puissants pour s'échapper.

Pour que des adultes soient victimes du mal, eux non plus ne doivent pas avoir la capacité de s'échapper. Ils sont impuissants quand ils ont un pistolet sur la tempe, à l'instar des Juifs qui furent entassés dans les chambres à gaz, ou à l'instar des habitants de MyLai qui furent alignés avant d'être fusillés. Ou encore sont-ils impuissants à cause de leur propre manque de courage. Contrairement aux Juifs ou aux citoyens de MyLai, et contrairement aux enfants, Hartley était physiquement capable de s'échapper. En théorie, il n'avait qu'à s'éloigner de Sarah. Mais, il s'était enchaîné à Sarah par le truchement de sa paresse et de sa dépendance. Bien qu'il fût adulte, il avait fait sienne l'impuissance d'un enfant. Chaque fois que ce n'est pas sous la menace d'un pistolet qu'un adulte devient victime du mal, c'est qu'il a conclu, d'une façon ou de l'autre, un marché semblable à celui de Hartley.

La maladie mentale et le nom du mal

La question de l'attribution d'un nom est un sujet de ce livre. Nous en avons déjà parlé à plusieurs reprises: la science n'a pas voulu faire du mal un objet de recherches; le nom du mal n'apparaît pas au lexique des termes psychiatriques; nous avons été peu disposés à qualifier certains individus de spécifiquement mauvais et, par conséquent, nous éprouvons peut-être en leur présence un sentiment *sans nom* de crainte ou de répulsion. Par ailleurs, le fait de nommer le mal n'est pas sans danger.

Le fait de nommer quelque chose correctement nous procure un certain pouvoir sur cette chose. Nous l'identifions à l'aide de son nom. Nous sommes impuissants devant une maladie que nous ne pouvons nommer correctement, comme "pneumoconiose" ou "embolisme pulmonaire," par exemple. Impossible de traiter sans identification. Des deux points de vue thérapeutique et pronostique, il y a une énorme différence entre la "schizophrénie" et la "psychonévrose." Même si nous ne connaissons pas de traitement efficace pour une maladie, c'est bon de pouvoir la nommer. Le pityriasis rose est une affection de la peau qui est laide et désagréable et pour laquelle il n'y a pas de remède connu. Mais le malade est quand même content de verser les honoraires du dermatologue quand il apprend: "Ce n'est pas autre chose que la pityriasis rose. Ce n'est pas la lèpre. Nous ne connaissons pas de traitement, mais soyez sans crainte car vous ne sentirez aucune douleur et tout redeviendra normal dans deux ou trois mois."

Nous ne pouvons attaquer une maladie à moins de pouvoir l'identifier. Le traitement commence par le diagnostic. Mais, le mal est-il une maladie? Plusieurs diront que non. Bon nombre de raisons peuvent nous empêcher de considérer le mal comme une maladie. Quelques-unes sont émotionnelles. Par exemple, nous sommes habitués de ressentir de la pitié et de la sympathie pour les malades, mais le mal nous procure des émotions de colère et de dégoût, si ce n'est de la haine tout simplement. Devrions-nous éprouver de la pitié et de la sympathie pour des parents qui donnent pour Noël à leur jeune fils l'arme qui a servi au suicide de son frère aîné? Allons-nous sympathiser avec un assassin, à moins qu'il ne s'agisse d'un individu si dérangé qu'il ait complètement perdu la raison? Les gens dont il s'agit ici n'étaient pas fous au sens habituel. Ce n'était pas des déments débitant des sottises. Ils étaient cohérents et maîtres de soi, bien placés financièrement et convenablement intégrés dans le système social. En surface, c'étaient des personnes normales. Cependant, le fait que nous n'éprouvions probablement pas le moindre sentiment de sympathie pour ceux qui sont mauvais, ne représente que notre réaction émotive sans conclure que le mal soit une maladie ou ne le soit pas. Bien que nous soyons effrayés et dégoûtés en présence de la lèpre, nous admettons tous que c'est une maladie.

Au delà de nos réactions émotionnelles, trois raisons logiques nous font hésiter avant de considérer le mal comme une maladie. Ces trois raisons sont très valables, mais j'endosserai quand même l'opinion que le mal est une maladie mentale. Je le ferai à la lumière des faussetés inhérentes à chacun de ces trois arguments.

La première de ces raisons est à l'effet que nul ne doit être considéré comme malade à moins de souffrir ou d'être invalide; qu'il n'y a pas de maladie sans souffrances. Ce vieil argument est toujours à la mode et amèrement contesté. Le mot "maladie" lui-même signifie souffrances. Une personne est malade quand elle n'est pas à son aise, en situation d'inconfort.(41) Nous nous disons malades précisément quand nous souffrons involontairement et inutilement.

Les gens "mauvais" dont nous avons parlé ne se définissaient certainement pas comme malades et ne semblaient pas souffrir. Ils ne se seraient certes pas identifiés comme patients. En effet, c'est le propre des gens mauvais de se croire, dans leur narcissisme, psychologiquement normaux et de parfaits spécimens de la race humaine. Si la souffrance manifeste et l'auto-identification sont des critères de la maladie, les gens mauvais seront les derniers à être considérés comme malades.

Cet argument suscite une foule d'objections. Tout un éventail de maladies physiques sont absolument sans symptômes dans leurs phases préliminaires. Un dirigeant de compagnie peut se sentir en parfaite forme quand un examen physique de routine révèle que sa pression artérielle est de 200/120. Ne lui prescrirons-nous pas des médicaments pour diminuer cette tension, même si ces médicaments sont susceptibles de réduire son entrain? Ou attendrons-nous une crise fatale ou paralysante avant de considérer son hypertension comme une maladie? Le test Pap est devenu routinier en hygiène féminine pour dépister le cancer du col de l'utérus pendant que ce cancer est encore guérisable, même plusieurs années avant que la femme ne ressente de l'inconfort ou une incapacité. Allons-nous retarder toute intervention chirurgicale douloureuse jusqu'à ce qu'elle se sente malade, ce qui ne se produira probablement pas avant que les uretères soient bloqués par une tumeur et qu'elle soit irrémédiablement condamnée à mourir de déficience rénale? S'il nous fallait ne définir la maladie qu'en termes de souffrances, il nous faudrait admettre que la tension artérielle et le cancer, parmi d'autres, ne sont pas des maladies. Ce serait absurde.

La plupart du temps, quand le médecin nous annonce que nous sommes atteints d'une maladie grave, nous le croyons sur parole, qu'il y ait souffrances ou non. Le verdict nous semble acceptable et, par conséquent, nous nous disons malades même si nous ne ressentons rien.

Ce n'est pas toujours le cas. Considérons l'exemple d'un cultivateur victime d'une crise cardiaque qui le terrasse et l'amène à l'hôpital. Le lendemain, complètement alerte dans sa chambre du service de réanimation, il se débat pour sortir du lit et arrache le moniteur qu'on a placé sur sa poitrine. L'infirmière l'enjoint de rester couché et de se détendre parce qu'il a fait une crise cardiaque, parce qu'il est gravement malade et pourrait subir une autre attaque s'il ne se calme pas. "C'est ridicule," vocifère le cultivateur, se débattant encore plus violemment. "Je ne suis pas malade. Mon coeur est solide. Je ne sais pas comment vous m'avez attrapé pour m'amener ici, mais je dois rentrer pour traire mes vaches." Quand on a fait venir le médecin et que toutes tentatives de le convaincre ont échoué, devrions-nous lui remettre ses vêtements et l'envoyer chez lui? Ou devrions-nous le restreindre si nécessaire, lui administrer prestement un sédatif, et poursuivre nos efforts pour l'informer et lui faire entendre raison?

Considérons également le cas d'un alcoolique en crise de délirium tremens, qui n'a pas dormi depuis trois jours et tremble comme une feuille, dont la température est de 40°C et le pouls à 145, et qui est gravement déshydraté. Il est convaincu que l'hôpital est un camp d'extermination japonais et qu'il doit s'évader à tout prix immédiatement pour sauver sa vie. Devons-nous lui ouvrir toutes grandes les portes pour le laisser courir sauvagement le long des rues et se cacher derrière les automobiles jusqu'à ce qu'il meure d'épuisement, de convulsions ou de déshydratation? Ou devons-nous le retenir de force, lui administrer des doses massives d'un calmant jusqu'à ce qu'il tombe dans un sommeil désespéré et commence à se remettre?

Dans ces deux cas, nous opterions naturellement pour le deuxième choix parce que nous savons que ces hommes sont gravement malades, même s'ils n'en sont pas conscients et ne l'acceptent pas. Nous savons aussi que leur incapacité de se croire malades en dépit de preuves accablantes, fait également partie de leur maladie. N'est-ce pas le cas des gens mauvais? Je ne veux pas dire que ceux-ci devraient être maîtrisés physiquement, ou privés de leurs libertés de citoyens dans le cours normal de leur vie. Mais, j'ai l'ai dit et le répète, le défaut de se définir comme malades est une phase essentielle et intégrale de la maladie des gens mauvais. J'affirme également que la maladie, peu importe qu'elle soit le mal ou le délire alcoolique, le diabète ou l'hypertension, est une réalité objective qui ne doit dépendre ni d'une admission subjective, ni d'une absence d'admission.

Le concept de souffrance émotionnelle pour décrire la maladie est également fautif à bien des égards. Comme je l'ai souligné dans *Le Chemin le moins fréquenté*(42), c'est souvent le plus spirituellement sain et le plus évolué d'entre nous qui sera appelé à souffrir beaucoup plus que les autres. Les grands dirigeants, s'ils sont en santé et en possession de leur jugement, connaîtront sans doute des angoisses inconnues de l'homme ordinaire. Par contre, c'est le refus de souffrir émotivement qui est à la source même de la maladie mentale. Ceux qui sont tout à fait conscients de leurs dépressions, de leurs doutes, de leurs moments de confusion et de désespoir, sont peut-être infiniment plus sains que ceux qui sont généralement sûrs d'eux-mêmes, suffisants et satisfaits. En vérité, la dénégation de la souffrance est un meilleur indice de maladie que son acceptation.

Une personne mauvaise renie le fardeau de sa culpabilité, la reconnaissance douloureuse de son péché, sa médiocrité et son imperfection; elle cherche à transmettre sa peine à autrui par la projection ou en le faisant son bouc émissaire. Elle ne souffre pas, mais son entourage le fait. Elle cause la souffrance. L'individu mauvais crée autour de lui le royaume miniature d'une société malade.

Nous ne sommes pas que des individus, mais sommes aussi des créatures sociales qui sont composantes intégrales d'un organisme plus important qui s'appelle la société. Même en insistant sur la souffrance dans notre définition de la maladie, il n'est ni nécessaire ni sage de percevoir la maladie au niveau de l'individu seulement. Les parents que nous avons décrits ne souffraient pas eux-mêmes, mais leurs familles souffraient. Et les symptômes de désordre familial: dépression, suicide, mauvaises notes et vol, étaient imputables à leurs méthodes d'éducation. Selon la "théorie des systèmes", la souffrance des enfants n'était pas symptomatique de leur propre maladie, mais de celle de leurs parents. Devrions-nous conclure qu'un individu est en santé simplement parce qu'il ne souffre pas, et malgré tout le chaos et les dommages qu'il sème parmi les siens?

Finalement, qui peut parler des souffrances des gens mauvais? C'est excact que les gens mauvais ne *paraissent* jamais beaucoup souffrir. C'est l'image qu'il leur faut transmettre parce qu'ils ne doivent pas faire preuve de faiblesse ni d'imperfection. Ils doivent continuellement afficher l'apparence de tout dominer, d'être en charge. Leur narcissisme l'exige. Pourtant, nous savons qu'ils ne sont vraiment pas au-dessus de tout. Malgré toute la compétence que les parents croyaient posséder, nous savons qu'ils étaient incompétents dans leur rôle de parents. Leur apparence de compétence n'était qu'une apparence. Une prétention. Plutôt qu'eux-mêmes, c'est leur narcissisme qui était en charge, toujours exigeant, les poussant violemment à maintenir un semblant de santé et de plénitude.

Songez à l'énergie psychique nécessaire aux gens mauvais pour continuellement soutenir leur fausse image! Peut-être consacrent-ils autant d'énergie à leurs raisonnements sinueux et leurs transferts destructeurs, que ne le fait une personne saine dans sa démarche de bonté. Pouquoi? Qu'est-ce qui les habite, les harcèle? Au fond, c'est la peur. Ils sont terrifiés à l'idée que leur masque pourrait tomber et qu'ils se verraient alors exposés devant eux-mêmes et aux yeux du monde entier. Ils vivent dans la constante frayeur d'avoir un jour à affronter leur propre méchanceté. De toutes les émotions, la peur est la plus douloureuse. Peu importe combien ils s'efforcent d'être maîtres d'eux-mêmes dans leurs activités de tous les jours, les gens mauvais végètent dans la peur. Leur terreur et leurs souffrances sont si chroniques, si incrustées sur leur moi véritable, qu'ils ne les ressentent même plus. Et s'ils pouvaient les ressentir, leur omniprésent narcissisme les empêcherait de le reconnaître. Même si nous ne pouvons éprouver de pitié pour les gens mauvais, ni pour leur affreuse vieillesse et le sort de leur âme après la mort, nous pouvons sûrement avoir pitié de leur existence d'inlassable appréhension.

La souffrance est si subjective et sa signification si complexe que je crois qu'il est préférable de ne pas avoir recours aux gens mauvais pour définir la maladie et la souffrance, qu'ils souffrent ou non. Je crois plutôt que la maladie et la souffrance sont *toutes imperfections de notre structure physique ou de notre personnalité qui nous empêchent de réaliser notre potentiel en qualité d'êtres humains.*

Il faut reconnaître que les opinions varient sur ce qui constitue exactement le potentiel de l'être humain. Néanmoins, il y a assez d'hommes et de femmes adultes, de toutes cultures et de tous temps, qui ont fait preuve d'une existence exemplaire, pour que nous puissions dire d'eux qu'ils étaient de véritables humains touchés par la grâce. Ce qui signifie que leurs vies semblaient côtoyer le divin. Nous pouvons nous pencher sur ces hommes et ces femmes, de même qu'étudier leurs caractéristiques.(43) En bref, ce sont des gens sages et éveillés; ils savourent la vie et acceptent la mort; non seulement travaillent-ils productivement, mais aussi créativement; ils sont remplis d'amour pour autrui et se démarquent par leur bienveillance dans l'action et la réaction.

Cependant, la plupart des gens sont si malades de corps et d'esprit qu'ils ne pourraient jamais, malgré tous leurs efforts, atteindre un tel niveau de plénitude sans l'assistance d'une thérapie intensive. C'est parmi ces légions d'infirmes, la masse de l'humanité souffrante, que le mal habite, peut-être le plus pitoyable de tous les maux.

J'ai dit qu'il y avait deux autres objections qui nous font hésiter avant de voir le mal comme une maladie. Nous en disposerons assez rapidement. L'une est à l'effet qu'un malade doit être aussi une victime. Nous sommes portés à croire que la maladie est un malheur qui nous tombe dessus, un événement que nous ne pouvons contrôler, un malheureux accident que nous inflige le destin aveugle, une malédiction que nous n'avons nullement préparée.

C'est exact en ce qui concerne plusieurs maladies. Mais beaucoup d'autres, la majorité peut-être, n'entrent pas du tout dans cette catégorie. Est-ce qu'un enfant est une victime quand il court dans la rue, après qu'on le lui ait défendu, et se fait renverser par une automobile? Et le conducteur qui a un "accident" en violant la limite de vitesse pour ne pas manquer un rendez-vous? Penchons-nous aussi sur l'énorme variété de maladies psychosomatiques et de conditions de stress. Sont-ils victimes ceux qui souffrent de maux de tête parce qu'ils n'aiment pas leur travail? Victimes de quoi? Une femme fait une crise d'asthme chaque fois qu'elle se sent ignorée, isolée et négligée. Est-ce une victime? D'une façon ou d'une autre et jusqu'à un certain point, tous ces gens et une foule d'autres sont victimes d'eux-mêmes. Leurs motifs, leurs échecs et leurs choix, sont profondément et intimement reliés à la fabrication de leurs blessures et de leurs maladies. Bien qu'ils soient tous partiellement responsables de leur état, nous les considérons comme malades.

Encore très récemment, cette question a été soulevée concernant l'alcoolisme: certains insistent vigoureusement que c'est une maladie tandis que d'autres affirment le contraire en prétendant que c'est un mal que l'on s'inflige à soi-même. Il n'y avait pas que des médecins engagés dans ce débat, mais aussi les cours et la magistrature; et tous ont conclu que l'alcoolisme est bel et bien une maladie malgré le fait que l'alcoolique soit souvent sa propre victime.

La question du mal est semblable. Le mal chez un

individu peut presque toujours être retracé jusque dans son enfance, dans les péchés de ses parents et dans la nature même de son hérédité. Pourtant, le mal est toujours un choix personnel, une série de choix. Le fait que nous soyons responsables de notre santé spirituelle ne signifie pas qu'un pauvre état de santé ne soit pas une maladie. Je le répète une autre fois, nous foulerons un terrain plus sûr et plus solide si nous ne définissons pas le mal en termes de victimes et de responsabilités, mais le faisons plutôt comme je le suggérais plus haut: "La maladie ou la souffrance sont toutes imperfections de notre structure physique ou de notre personnalité qui nous empêchent de réaliser notre potentiel en qualité d'êtres humains."

Le dernier argument contre l'opinion que le mal est une maladie, c'est qu'il nous semble impossible de guérir le mal. À quoi bon qualifier de maladie une condition pour laquelle il n'y a ni remède ni guérison? Si notre médecin possédait un élixir de longue vie dans sa trousse, nous pourrions considérer la vieillesse comme une maladie, et non l'accepter comme nous le faisons généralement et couramment, comme une phase inévitable de la condition humaine, une évolution naturelle contre laquelle il est idiot de se révolter.

Cet argument ignore l'existence d'une foule de désordres sans traitement ni guérison, de la sclérose en plaques à la déficience mentale, que nous n'hésitons pas à appeler maladie. Peut-être le faisons nous parce que nous espérons les guérir un jour. Pourquoi n'en serait-il pas ainsi pour le mal? C'est vrai que nous ne connaissons pas de traitement réalisable ou efficace pour débarrasser les gens véritablement mauvais de leur haine et de leur penchant destructeur. En effet, l'analyse du mal mise de l'avant jusqu'ici nous suggère plusieurs raisons pour lesquelles le problème du mal est si extraordinairement difficile à connaître, et plus difficile encore à guérir. Mais, la guérison est-elle possible? Allons-nous rendre les armes devant cette difficulté et soupirer: "Nous sommes dépassés"? Même s'il s'agit du plus grand problème de l'humanité?

Plutôt qu'un argument contraire valable, le fait d'ignorer comment traiter le mal constitue la meilleure raison de le considérer comme une maladie. L'étiquette de maladie suggère qu'il ne s'agit pas d'un désordre inévitable, que c'est possible de le guérir et que nous devons essayer de découvrir un remède. Si le mal est une maladie, il devrait alors devenir un objet de recherches au même titre que les autres maladies mentales, que ce soit la schizophrénie ou la neurasthénie. Ce livre propose surtout que le phénomène du mal peut et doit être livré à un examen scientifique minutieux. Nous pouvons et devons sortir de notre ignorance et de notre impuissance actuelles, et nous engager dans une véritable psychologie du mal.

La désignation de maladie nous oblige aussi à considérer le mal avec compassion. A cause de leur nature, les gens mauvais nous inspirent un désir de détruire plutôt que de guérir, de haine plutôt que de pitié. Ces réactions naturelles ne font pas que protéger le non initié, elles entravent également les solutions possibles. Je ne crois pas que nous ne soyons jamais plus près qu'aujourd'hui de comprendre le mal et, je l'espère, de guérir la méchanceté humaine, jusqu'au moment où les professionnels de la santé le reconnaîtront comme une maladie, dans les limites de leurs responsabilités.

Je connais un sage prêtre à la retraite dans les montagnes de la Caroline du Nord, qui se bat depuis longtemps contre les forces du Malin. Il m'a fait la faveur de lire un brouillon de mon livre, pour ensuite m'avouer: "Je suis content que vous voyiez le mal comme une maladie. Ce n'est pas qu'une simple maladie, c'est la maladie ultime."

Si nous disons que le mal est un désordre psychiatrique, est-il assez unique pour occuper sa propre catégorie, ou peut-il s'inscrire dans une catégorie déjà existante? Aussi étonnant que cela puisse paraître, considérant jusqu'à quel point on l'a négligé, le système actuel de classification psychiatrique
se prête parfaitement à l'addition du mal dans une sous-classe. La grande catégorie des troubles de personnalité comprend les maux psychiatriques dont la particularité dominante est de fuir ses responsabilités individuelles. Les gens mauvais entrent facilement dans cette vaste catégorie en vertu de leur refus de reconnaître leurs propres déficiences et leurs imperfections. Une sous-classe porte même le titre: Troubles de personnalité narcissique. À mon sens, il serait très approprié de classer les

gens mauvais dans une catégorie spécifique parmi ceux qui souffrent de troubles de personnalité narcissique.

Un aspect connexe mérite cependant d'être souligné. On se souviendra que lorsque j'ai placé Sarah en face de ses responsabilités concernant son mariage, elle perdit ses moyens. Dans son monologue sur "les pommes et les oranges" et les "persécuteurs de la pseudo-science," elle perdit son sang-froid et le fil de ses idées. Son raisonnement fut faussé. Un tel désordre de la pensée ressemble beaucoup plus à de la schizophrénie qu'à un trouble de personnalité. Sarah aurait-elle été schizophrène?

Entre eux, les psychiatres parlent souvent de "schizophrénie ambulatoire." Cette désignation s'applique à ceux qui, comme Sarah, fonctionnent généralement bien parmi le monde, ne déploient jamais une schizophrénie "resplendissante" et n'ont jamais besoin d'être hospitalisés; ce qui ne les empêche pas, en état de stress surtout, de faire preuve de pensées confuses comme le font les victimes de la schizophrénie "classique" plus évidente. Il ne s'agit pas, cependant, d'un diagnostic formel pour la bonne raison que nous ne sommes pas encore assez renseignés pour émettre une opinion catégorique. En vérité, nous ne savons pas si cette forme de désordre se rapporte vraiment à la schizophrénie véritable.(44)

Malgré son manque de clarté, il faut quand même se pencher sur ce sujet parce que des diagnostics de schizophrénie ambulatoire sont souvent rendus par des psychiatres dans des cas de gens mauvais. Par contre, plusieurs de nos schizophrènes ambulatoires sont en réalité des gens mauvais. Sans êtres identiques, ces deux catégories se chevauchent. Il est donc réaliste d'introduire cet élément de confusion dans nos diagnostics. En réalité, il faut reconnaître que l'attribution d'un nom au mal est encore à l'état grossier.

Quoi qu'il en soit, je crois qu'il est temps que la psychiatrie reconnaisse un nouveau type de problème de personnalité pour couvrir ceux que j'ai déclarés mauvais. En plus de l'abrogation des responsabilités qui caractérise tous les troubles de personnalité, ce nouveau type inclurait les particularités suivantes:

(a) recherche d'un bouc émissaire et comportement

toujours destructeur, le plus souvent très subtil.

(b) intolérence excessive, quoique le plus souvent cachée, envers la critique et autres formes d'attaque contre le narcissisme.

(c) souci très prononcé pour son image publique et sa présomption de respectabilité, ce qui entraîne un mode de vie stable, de la prétention et la dénégation de ses sentiments de haine ou de ses désirs de vengeance.

(d) esprit tortueux avec léger dérèglement schizophrène de la pensée, en temps de stress.

Jusqu'ici, j'ai parlé de la nécessité de nommer le mal correctement, partant des gens mauvais eux-mêmes, afin de mieux reconnaître leur affliction, apprendre à la maîtriser et, je l'espère, éventuellement la guérir. Mais, nous avons un autre motif primordial pour nommer le mal correctement: la guérison de ses victimes.

S'il était facile de reconnaître le mal, de l'identifier et de le maîtriser, ce livre n'aurait pas sa raison d'être. Mais, en réalité, le mal est la chose la plus difficile à affronter. Si nous, adultes mûrs et objectifs, ne pouvons que difficilement faire face au mal et nous en accomoder, songez à ce pauvre enfant qui est aux prises avec lui. Les émotions d'un enfant ne peuvent survivre qu'en vertu d'un affermissement massif de sa psyché. Bien que cet affermissement, ou défense psychologique, soit essentiel à sa survie durant son enfance, il compromettra et faussera sa vie d'adulte.

Il arrive donc que les enfants de parents mauvais deviennent des adultes aux prises avec des troubles psychiatriques graves. Nous avons travaillé pendant plusieurs années avec ces victimes, souvent avec succès, sans n'avoir jamais à employer le mot "mauvais." Mais je doute que nous puissions guérir complètement tous ceux qui ont dû vivre à l'ombre du mal, si nous ne pouvons nommer correctement l'origine de leurs problèmes.

La tâche psychologique la plus difficile et la plus pénible que doit affronter un être humain, c'est celle de faire face au mal de son héritage psychologique. La majorité échoue et demeure victime. Ceux qui finissent par se faire une vision juste de leur condition, sont ceux qui sont capables de la nommer. "Faire face à" signifie "arriver à le nommer". En qualité de thérapeutes, c'est notre devoir de faire le nécessaire pour que les victimes du mal connaissent le nom véritable de leur affliction. Les deux cas suivants illustrent l'impossibilité d'être utile à moins de reconnaître d'abord le visage du mal et de prononcer son nom.

Le cas du rêve vaudou

Angela ne pouvait parler.

Elle entra en thérapie à l'âge de trente ans parce qu'elle éprouvait de grandes difficultés à établir des relations personnelles avec qui que ce soit. C'était une institutrice compétente qui pouvait s'adresser à ses élèves avec beaucoup de souplesse. Angela perdit la voix. Ses longues périodes de silence étaient parfois entremêlées de bribes de phrases à peu près inintelligibles. Quand elle essayait de parler, elle se mettait souvent à sangloter péniblement après quelques mots. Au début, j'ai cru que ses sanglots provenaient de son immense tristesse, puis, j'ai graduellement réalisé qu'elle utilisait ce manège pour s'empêcher de parler distinctement. Ces sanglots me rappelaient ceux d'un enfant qui essaie de protester contre l'injustice de ses parents et à qui on répond de ne pas répliquer. Angela rencontrait les mêmes difficultés dans tous ses rapports intimes, mais son problème s'amplifiait nettement en ma présence. A ses yeux, j'étais l'autorité, l'image du parent.

Le père d'Angela avait abandonné sa famille quand elle n'avait que cinq ans. Elle se souvenait d'avoir été élevée par sa mère seulement, une dame âgée. Angela était une petite italienne aux cheveux noirs et sa mère la fit teindre en blond quand elle eut onze ans. Elle aimait ses cheveux noirs mais, pour une raison quelconque, sa mère voulait une enfant blonde.

Cet incident était typique. Sa mère ne semblait avoir ni la capacité ni le désir de considérer Angela comme un être humain à part entière. Par exemple, Angela n'avait aucune intimité. Elle avait sa propre chambre, mais sa mère lui avait formellement défendu d'en fermer la porte. Angela n'avait jamais compris le motif de cette interdiction et il s'était avéré inutile de protester. À quatorze ans, elle avait essayé de fermer sa porte et sa mère en fit une dépression qui dura plus d'un mois. Pendant cette période, Angela dut faire la cuisine et s'occuper de son jeune frère. Le premier qualificatif que nous avons attribué à la mère d'Angela fut "importune." Elle était irrémédiablement importune. Elle n'éprouvait aucun scrupule à se faufiler dans la vie intime de sa fille et ne tolérait nullement la critique de sa conduite.

Durant le deuxième année de la thérapie d'Angela, nous avons été capables de faire le lien entre ses problèmes d'élocution et les indiscrétions de sa mère. Le silence d'Angela était un fossé que sa mère ne pouvait traverser. Quelle que fût l'ampleur de son désir de s'ingérer dans les pensées d'Angela comme elle le faisait dans sa vie, Angela conservait l'intimité de son esprit grâce à son silence. Chaque fois que sa mère essayait de briser cette intimité, Angela devenait muette. Nous avons aussi découvert que ce silence ne servait pas seulement à éloigner la mère, mais également à contenir la colère d'Angela. Angela savait qu'il était insensé de contredire sa mère; la punition pour un tel crime était dévastatrice. Par conséquent, elle devenait muette également chaque fois qu'elle se sentait sur le point d'exprimer son ressentiment.

La psychothérapie implique des méthodes hautement indiscrètes, et le thérapeute projette invariablement une image d'autorité. Considérant ce rôle d'autorité et mon désir de scruter les recoins les plus secrets de son cerveau, il ne faut pas s'étonner qu'Angela m'ait dramatiquement opposé le fossé de silence qu'elle avait creusé depuis son enfance. Elle ne put s'en défaire que lorsqu'elle eut appris qu'il y avait une différence essentielle entre sa mère et moi. Quoique j'aie voulu connaître ses pensées et les influencer, Angela comprit peu à peu que, contrairement à sa mère, mon respect de son identité et de son individualité était honnête et authentique. Il s'est écoulé deux ans avant qu'elle puisse s'exprimer librement avec moi.

Cependant, elle n'était pas encore libérée de sa mère. Son mari, comme son père, l'avait abandonnée. Elle avait un enfant à charge et devait à l'occasion se faire aider financièrement par sa mère. Plus important encore, elle conservait toujours l'espoir que sa mère changerait un jour et finirait par l'apprécier à sa juste valeur. Au début de sa troisième année de thérapie, Angela me raconta le rêve suivant:

- Je me trouvais dans un édifice. Les membres de ce qui m'a semblé un groupe ésotérique entrèrent et tous étaient vêtus de robes blanches. En quelque sorte, je devais prendre part à un rituel secret et épouvantable. J'étais douée de pouvoirs occultes. Je pouvais flotter jusqu'au plafond. Mais, je faisais aussi partie de la cérémonie. Il ne s'agissait pas de quelque chose que je voulais faire volontairement; j'étais captive. C'était très désagréable.

- Que pensez-vous de ce rêve? lui demandai-je.

- Oh, je sais très bien d'où vient ce rêve, répondit Angela. La semaine dernière, dans une soirée, il y avait un couple qui arrivait d'Haïti. Ce couple nous raconta un spectacle vaudou. Il y avait du sang sur les pierres et des plumes de poulet partout. J'étais remplie d'horreur en les écoutant. Je suis certaine que mon rêve vient de là. J'ai rêvé d'une espèce de cérémonie vaudou et il semble qu'on allait me forcer à tuer quelque chose. Pourtant, je devais en quelque sorte être également la victime. Pouah! C'était laid. Je ne veux plus en parler.

- À quoi d'autre croyez-vous que votre rêve se rapportait? m'enquis-je.

Angela prit un air ennuyé.

- À rien. L'unique raison c'est d'avoir entendu ces gens parler de vaudou.

- Cela ne suffit pas pour expliquer ce rêve, insistai-je. De toutes vos expériences des dernières semaines, vous avez choisi de rêver à celle-là. Il doit y avoir une raison à votre choix. Il doit y avoir une raison spéciale qui vous pousse à rêver à des rituels vaudou.

- Le vaudou ne m'intéresse pas du tout, déclara Angela. Je n'aime même pas penser à mon rêve. C'était sanglant, laid.

- Qu'est-ce qui vous trouble le plus dans ce rêve? lui demandai-je.

- Il y a quelque chose de diabolique là-dedans. C'est

pourquoi je ne veux pas en parler.

- Peut-être y a-t-il en ce moment quelque chose de diabolique dans votre vie?

- Non. Non, protesta Angela. Rien d'autre que ce rêve stupide. J'aimerais changer de sujet.

- Croyez-vous que votre mère ait quelque chose de diabolique? voulus-je savoir.

- Malade, non pas diabolique, répliqua Angela.

- Quelle est la différence?

Angela ne répondit pas directement.

- En vérité, je suis fâchée contre ma mère, répondit-elle. Irritée pour la dix millionième fois.

- Oui? Voulez-vous m'en parler?

- Eh bien! Vous savez que mon automobile est tombée en panne le mois passé. J'ai pu faire un emprunt à la banque pour couvrir le premier versement sur ma nouvelle voiture, mais je n'ai pas assez d'argent pour payer l'intérêt. J'ai appelé ma mère pour lui demander de me prêter mille dollars sans intérêt. À ce moment-là, elle a été très gentille. "Bien sûr", a-t-elle dit. Mais je n'ai pas reçu l'argent. Je l'ai rappelée au bout de deux semaines. Elle me raconta toute une histoire en me disant qu'il me faudrait attendre encore deux semaines car elle perdrait trop d'intérêt. Je ne comprenais vraiment pas son problème et j'ai cru qu'elle ne voulait pas me prêter cet argent, même si elle ne me le disait pas directement. La semaine dernière, mon frère m'a téléphoné. Elle se sert toujours de lui pour me transmettre des messages qu'elle ne veut pas me donner elle-même. En tout cas, il voulait m'apprendre que maman avait une bosse au sein et devrait peut-être se faire opérer. Il ajouta qu'elle avait peur de ne pas avoir assez d'argent pour prendre soin de ses vieux jours. La situation devenait claire à mes yeux. Il y a trois jours, j'ai finalement reçu un billet à ordre; ma mère voulait que je le signe avant de me prêter l'argent. Je sais qu'elle pensait que je ne le signerais pas. Je ne l'aurais pas signé il y a un an. Mais, mon cul! J'avais besoin d'argent et ne pouvais faire autrement; alors, j'ai signé. Je le regrette encore aujourd'hui.

- Vous dites que vous ne l'auriez pas signé il y a un an? demandai-je.

- Je me serais sentie trop coupable. Tout ce que j'ai dit en thérapie au sujet de ma mère m'a fait découvrir que ce n'est qu'un autre de ses petits jeux. Elle est toujours sur le point d'être hospitalisée. Elle est toujours sur le point de se faire opérer. Quand elle m'offre quelque chose de la main droite, elle cherche toujours à me l'enlever de la gauche.

- Combien de fois votre mère a-t-elle joué ce jeu avec vous?

- Je ne sais pas. Cent fois? Mille fois?

- C'est une sorte de rituel, n'est-ce pas?

- Certainement.

- Vous avez aussi participé dernièrement à un rituel diabolique, n'est-ce pas?

Angela me regarda avec une soudaine compréhension.

- Vous croyez que mon rêve vient de là?

- Je pense que oui, répliquai-je. Même si vous avez vécu ce rituel des centaines de fois, même si vous savez qu'elle voudrait que vous vous sentiez coupable, elle parvient encore à ses fins, n'est-ce pas? Vous vous sentez toujours coupable.

- Oui. Comment savoir si elle n'a vraiment pas de protubérance au sein, cette fois? Je suis peut-être vraiment cruelle.

- Donc, vous ne savez vraiment pas si vous êtes la victime ou le tortionnaire dans ce rituel, comme dans votre rêve.

- Vous avez raison, opina Angela. Je me sens toujours coupable.

- Il me semble que l'élément-clé du rêve est la nature mauvaise du rituel, remarquai-je. Qu'y a-t-il dans ce rituel qui le rende mauvais?

Angela prit un air attristé.

- Je ne sais pas. Je ne sais pas si je suis cruelle envers ma mère.

- Angela, dites-moi combien d'argent possède votre mère?

- Je n'en ai pas la moindre idée.

- Je ne veux pas le savoir jusqu'au dernier sou, lui dis-je. Mais, vous êtes au courant qu'elle possède trois immeubles à Chicago, n'est-ce pas?

144

- Des petits immeubles, protesta Angela.

- En effet, ce ne sont pas des gratte-ciel. Mais, je crois me souvenir qu'ils comprennent chacun une dizaine d'appartements. De plus, ils sont situés dans un bon quartier et libres d'hypothèque. Exact?

Angela fit signe que oui.

- Combien valent ces immeubles, pensez-vous? Oubliez son argent en banque. Pensez-vous qu'ils vaillent au moins un demi-million?

- Je suppose, répondit Angela à contrecoeur. Je ne connais pas grand-chose aux finances, vous savez.

- Je comprends. Je crois que c'est votre façon de fermer les yeux sur l'évidence. Pensez-vous que ces immeubles pourraient valoir un million de dollars?

- Oui, c'est possible.

- Donc, vous savez que votre mère possède au bas mot entre un demi-million et un million de dollars, continuai-je avec une logique toute mathématique. Pourtant, votre mère agit comme si c'était très pénible de vous prêter mille dollars afin que vous et son petit-fils puissiez avoir une automobile pour vous déplacer. C'est une femme très riche qui parle de pauvreté. Et quand elle parle de pauvreté, elle commet un mensonge, n'est-ce pas?

- Oui. Je crois que c'est ce qui me met tellement en colère contre elle, opina Angela.

- Angela, là où il y a du mal, il y a un mensonge, lui affirmai-je. Le mal est toujours voisin du mensonge. Ce qui rend mauvaise cette interaction entre votre mère et vous, c'est le fait qu'elle repose sur un mensonge. Non pas votre mensonge. Le mensonge de votre mère.

- Mais, ma mère n'est pas mauvaise, s'écria Angela.

- Pouquoi dites-vous cela?

- Parce que...Parce qu'elle ne l'est pas, voilà pouquoi. C'est ma mère; je sais qu'elle est malade, mais elle ne peut être mauvaise.

Nous étions revenus à la question principale.

- Quelle différence y a-t-il entre le mal et la maladie?

- Je n'en suis pas sûre, répondit Angela, pas heureuse du tout.

- Je n'en suis pas sûr non plus, dis-je. En vérité, je crois que le mal est probablement une sorte de maladie. Une maladie spéciale. Le fait de l'appeler une maladie ne le rend pas moins mauvais. Qu'il s'agisse d'une maladie ou non, je crois que le mal est très réel. Et je crois que vous devez composer avec cette réalité. Je crois que lorsque vous transigez avec votre mère, vous transigez avec le mal. Et puisque vous ne pouvez pas éviter votre mère, il est préférable que vous soyez très au courant de ce que vous faites. Je crois qu'ensemble, tous deux, nous devrons affronter le problème de savoir si votre mère est mauvaise et ce que cela signifie: ce que cela signifiait pour vous dans le passé et ce que cela signifiera à l'avenir.

Pour mieux comprendre les forces qui agissaient sur Angela, ainsi que sur la jeune femme dont il sera question dans le cas suivant, nous devons ramener notre attention sur le phénomène du narcissisme. Nous sommes tous plus ou moins portés à être égocentriques. D'abord et avant tout, nous envisageons généralement toute situation à la lueur de ses effets sur nous-mêmes; une réflexion après coup nous fera peut-être songer à ses effets sur autrui. Néanmoins, surtout si nous avons de l'estime pour l'autre personne, nous pouvons penser et penserons à son point de vue, qui sera peut-être complètement différent du nôtre.

Ce n'est pas le fait des gens mauvais dont le narcissisme est si total qu'ils semblent complètement, ou partiellement, manquer d'empathie. La mère d'Angela ne prit pas le temps de se demander si sa fille voulait avoir les cheveux blonds. Non plus que les parents de Bobby ne prirent le temps de se demander ce que ressentirait leur fils si on lui donnait l'arme du suicide de son frère comme cadeau de Noël. Nous ne pouvons pas non plus supposer que Hitler prit le temps de se demander ce que ressentaient les Juifs quand on les condamnait aux chambres à gaz.

Nous constatons que leur narcissisme rend dangereux les gens mauvais, non seulement parce qu'il les pousse à la recherche de boucs émissaires, mais aussi parce qu'il les délivre des contraintes que sont les exigences de l'empathie et du respect d'autrui. Les gens mauvais ont besoin de victimes à sacrifier à leur narcissisme, et leur narcissisme leur permet de fermer les yeux sur la condition humaine de leurs victimes. Leur narcissisme leur procure une raison de tuer et les rend insensibles à l'acte de tuer. L'aveuglement du Narcisse est plus qu'un manque d'empathie; le Narcisse peut ne pas "voir" les autres du tout.

Nous sommes tous uniques. Sauf dans un encadrement mystique, nous sommes tous des entités distinctes. Notre caractère unique nous accorde à chacun une "ego-entité," nous assure une entité distincte. L'âme individuelle a des frontières que nous respectons dans nos rapports avec autrui. C'est à la fois une caractéristique de notre santé mentale et une condition préalable, que nos "ego-frontières" soient claires et que nous reconnaissions clairement les frontières des autres. Nous devons savoir où s'arrêtent et où commencent les autres.

Il est évident que la mère d'Angela ignorait ces choses. Quand elle teignit les cheveux d'Angela, elle agissait comme si Angela n'existait pas. En qualité d'individu distinct et unique, avec sa volonté et ses goûts propres, Angela n'était pas réelle aux yeux de sa mère. Elle n'acceptait pas le bien-fondé des frontières d'Angela. En réalité, l'existence même de ces frontières était une malédiction pour elle, comme en fait foi son refus qu'Angela ferme la porte de sa chambre. Elle aurait englouti toute la personnalité d'Angela dans son ego narcissique, si Angela n'avait pas été en mesure de battre en retraite derrière son mur de silence. En grandissant, Angela n'a pu cultiver et conserver les frontières de son ego que grâce à cette défense contre les indiscrétions narcissiques et outrageantes de sa mère. En quelque sorte, elle sauvegarda ses frontières en les exagérant et dut ensuite payer le prix de son isolement.

Les rapports symbiotiques sont un autre agent dévastateur des intrusions narcissiques. La "symbiose," comme nous l'entendons en psychiatrie, n'est pas un état réciproquement salutaire d'interdépendance. En effet, il s'agit d'un accouplement mutuellement parasite et destructeur. Dans une relation symbiotique, ni l'un ni l'autre des partenaires ne voudra se séparer, même si c'est visiblement à l'avantage des deux.

Hartley et Sarah entretenaient une telle relation. Le

faible Hartley n'aurait pu survivre dans son état infantile sans que Sarah ne soit là pour décider pour lui. Mais Sarah non plus n'aurait pu survivre psychologiquement sans la faiblesse de Hartley pour nourrir ses besoins égotistes de domination et de supériorité. Ils ne fonctionnaient pas comme deux personnes distinctes, mais comme une seule unité. Par consentement mutuel, Sarah avait absorbé Hartley à tel point qu'il n'eut plus ni volonté ni identité, sauf cette infime parcelle qui se manifesta faiblement dans ses tentatives de suicide. Il avait largement abandonné les frontières de son ego, et Sarah les avait incorporées aux siennes.

Si Hartley et Sarah, deux adultes d'âge mûr, ont "réussi" à établir une relation symbiotique, il n'est guère étonnant que certains parents mauvais et égotistes puissent développer de tels rapports avec un enfant qu'ils sont appelés à dominer. Le cas qui suit décrira la lente guérison et le sevrage d'un enfant qui vit une relation symbiotique avec sa mère.

Le cas de la phobie des araignées

Aujourd'hui, je ne comprends pas encore comment Billie a pu rester en thérapie. Le fait qu'elle n'ait pas abandonné est un immense tribut au talent de son thérapeute et à celui de Billie elle-même. Ce fut une espèce de miracle.

Billie fut amenée par sa mère chez un de mes collègues en raison de ses déboires académiques. Elle avait seize ans à l'époque. Très intelligente, elle réussissait mal à l'école. Après six mois de thérapie, ses notes s'améliorèrent légèrement. Elle s'était aussi visiblement attachée à son thérapeute, un homme mûr et bon, doué d'une extrême patience. C'est alors que sa mère déclara que le problème était résolu. Billie voulait continuer, mais sa mère refusa de payer. Le thérapeute réduisit à cinq dollars la séance ses honoraires déjà modestes. Billie prit sur elle de payer son thérapeute à même une petite allocation de cinq dollars par semaine et ses épargnes de deux cents dollars. Bientôt, sa mère cessa de lui verser son allocation. Or, afin de payer son thérapeute, Billie dénicha son premier emploi durant sa dernière année de secondaire. C'était il y a sept ans.

Billie est encore en thérapie, mais la fin est en vue.

Durant les trois premières années, Billie était convaincue de n'être pas du tout malade. Il faut donc s'étonner qu'elle ait continué sa thérapie, s'en acquittant d'abord avec sa petite allocation et, plus tard, avec son maigre salaire. Inconsciemment, elle devait savoir que quelque chose ne tournait pas rond. Mais, consciemment, elle était tout à fait calme au sujet de ses "problèmes." Elle désirait vaguement obtenir de meilleures notes, mais elle admettait volontiers ne jamais faire ses devoirs. D'un air un peu narquois, elle se qualifiait de "paresseuse'" et, après tout, "n'est-il pas exact que beaucoup d'élèves sont paresseux?" Tout ce qui pouvait ressembler à un symptôme, c'était sa peur des araignées. Billie haïssait les araignées. Toutes les araignées. Elle prenait panique chaque fois qu'elle voyait une araignée. Quand elle voyait une araignée dans la maison, si minuscule ou inoffensive fût-elle, elle s'enfuyait et ne pouvait rentrer avant qu'on l'ait tuée et fait disparaître. Mais cette phobie était ego-syntone. Bien qu'elle se rendît compte que les araignées lui inspiraient plus de peur qu'à la plupart des gens, Billie affirmait que ces derniers étaient insensibles. Ils éprouveraient la même crainte s'ils savaient à quel point les araignées sont horribles.

Il ne faut pas s'étonner que Billie eût annulé autant de rendez-vous qu'elle en respecta, étant donné qu'elle se croyait normale. Néanmoins, son thérapeute "s'accrocha" durant les trois premières années, et Billie fit de même. Durant cette période, Billie détesta son père passionnément et adora sa mère. Commis de banque toute sa vie, son père était un homme timide et taciturne qui lui semblait aussi froid et distant que sa mère était chaleureuse et attentive. Comme Billie était enfant unique, elle et sa mère étaient des copines. Elles partageaient leurs secrets les plus intimes. Sa mère avait toujours plusieurs amants et, durant son adolescence, Billie n'aimait rien tant que d'écouter ses potins sur les hauts, les bas et les à-côtés de ses aventures extra-conjugales. Billie n'y voyait rien de mal. La mère attribuait sa conduite à la personnalité solitaire et froide de son mari. Elle répondait adéquatement à son manque d'intérêt. De plus, Billie et sa mère le détestaient au même degré. Elles se sentaient comme deux joyeuses conspiratrices.

La mère de Billie était aussi avide d'entendre tous les détails de la vie sexuelle et romantique de sa fille que celle-ci l'était d'écouter ceux de sa mère. Billie se considérait très chanceuse d'avoir une mère aussi aimante et attentionnée. Elle ne pouvait s'expliquer pourquoi elle refusait de payer pour sa thérapie, mais elle n'était pas disposée à la critiquer sous ce rapport. Chaque fois que son thérapeute soulevait cette question, Billie l'esquivait vigoureusement.

Chaque fois que Billie parlait de ses amis à sa mère, elle en avait beaucoup à dire. Billie était carrément de moeurs légères. Sa mère ne critiquait jamais sa conduite; après tout, n'avait-elle pas elle-même plusieurs amants? Cependant, Billie ne voulait pas être permissive. Au contraire, elle désirait de toutes ses forces une relation profonde et durable avec un homme. Mais rien ne fonctionnait. Elle pouvait vite tomber très amoureuse, déménager chez son nouvel amant mais, au bout de quelques jours ou de quelques semaines, l'idylle tournait infailliblement au vinaigre et Billie rentrait chez ses parents. Grâce à sa beauté, son intelligence et son charme, Billie se trouvait sans peine de nouveaux amants. Elle retombait amoureuse en moins d'une semaine. Mais, comme toujours, l'affaire mourait en quelques semaines. Billie se mit à s'imaginer vaguement qu'elle était peut-être elle-même responsable de ces échecs.

Cette faible possibilité, accompagnée de son chagrin de ne pouvoir garder ses adorateurs, poussa Billie à considérer sa thérapie plus sérieusement. Petit à petit, un modèle se précisa. Billie ne pouvait supporter la solitude. Quand elle s'entichait d'un homme, elle l'aurait suivi n'importe où. Elle ne refusait jamais de coucher avec lui, qu'elle fût attirée sexuellement ou non, car elle s'assurait ainsi qu'il passerait la nuit avec elle. Le matin, elle le suppliait de ne pas aller au travail. Il lui fallait s'arracher d'elle. Il se sentait invariablement suffoqué. Puis, il commençait à oublier des rendez-vous et elle redoublait d'efforts pour s'accrocher à lui. Il se sentait encore plus suffoqué et trouvait finalement une excuse pour mettre fin à l'aventure. Billie attrapait alors le premier venu, peu importe son quotient intellectuel ou sa réputation. Incapable de rester seule, elle ne pouvait attendre et choisir. Elle tombait amoureuse sans discernement, s'accrochait, et le cercle vicieux recommençait.

Quand on découvrit sa peur de la solitude, on s'aperçut nettement pourquoi Billie n'avait pas donné toute sa mesure à l'école. Lire et écrire sont des activités solitaires. Billie n'avait pas été capable de faire ses devoirs parce qu'elle ne pouvait s'éloigner des gens, particulièrement de sa mère qui était toujours prête à bavarder.

Bien qu'on eût identifié ce problème, Billie se sentait incapable d'agir. Elle reconnaissait que son aversion pour la solitude lui imposait certaines contraintes, mais quoi faire? C'était sa nature. Son autodestruction faisait partie de son être. Elle ne pouvait s'imaginer autrement. Rien ne changeait sauf que sa phobie des araignées s'envenimait. Elle refusait de marcher le soir dans le bois avec son ami, ou dans une rue sombre, de peur de frôler une araignée.

A ce moment, son thérapeute devint audacieux. Jusqu'ici, Billie avait toujours vécu avec ses amants ou avec ses parents. Or, il lui demanda de se louer un appartement. Elle refusa. C'était une dépense folle. Bien sûr, les avantages étaient nombreux: elle pourrait inviter ses amoureux chez elle, elle pourrait faire jouer son stéréo à son gré, elle se sentirait plus autonome. Pouvait-elle se le permettre? Maintenant qu'elle avait un travail régulier, le thérapeute avait augmenté ses honoraires de cinq dollars la séance à vingt-cinq dollars, son tarif normal. C'était plus de cent dollars par mois, soit un quart de son salaire. Il lui offrit de ramener ses honoraires à cinq dollars. Billie se dit touchée par le geste, mais un appartement était encore trop cher. De plus, comment réagirait-elle si elle trouvait une araignée un soir, quand elle serait seule? Que ferait-elle? Non, un appartement était hors de question.

Mon collègue lui souligna qu'elle ne faisait absolument rien pour combattre sa peur de se trouver seule. À moins qu'elle ne choisisse elle-même la solitude, lui dit-il, il ne comptait plus sur la réussite de sa thérapie. Elle argumenta qu'il devait y avoir une autre solution et il lui demanda d'en suggérer une. Elle ne put le faire, mais elle l'accusa d'être trop exigeant et lui demanda d'abandonner cette idée. Il lui annonça qu'il refuserait dorénavant de la voir à moins qu'elle ne se trouve un appartement. Elle pesta contre sa cruauté, mais il lui tint tête. Finalement, durant la quatrième année de sa thérapie, Billie se loua un appartement.

Immédiatement, trois événements se produisirent. D'abord, Billie devint plus consciente de la force irrépressible qu'était sa peur d'être seule. Elle devint extrêmement angoissée le soir dans son appartement, quand elle était sans amoureux. Vers vingt et une heures, elle n'en pouvait plus et se rendait bavarder chez sa mère et finalement couchait chez elle. Quand elle n'avait rien à faire au cours du week-end, elle passait tout son temps chez ses parents. Durant les six premiers mois, elle ne dormit chez elle qu'une demi-douzaine de fois environ. Elle payait pour un appartement qu'elle avait peur d'utiliser. La situation était absurde et elle se mit en colère contre elle-même. Elle commença à penser que peut-être, peut-être seulement, sa peur de la solitude était une maladie.

Ensuite, un changement se produisit chez son père. Quand elle lui annonça qu'elle allait chercher un appartement, il lui offrit des meubles dont il avait hérité et qui étaient entreposés dans une grange. Puis, le jour du déménagement, il emprunta le camion d'un de ses amis, l'aida à le charger et le décharger, et lui offrit une bouteille de champagne pour pendre la crémaillère. Après qu'elle fut installée, il prit l'habitude de lui donner, environ chaque mois, un petit article pour son appartement: une lampe, une gravure, une tapis de bain, une corbeille à fruits, des couteaux de cuisine. Il lui remettait ses cadeaux discrètement à son travail, enveloppés dans du papier d'emballage. Billie se rendait compte que ces présents étaient de bon goût et avaient été choisis avec soin. Elle n'avait jamais cru que son père avait des goûts raffinés. De plus, elle savait qu'il avait peu d'argent pour faire ces achats. Il restait quand même timide, replié sur lui-même et de commerce difficile; mais, pour la première fois, Billie fut très émue par l'attention qu'il lui portait. Elle se demanda si cet intérêt pour elle n'avait pas toujours été présent, de façon subtile.

En ce qui concernait l'appartement, la mère de Billie était aussi peu serviable que son père était généreux. À plusieurs reprises, Billie lui demanda quelques objets qui traînaient çà et là dans la maison, mais sa mère semblait leur trouver soudainement une quelconque utilité. Elle ne s'informa jamais de son nouvel appartement. En réalité, Billie constata que sa mère semblait ennuyée chaque fois qu'il en était question, allant même jusqu'à dire: "N'es-tu pas centrée sur toi-même, toujours ton appartement ici et ton appartement là?" Billie eut finalement l'idée que sa mère ne voulait pas qu'elle parte de la maison familiale. Ce fut le troisième événement.

Cet événement fit boule de neige. Au début, Billie se réjouit du fait que sa mère fût contrariée par son départ. N'était-ce pas une preuve de son amour pour elle? N'était-il pas agréable d'être toujours bienvenue dans la maison paternelle et de pouvoir bavarder avec sa mère jusque tard dans la nuit? D'avoir toujours sa chambre? De ne pas avoir à retourner dans son appartement solitaire où il pourrait y avoir des araignées dans l'obscurité? Mais l'enchantement disparut peu à peu. D'une part, Billie et sa mère ne pouvaient plus parler contre le père. Quand sa mère se mettait à déblatérer contre lui comme d'habitude, Billie répliquait: "Voyons, maman. Il n'est vraiment pas si méchant. Parfois, je le trouve même gentil." Ce genre de réponse enflammait sa mère. Ses observations au sujet de son mari devenaient immédiatement haineuses, ou elle s'en prenait à Billie en l'accusant de manquer de compassion. Ces épisodes devinrent tout à fait désagréables. Finalement, comme elles se querellaient continuellement à ce propos, Billie demanda à sa mère de ne plus jamais parler contre son père quand elles étaient ensemble. Sa mère accepta à contre-coeur; mais, sans l'évocation de leur ennemi mutuel, leurs sujets de conversations se réduisirent considérablement. Puis, vint l'affaire des soirées du mercredi.

Billie était directrice de bureau pour une petite maison d'édition. Tous les jeudis matin, elle était chargée d'un envoi considérable à travers le pays et devait être au travail à six heures. Chaque fois qu'elle passait la nuit chez ses parents, ses longues conversations avec sa mère l'empêchaient de se coucher avant minuit et elle tombait de sommeil le lendemain matin. Avec l'aide de son thérapeute, elle jura que le mercredi soir, et ce soir-là au moins, elle ne rentrerait pas plus tard que vingt et une heures et dormirait seule dans son appartement.

Pendant les dix premières semaines, Billie ne put respecter sa promesse. Elle ne pouvait jamais rentrer chez elle avant minuit. Le thérapeute lui demandait chaque semaine si elle avait tenu parole, mais elle devait avouer son échec. Au début, elle était furieuse contre lui. Puis, elle devint furieuse contre elle-même devant son incapacité d'être fidèle à sa résolution. Elle se pencha sérieusement sur sa faiblesse. Durant plusieurs séances, elle parla de l'ambivalence de son voeu, de sa peur d'être seule dans son appartement, de son envie de se retrouver dans la chaleur du foyer paternel. C'est à ce moment que le thérapeute lui demanda si sa mère ne pourrait pas l'aider à tenir sa promesse.

Billie fut enchantée de cette idée. Elle fit immédiatement part de son engagement à sa mère et lui demanda de l'encourager à partir de la maison à 20h30 le mercredi soir. Sa mère refusa. "Ce que tu fais avec ton thérapeute ne me regarde pas," lui dit-elle. Billie voyait un peu de vérité dans cette réponse, mais elle soupçonnait aussi que sa mère avait des raisons de ne pas vouloir qu'elle respecte sa promesse. Ses soupçons grossirent et, au fur et à mesure qu'ils s'amplifiaient, Billie se mit à observer le comportement de sa mère le mercredi soir. Elle se rendit compte qu'aux environs de 20h30, celle-ci dirigeait invariablement la discussion vers un sujet particulièrement provocant. Billie voulut interrompre cette façon d'agir. Un soir à 20h45, au beau milieu d'une conversation de ce genre, Billie se leva et annonça qu'elle devait partir. "Ne crois-tu pas que c'est impoli?" demanda sa mère. Billie lui rappela sa promesse et suggéra que même si elle n'avait pas à l'aider, elle devait au moins respecter ses décisions. La discussion devint acerbe. La mère pleura. Billie ne put rentrer chez elle qu'après minuit.

Par la suite, Billie constata que si sa mère se voyait dans l'impossibilité d'amener un sujet controversé à 20h30, elle déployait alors son grand talent dans l'art de provoquer une dispute. Vers la quatorzième semaine de sa promesse non remplie, cette tactique était maintenant claire aux yeux de Billie. Ce mercredi soir, à 20h30, sa mère s'engagea dans une histoire. Billie se leva et s'excusa de ne pas avoir le temps de l'écouter. Sa mère commença à argumenter pendant que sa fille se dirigeait vers la porte. Sa mère s'accrocha littéralement à sa manche. Billie réussit à s'arracher et rentra chez elle sur le coup de 21h. Son téléphone sonna cinq minutes plus tard. C'était sa mère. Elle était partie si vite, dit-elle, qu'elle n'avait pas eu le temps de lui annoncer que le médecin craignait qu'elle ne fasse des calculs biliaires.

Billie eut davantage peur des araignées.

À cette époque, Billie adorait toujours sa mère. En thérapie, elle avait découvert sa capacité de la critiquer ouvertement et avec précision. Cependant, elle ne se froissait pas véritablement et recherchait sa compagnie à la moindre occasion. C'était comme si elle avait acquis un second cerveau, qui pouvait juger sa mère objectivement tandis que l'autre restait complètement inchangé.

Son thérapeute la pressa un peu plus. Ce n'était pas que le mercredi soir que sa mère cherchait à l'accaparer, suggéra-t-il; elle ne voulait sans doute pas qu'elle la quitte ni qu'elle ait sa propre existence, que ce soit dans un domaine ou un autre. Il lui rappela que sa mère avait refusé de payer pour sa thérapie aussitôt que Billie lui eut accordé de l'importance. Serait-il possible que la mère fût jalouse de l'attachement de sa fille pour autre chose qu'elle-même? Pourquoi s'était-elle opposée à son projet d'appartement? Etait-elle contrariée par le désir d'indépendance et de séparation de sa fille? Peut-être, pensa Billie, mais elle ne s'était jamais objectée à tous ses amoureux et amants. Fallait-il conclure que sa mère ne voulait pas la garder pour elle seule? C'est possible, admit le thérapeute, mais on pouvait aussi en déduire que sa mère voulait faire de Billie sa copie conforme. Sa mère se servait peut-être de sa promiscuité pour justifier la sienne. En outre, plus elles seraient semblables, moins grandes seraient leurs chances de se séparer. Le combat continuait, semaine après semaine, mois après mois, allant et venant sur les mêmes problèmes, sans solution en vue.

Un énorme changement se produisit subtilement durant la sixième année de sa thérapie. Billie se mit à écrire de la poésie. D'abord, elle montra ses poèmes à sa mère, mais sa mère n'était pas beaucoup intéressée. Billie était fière de sa poésie car elle venait de faire l'étonnante découverte d'une nouvelle dimension d'elle-même. Elle s'acheta un bel album relié cuir pour conserver ses poèmes. Peu fréquente, son envie d'écrire n'en était pas moins irrésistible. Pour la première fois de sa vie, en travaillant à la rédaction d'un poème, Billie se sentit contente d'être seule. En réalité, elle avait besoin d'être seule, car elle ne pouvait se concentrer, dans la maison de ses parents, à cause des interruptions constantes de sa mère. Quand l'envie se faisait sentir, elle se levait subitement et déclarait qu'elle devait rentrer chez elle. "Mais ce n'est pas mercredi soir," hurlait sa mère; et, encore une fois, Billie devait s'arracher de ses griffes. C'est à la suite d'une de ces scènes, alors qu'elle racontait à son thérapeute qu'elle avait dû se débattre contre sa mère pour aller écrire, que Billie fit le commentaire suivant: "Elle ressemblait à une maudite araignée!"

— J'attendais cette remarque depuis longtemps, s'écria son thérapeute.

— Quelle remarque?

— Que votre mère ressemble à une araignée.

— Alors?

— Vous détestez les araignées et en avez peur.

— Je ne déteste pas ma mère, protesta Billie, et je n'ai pas peur d'elle.

— Vous le devriez peut-être.

— Mais je ne le veux pas.

— Alors, c'est plutôt les araignées que vous craignez et dont vous avez peur.

Billie ne se présenta pas à son rendez-vous suivant. Quand elle revint, le thérapeute mentionna qu'elle avait peut-être manqué son dernier rendez-vous parce qu'elle n'avait pas aimé le rapprochement qu'il avait fait entre sa mère et sa phobie des araignées. Billie sauta ses deux rendez-vous suivants. Enfin, quand elle se présenta, elle était prête à faire face à la situation.

— Très bien, commença-t-elle, j'ai une phobie. De toute façon, qu'est-ce qu'une phobie? Comment cela fonctionne-t-il?

Les phobies sont le résultat d'un déplacement, lui expliqua son thérapeute. Elles se produisent lorsque les peurs normales, ou les répulsions, sont reportées sur autre chose. On emploie ce déplacement défensif quand on ne veut pas reconnaître l'objet premier de cette peur ou de cette répulsion. Dans le cas de Billie, elle ne voulait pas reconnaître que sa mère fût mauvaise. C'était naturel. Quel enfant admettrait que sa mère soit méchante ou destructrice? Comme tous les autres enfants, Billie voulait croire que sa mère l'aimait, que sa mère était bonne, douce et fiable. Mais, pour ce faire, elle devait se débarrasser de la peur et de la répulsion qu'elle éprouvait instinctivement envers le "mal" de sa mère. Elle y parvenait en reportant cette peur et cette répulsion sur les araignées. Les araignées étaient mauvaises, non pas sa mère.

- Ma mère n'est pas mauvaise, proclama Billie.

C'était vrai que sa mère n'était pas enthousiaste devant ses désirs d'indépendance et qu'elle se servait de toutes sortes de ruses et d'artifices pour l'empêcher d'avoir une vie distincte. Mais, ce n'était pas par méchanceté; c'était plutôt parce qu'elle était seule. Billie connaissait ça, la solitude. C'est terrible de se sentir seule. C'est humain, également. Les humains sont des êtres sociaux: ils ont besoin les uns des autres. Sa mère s'accrochait à elle non pas parce qu'elle était mauvaise, mais parce qu'elle était humaine.

- La solitude est humaine, répondit le thérapeute, mais l'incapacité de la tolérer n'est guère une partie essentielle de la condition humaine.

Il poursuivit en lui expliquant que c'était le devoir des parents d'aider leurs enfants à devenir indépendants et autonomes. Pour réussir, les parents devaient absolument endurer leur propre solitude afin de permettre éventuellement à leurs enfants de partir, et même les y encourager. User de dissuasion pour empêcher cette séparation ne fait pas que confirmer l'échec des parents, mais c'est également sacrifier la croissance de l'enfant aux propres désirs de parents égocentriques et manquant de maturité. Cette attitude est destructrice. Oui, pensait-il, c'était mal. Billie avait raison d'avoir peur de sa mère.

Lentement, Billie commença à voir la réalité; plus elle regardait, plus elle ouvrait les yeux. Elle se mit à découvrir une foule de petites manoeuvres subtiles que sa mère employait pour garder la main haute sur son esprit. Un soir, Billie écrivit dans son album:

L'équivoque et la culpabilité
Peuvent vraiment rendre quelqu'un fou,

Tu m'as envoyé mon linge propre,
Que tu as toi-même lavé.
A l'intérieur tu as déposé
La première feuille jaunie de l'automne.

Manipulation? Culpabilité?
...ta méthode est efficace.

Malgré tout, il y avait peu de changements. Billie avait maintenant vingt-trois ans. Elle dormait presque toujours dans la maison paternelle et passait la plupart de son temps libre avec sa mère. Bien qu'en retard pour me verser mes honoraires, elle dépensait une grande partie de son salaire hebdomadaire pour amener sa mère dîner dans les meilleurs restaurants de la région. Ses relations avec les hommes restaient toujours les mêmes: coup de foudre, cramponnement, suffocation, rupture, recherche frénétique, nouveau coup de foudre, homme après homme, encore et encore. En outre, elle avait toujours aussi peur des araignées. La partie la plus difficile restait à venir.

- Rien n'arrive, se plaignit-elle un jour.

- C'est ce que je pense également, répondit le thérapeute.

- Eh bien, pourquoi pas? continua Billie. Ma thérapie dure depuis sept ans. Que diable! Que faut-il faire de plus?

- Il faut découvrir pourquoi vous avez encore peur des araignées.

- J'ai découvert que ma mère est une araignée, répliqua Billie.

- Alors, pourquoi continuez-vous à aller chez elle, à vous jeter dans sa toile?

- Vous savez, je suis seule comme elle.

Son thérapeute la regarda. Il espéra qu'elle fût préparée.

- Donc, vous êtes en partie araignée, comme elle, dit-il.

Billie sanglota durant tout le reste de la session. Mais elle fut ponctuelle à son rendez-vous suivant; elle avait même hâte d'entreprendre le travail pénible qui restait à faire. C'était exact, elle se sentait parfois telle une araignée. Quand les hommes voulaient la quitter, elle s'accrochait à eux, comme sa mère le faisait avec elle. Elle détestait les voir partir. Elle se fichait de leurs sentiments. Elle se fichait d'eux. Elle les voulait pour elle-même. Oui, c'était semblable à quelque chose de mauvais en elle, une envie forte et mauvaise, une mauvaise partie d'elle-même prenant le dessus. La phobie des araignées l'avait aidée non seulement à refuser la méchanceté de sa mère, mais elle s'en était également servi pour nier le mal en elle-même.

Tout était si connecté et entrelacé. Elle venait de s'identifier à sa mère. Elles se ressemblaient tellement! Comment pouvait-elle combattre le mal chez sa mère sans se combattrre elle-même en même temps? Comment pouvait-elle blâmer sa mère de vouloir la retenir sans se condamner elle-même pour son refus de tolérer sa propre solitude? Comment pouvait-elle s'empêcher de vouloir attraper des hommes dans sa propre toile, des hommes qui devraient être libres, droits et forts, comme elle devrait être libre, droite et forte? Le problème n'était plus de se sortir de la poigne de sa mère, puisque son individualité était si semblable à la sienne; son problème était de se libérer d'elle-même. Au nom du ciel, comment y arriver?

Billie réussira. Au nom de Dieu ou au nom de son moi véritable, elle commence en quelque sorte à se séparer de sa mère, à se défaire une fois pour toutes de cette relation symbiotique. Dans son album de cuir, elle écrivait récemment:

C'est renversant à quel point ta maladie
Eclate en moi à tous moments,
Devient partie de mon être, sans que
Je ne le sache vraiment.
Si difficile de combattre un ennemi
Que l'on ne peut voir;

Si terrible de te savoir en moi
Si incrustée dans mes pensées et mes sentiments

Que c'est indiscernable

De moi.

C'est moi.

Je me sens comme une mulâtresse membre
Du Ku Klux Klan,
Haïssant l'essence même d'une partie de moi,
Travaillant à extirper une partie de moi-même.

Voilà probablement la chose la plus difficile
Que je ferai jamais.
Je me sens parfois tellement non naturelle.

Je me demande souvent pourquoi
Je devins si différente de toi;
Avoir la volonté de vouloir être
Différente de toi.
Il semble que Billie commence à briser ses liens.

4

CHARLENE:
UN CAS PÉDAGOGIQUE

J'ai souligné jusqu'à quel point il est difficile d'analyser les gens mauvais en profondeur à cause de leur penchant naturel pour éviter la lumière. Reniant leurs imperfections, ils évitent les examens de conscience et toutes les autres situations où ils seraient susceptibles d'être examinés de près par d'autres. Pourtant, il sera question dans ce chapitre d'une femme qui, d'apparence mauvaise jusqu'à un certain degré, ne se soumit pas moins à une psychothérapie psychanalytique approfondie.

C'est un cas rare, mais il n'est pas unique. J'ai moi-même entrepris de pareils traitements et j'ai dirigé des thérapeutes travaillant dans des circonstances remarquablement similaires. Chaque fois, quoique longue, la thérapie fut un échec.

Ce n'est pas agréable d'échouer; cependant, l'expérience peut être extrêmement enrichissante non seulement en psychothérapie, mais aussi dans la vie courante. Nous apprenons probablement plus de nos échecs que de nos réussites. Nulle patiente ne m'a jamais appris autant que celle que je vais décrire, et j'espère que mon exposé sera utile à d'autres. En cherchant à découvrir pourquoi d'abord elle s'engagea dans une démarche thérapeutique, pourquoi elle persista pendant quelque quatre cents séances et pouquoi elle essuya un échec total, nous parviendrons peut-être à une compréhension

161

suffisante pour aider toutes les Charlene du monde.

La confusion initiale

Au début, Charlene n'avait rien de particulièrement inusité. Elle vint me voir à l'âge de trente-cinq ans, se plaignant d'une dépression à la suite d'une rupture sentimentale. Sa dépression ne m'a pas semblée grave.

Elle était menue, attrayante sans être d'une beauté frappante. Très intelligente, elle avait aussi un bon sens de l'humour. Par contre, il était clair qu'elle réussissait mal dans la vie. Pour des raisons initialement vagues, on l'avait coulée à maintes reprises dans un collège par ailleurs peu exigeant. Néanmoins, après qu'elle eût fait ses preuves pendant un an à titre de volontaire, l'Eglise épiscopale l'avait engagée comme directrice de la formation religieuse. Six mois plus tard, le pasteur la renvoya, par caprice selon elle. Mais la même chose se répéta. Elle perdit sept autres emplois avant de dénicher le poste de standardiste qu'elle occupait quand elle vint me voir. Également, sa rupture récente avec son ami n'était que le dernier d'une longue série d'échecs consécutifs. En réalité, Charlene n'avait pas d'amis véritables.

D'habitude, les gens viennent en thérapie à la suite d'une faillite ou d'une autre, et les pauvres rendements de Charlene n'avaient rien de particulier. J'étais loin de savoir qu'elle serait la patiente la plus "détestable" que j'aurais jamais.

En sondant son passé, je me rendis compte que Charlene ne se faisait pas d'illusions sur ses parents. Ils ne lui avaient rien donné si ce n'est beaucoup d'argent. Trop préoccupé par la fortune qu'il avait reçu en héritage, son père l'avait complètement mise de côté, ainsi que sa soeur Edith. La mère, membre fanatique de l'église épiscopale, ne cessait de prononcer le nom de Jésus et ne cachait nullement pas sa haine pour son mari. "Mes filles, si vous n'y étiez pas, je l'aurais quitté depuis longtemps," proclamait-elle au moins une fois par semaine. "Naturellement," disait Charlene ironiquement, "Edie et moi ne sommes plus à la maison depuis dix ans et elle n'est pas encore partie."

162

Edie était devenue lesbienne. Charlene se disait bisexuée. Edie réussissait bien dans le monde bancaire, mais elle n'était pas heureuse. Quant à Charlene, elle n'hésitait pas à blâmer ses parents chaque fois qu'elle affrontait un problème. "Ils m'ont vraiment flouée," disait-elle. "Mon père ne pense qu'à ses placements, ma mère à ses chimères et son missel." Ses parents me semblaient sûrement négligents, déplaisants même et mauvais.

Beaucoup de patients ont de mauvais parents. Malgré sa confession religieuse, Charlene ne faisait pas exception. Après avoir perdu son travail à l'église, Charlene s'était graduellement engagée dans une espèce de secte fondée sur un salmigondis d'hindouisme, de bouddhisme, de christianisme et de théologie ésotérique, le tout assaisonné d'une croyance dans les "vibrations amoureuses de la méditation." Ces cultes poussent comme des champignons, mais celui-ci n'encourageait ni le fanatisme ni la dépendance. Son choix était à prévoir considérant le mauvais usage du christianisme que faisait sa mère, et sa propre colère contre le pasteur qui l'avait congédiée.

Toutefois, ce qui la distinguait par-dessus tout, c'était mon indécision dans mes rapports avec elle. En général, après cinq ou six heures de thérapie avec un patient, le thérapeute a une compréhension au moins superficielle de ses problèmes. Après quarante-huit séances avec Charlene, je n'avais pas encore la moindre idée de ce qui n'allait pas. C'est vrai qu'elle était sous-accomplie, mais je ne savais pas pourquoi.

Déçu, je dressai une liste mentale de tous les diagnostics possibles et lui posai des questions très spécifiques. Entre autres choses, je me demandai si elle ne souffrait pas d'une névrose obsessionnelle compulsive. Je l'interrogeai sur tous les symptômes de cette maladie, y compris le comportement ritualiste. Charlene me comprenait parfaitement. Elle me décrivit avec beaucoup d'enthousiasme plusieurs petites cérémonies auxquelles elle avait participé au début de son adolescence, période favorable, presque normale, pour ce genre d'activités. Il lui fallait placer sa chambre d'une certaine manière, suivant un rituel précis, avant de pouvoir dormir confortablement. Quand elle était enfant, on lui avait raconté que les soldats devaient faire leur lit de sorte que le sergent instructeur puisse y faire rebondir une pièce de vingt-cinq sous. Alors, à treize et quatorze ans, Charlene faisait rebondir une pièce de vingt-cinq sous sur son lit chaque matin, avant même de se brosser les dents. "A quinze ans," ajouta-t-elle, "j'ai compris que ces gestes n'étaient que des pertes de temps et je cessai de les faire. Je n'ai pas suivi d'autres rituels depuis." J'étais encore dans un cul-de-sac, et j'y restai pendant trente-six autres sessions avant d'avoir une vague idée sur le caractère de Charlene.

Après neuf mois de thérapie, quand elle me tendit un chèque couvrant le mois précédent, j'ai constaté qu'il était tiré sur une nouvelle banque.

- Vous avez changé de banque? lui demandai-je en passant.

- Oui, j'ai dû changer, confirma Charlene.

- Vous avez dû? Je dressai les oreilles.

- Oui. J'ai manqué de chèques.

- Vous avez manqué de chèques? répétai-je, bêtement.

- Oui. Vous n'avez pas remarqué? Charlene semblait froissée. Tous mes chèques portaient des dessins différents.

- Non, je n'avais pas remarqué, ai-je avoué. Mais, quel est le rapport avec votre changement de banque?

- Vous n'êtes pas si rapide, n'est-ce pas? riposta Charlene. Ils ont manqué de dessins à mon ancienne banque, et j'ai dû ouvrir un compte ailleurs pour en avoir des nouveaux.

- Pourquoi vous faut-il des nouveaux dessins chaque fois? lui demandai-je, plus confus que jamais.

- Parce que c'est une offrande d'amour.

- Une offrande d'amour? ai-je répété encore une fois, dérouté.

- Oui. Chaque fois que je rédige un chèque pour quelqu'un, je me demande quelle est l'image qui convient le plus à cette personne à ce moment-là. C'est une question de vibrations, vous voyez. Je me mets au diapason de ses vibrations amoureuses et je fais mon choix. Je n'aime pas donner le même dessin deux fois à la même personne et j'avais épuisé les huit reproductions de mon ancienne banque. En réalité, c'est à cause de vous que j'ai dû changer de banque car c'est le neuvième chèque que je vous donne. De toute façon, il me fallait changer quand même à cause de la compagnie d'électricité; mais ces gens sont si impersonnels. Ce n'est pas facile de capter les vibrations d'une compagnie d'électricité.

J'étais ahuri. Peut-être aurais-je dû m'emparer sur-le-champ de son allusion aux "vibrations amoureuses." J'étais écrasé par le caractère bizarre de cette interaction bénigne mais persistante.

- Cela me semble un rituel, fut mon seul commentaire.
- Oui, je suppose.
- Mais, vous m'avez dit que n'aviez plus de rituels.
- Oh! J'ai beaucoup de rituels, répondit Charlene gaiement.

Et elle en avait! Durant les prochaines séances, elle me raconta des douzaines de rituels. Tout ce qu'elle faisait se rapportait plus ou moins à un rituel quelconque. Il devint très évident que Charlene souffrait d'un désordre obsessionnel compulsif.

- Il y a quatre mois, lui demandai-je, pourquoi m'avez-vous dit que vous n'aviez plus de rituels alors que vous en avez des douzaines?
- Je n'avais pas envie de vous le dire. Je n'avais peut-être pas assez confiance en vous.
- Vous m'avez menti.
- Naturellement.
- Pourquoi me payer cinquante dollars l'heure pour que je vous aide, et ensuite me mentir pour que je ne sache plus quoi faire? lui demandai-je.

Charlene prit un air coquin.

- Je ne vous dirai rien avant que vous ne soyez prêt à l'apprendre, répondit-elle.

Elle avait enfin "avoué" ses rituels et j'espérais qu'elle s'ouvrirait de plus en plus afin que la lumière se fasse sur ses problèmes. Mais, ce n'est pas ce qui arriva. Ce n'est que graduellement que je compris qu'elle était une "personne du mensonge." Bien qu'elle me dévoilât bon gré mal gré quelques aspects d'elle-même au cours des mois et des années qui suivirent, Charlene n'en demeura pas moins très énigmatique et moi, confus. C'est ce qu'elle voulait. Elle continua de me cacher des informations jusqu'à la fin pour nulle autre raison que celle de garder le contrôle de sa démarche. Moins je la comprenais, plus j'éprouvais une crainte révérentielle de son enchevêtrement fondamental.

L'un ou l'autre: enfant ou adulte

Bientôt après avoir levé le voile sur ses rituels, Charlene me révéla autre chose: son désir intense pour moi.

Au début, je n'en fus pas étonné. J'étais attaché à Charlene. Elle respectait tous ses rendez-vous et me payait rubis sur l'ongle, vraisemblablement à cause d'un profond désir de s'épanouir. Quant à moi, je voulais récompenser ses efforts par les miens. J'étais profondément touché par tout ce qu'elle disait et tout ce qui lui arrivait. C'est normal qu'un patient, ou une patiente, s'attache romantiquement à son thérapeute, surtout si celui-ci est du sexe opposé et se montre attentif. Particulièrement si ce patient n'a pas réussi dans son enfance à surmonter un complexe d'Oedipe.

Tous les enfants en bonne santé éprouvent un désir sexuel pour un parent du sexe opposé. Ce désir s'appelle le "Complexe d'Oedipe" et il atteint son point culminant vers l'âge de quatre ou cinq ans. Il place l'enfant dans une situation redoutable. L'amour romantique d'un enfant pour son parent est un amour sans espoir. L'enfant dira à son parent: "Je sais que tu me dis que je ne peux faire l'amour avec toi parce que je ne suis qu'un enfant, mais regarde-moi agir comme un adulte et tu changeras d'opinion." Ce comportement d'adulte demande une dose énorme d'énergie que l'enfant ne peut supporter à longue échéance. Il devient épuisé. Le dilemme est finalement résolu lorsque, poussé à bout, l'enfant admet qu'il n'est qu'un enfant qui ne peut et ne veut plus donner l'apparence d'être un adulte. Ce faisant, l'enfant se rend également compte qu'il ne peut être deux choses à la fois: le partenaire sexuel de son parent en même temps qu'un enfant. Par conséquent, il choisit ses avantages d'enfant et renonce à sa sexualité prématurée.(45) Son complexe d'Oedipe est résolu. Chacun pousse un soupir de soulagement, surtout l'enfant qui devient visiblement plus heureux et plus détendu.

En psychothérapie, le patient adulte qui ne s'est pas débarrassé de son complexe d'Oedipe durant son enfance, se voit essentiellement aux prises avec des sentiments semblables envers son thérapeute. Il faut alors qu'il renonce à faire un objet sexuel de son thérapeute et se contente d'être son enfant symbolique. Alors, tout rentrera dans l'ordre. Le malade peut se détendre et se réjouir des soins parentaux du thérapeute. Ainsi libéré d'entraves, il bénéficiera de l'amour et de la sagesse du thérapeute.

Ce n'est pas ce qui se produisit entre Charlene et moi.

La première indication que cette phase du traitement ne progressait pas, fut un sentiment croissant de répulsion que j'éprouvai à son endroit. C'était très exceptionnel dans mon cas. Quand une femme attrayante se met à me désirer, ma seule attitude est de m'appliquer à ne pas lui rendre la pareille. J'éprouverai pour elle mes propres sentiments et fantasmes sexuels, mais je ferai le nécessaire pour que ceux-ci ne nuisent ni à mon jugement ni à mon rôle de thérapeute. Habituellement, c'est sûr que je me sens chaleureux envers les malades qui me confient leur amour.

Pourtant, ce ne fut pas le cas avec Charlene. Je ne ressentais pas de fantasmes sexuels concrets pour elle. Au contraire, la seule pensée d'une relation sexuelle avec elle me donnait la nausée. La notion du moindre toucher inoffensif m'était indigeste. Je ne m'améliorai pas de ce côté-là. Plus le temps passait, plus j'avais le désir intense de me tenir loin d'elle.

Mon sentiment croissant de répulsion n'était pas nécessairement une réaction sexuelle et je n'étais pas le seul à subir cette répulsion. Une autre patiente, une femme très perspicace et intelligente, me demanda un jour au début d'une session:

- Vous savez, cette femme qui me précède?

Je fis signe que oui. Il s'agissait de Charlene.

- Eh bien! Elle me donne la frousse. Je ne sais pas pourquoi; je ne lui ai jamais parlé. Elle entre dans la salle d'attente, prend son manteau et s'en va. Elle ne m'a jamais dit un mot, mais elle me fait peur.

- C'est peut-être parce qu'elle n'est pas amicale.

- Non. Je préfère ne pas parler aux autres patients. Il y a autre chose. C'est comme ... je ne sais pas comment dire ... c'est comme s'il y avait quelque chose de mauvais en elle.

- Elle n'a pas l'air bizarre, n'est-ce pas? lui demandai-je, fasciné.

- Non, elle a l'air d'une personne ordinaire. Elle est bien vêtue. C'est peut-être une professionnelle. Mais, quelque chose chez elle me donne la frousse. Je ne peux mettre le doigt dessus. Si j'ai jamais rencontré une seule personne mauvaise dans ma vie, c'est celle-là.

Que mon sentiment de répulsion ait été sexuel ou non, le comportement sexuel de Charlene au cours de nos rencontres était tout à fait extraordinaire. D'habitude, quand une patiente éprouve de l'affection pour moi, elle est embarrassée au début, cachottière même. Non pas Charlene. Elle, qui me cachait continuellement tant de renseignements, étalait ses intentions séductrices effrontément.

- Vous êtes froid, accusa-t-elle. Pourquoi ne me prenez-vous pas dans vos bras?

- Je vous tiendrais dans mes bras si vous aviez besoin de réconfort, répondis-je. Mais, votre désir est un désir sexuel.

- Vous coupez encore les cheveux en quatre, s'écria-t-elle. Quelle différence y a-t-il si je veux être réconfortée sexuellement ou autrement? D'une manière ou de l'autre, j'ai besoin de réconfort.

- Vous n'avez pas besoin d'une relation sexuelle avec moi, essayai-je de lui faire comprendre pour la centième fois. Vous pouvez facilement avoir ce genre de relations ailleurs. Vous me payez pour des services un peu plus exclusifs.

- Je crois que vous ne ressentez rien du tout pour moi. Vous êtes froid et distant. Vous n'êtes pas chaleureux. Je ne vois pas comment vous pourriez m'aider si vous n'éprouvez aucune chaleur envers moi.

C'est ce que je commençais à me demander moi-même. Je me demandais continuellement si j'étais le bon thérapeute pour Charlene.

Le désir que Charlene éprouvait pour moi avait aussi un côté illicite, sournois, envahisseur. En été, elle avait pris l'habitude d'arriver tôt pour ses rendez-vous et de s'asseoir dans notre jardin. Je lui aurais accordé ma permission de bon gré si elle me l'avait demandée, car j'aime que les gens apprécient les fleurs qui sont notre passe-temps favori, à ma femme et moi. Cependant, elle ne me l'a jamais demandée. Plusieurs soirs, alors que nous n'avions pas rendez-vous, je l'ai aperçue à l'extérieur, bien assise dans son automobile en train d'écouter de la musique douce dans l'obscurité. J'en avais le frisson. Quand je l'interrogeai à ce sujet, elle me répondit simplement: "Vous êtes l'homme que j'aime. C'est normal de vouloir être près de celui qu'on aime."

Un autre jour où nous n'avions pas rendez-vous, j'entrai dans notre bibliothèque et la vit qui lisait un de mes livres. Je lui demandai ce qu'elle faisait là.

- C'est une salle d'attente, n'est-ce pas? répondit-elle.

- C'est une salle d'attente quand vous avez un rendez-vous; mais, quand je ne reçois pas de patients, c'est une partie privée de ma maison.

- Eh bien, en ce qui me concerne, c'est une salle d'attente, fit Charlene, le plus flegmatiquement du monde. Quand vous avez votre bureau dans votre maison, il faut vous attendre à perdre un peu de votre intimité.

Je m'assurai qu'elle n'avait pas un besoin urgent de me rencontrer et je dus pratiquement lui donner l'ordre de partir. Plus que jamais dans ma vie, je pus me faire une idée personnelle de ce qu'une femme pouvait ressentir aux prises avec des avances non sollicitées, ou devant une menace de viol. En effet, à deux reprises vers la fin d'une séance, Charlene s'empara de moi et essaya de m'étreindre avant que je ne la repousse.

L'une des raisons principales pour lesquelles les enfants ne peuvent résoudre leur complexe d'Oedipe, c'est qu'ils n'ont pas connu suffisamment d'attention et d'amour parental avant l'âge de quatre ans, âge qui précède le complexe d'Oedipe. Résoudre ce complexe peut se comparer à bâtir le premier étage d'une maison. Il faut d'abord construire la fondation. Plusieurs indices me laissaient supposer que Charlene avait été émotionnellement dépourvue dès le départ. Sa mère était nettement une femme égoïste. Charlene ne se souvenait pas que l'un ou l'autre de ses parents l'ait tenue dans ses bras. Elle rêvait souvent à des seins. Elle se conformait rituellement aux étranges lois alimentaires de son culte, ce qui la plongeait dans une recherche constante d'aliments organiques bizarres; de plus, quand elle dînait avec d'autres, il fallait toujours qu'elle mange quelque chose de différent, une nourriture spéciale. Pour employer des termes psychanalytiques, le problème le plus profond de Charlene n'était pas un complexe d'Oedipe non résolu, mais une obsession buccale "pré-oedipale."

En réalité, l'envie qu'avait Charlene de me toucher et d'être touchée par moi était un ardent besoin de soins maternels, un désir de caresses inconditionnelles qu'elle n'avait jamais reçues. Je considérais son désir de contacts physiques comme répugnant et menaçant. Pourtant, n'était-ce pas exactement ce dont elle avait un besoin désespéré? Pour la guérir, n'aurais-je pas dû précisément faire ce qui me déplaisait au plus haut point? N'aurais-je pas dû asseoir Charlene sur mes genoux, l'étreindre, l'embrasser et la caresser jusqu'à ce qu'elle trouve la paix d'esprit?

Peut-être que oui et peut-être que non. J'y ai pensé sérieusement et j'ai compris une chose. Je me suis rendu compte qu'aurais-je consenti à la traiter comme un bébé malade et affamé, elle n'aurait pas été prête à recevoir ce genre de traitement. Vis-à-vis de moi, elle n'aurait pas accepté le rôle d'un enfant, encore moins celui d'un bébé. Mon refus de la toucher provenait de son insistance que ces touchers soient d'ordre sexuel. Elle ne se voyait pas comme une enfant affamée, mais comme une adulte en rut. A maintes reprises, j'ai essayé par plusieurs moyens, y compris l'utilisation du divan, de lui faire adopter envers moi une attitude plus passive, plus confiante et plus puérile. Toutes mes tentatives échouèrent. Charlene insista pour tout contrôler durant ses quatre années de thérapie avec moi. Pour agir en enfant, il eût fallu qu'elle me confie les guides, qu'elle me permette de la soigner comme un parent, sans insister pour que je me charge de ses besoins sexuels. Ce n'est pas ce qu'elle voulait. Elle voulait tenir les rênes en tout temps.

Dans un cadre psychanalytique, la guérison en profondeur exige que le patient recule quelque peu, quelque part. C'est une exigence pénible et effrayante. Il n'est pas facile pour des adultes qui sont habitués à leur indépendance et à tous les signes psychologiques de leur maturité, de redevenir des enfants, dépendants et si vulnérables. Plus le problème du malade est profond, plus son enfance a été affamante, rude et blessante, plus difficile lui est-il de redevenir enfant dans le contexte d'une relation thérapeutique. C'est comme mourir et, pourtant, c'est possible. Ceci fait, la guérison s'ensuivra. Sinon, la fondation ne peut être reconstruite. Pas de guérison sans régression; c'est aussi simple que ça.

S'il me fallait pointer du doigt une seule cause qui empêcha la guérison de Charlene au cours des longues années que nous avons passées ensemble, j'insisterais sur son défaut de régresser. Quand un patient réussit à régresser, son comportement en thérapie prend une toute autre tournure. Il acquiert une paix d'esprit qu'il n'a jamais connue auparavant. Il manifeste une certaine confiance naïve qui peut s'envoler à tout moment, mais que l'on peut recréer assez facilement. Les rapports entre le patient et le thérapeute deviennent non seulement plus coulants, mais aussi plus enjoués et joyeux. C'est l'entente cordiale entre un parent et son enfant. Si Charlene avait connu cette régression, et si le besoin s'était fait sentir, je suis convaincu que je l'aurais prise sur mes genoux et lui aurais donné tout ce qu'elle voulait. Ce n'est pas ce qui arriva. Bien que toujours enfant dans son for intérieur, il n'y avait rien en elle d'innocent ni de vraiment confiant. Elle continua jusqu'à la fin de se comporter comme un adulte à l'affût.

- Je ne vois pas toujours pourquoi, me dit Charlene après trois ans de thérapie.

- Vous ne voyez pas quoi? demandai-je.

- Je ne vois pas pourquoi un enfant ne pourrait pas faire l'amour avec ses parents.

Patiemment, je lui expliquai encore une fois que c'est le devoir des parents d'enseigner aux enfants à être indépendants; qu'une relation incestueuse retarde toujours l'émancipation.

- Ce ne serait pas de l'inceste, fit Charlene. Vous n'êtes pas mon père.

- Je ne suis pas votre père réel, mais mon rôle de thérapeute est un rôle de père. Mon job est de vous aider, non

171

pas de satisfaire vos besoins sexuels. Vous trouverez du sexe ailleurs, dans votre milieu.

- Mais vous êtes mon milieu, s'écria-t-elle.

- Charlene, vous êtes ma patiente. Vous avez toutes sortes de problèmes qui ont besoin d'être corrigés et je veux vous aider à le faire. Je ne veux pas coucher avec vous.

- Même si je suis votre patiente, je peux aussi être votre égale.

- Charlene, la vérité toute nue est que vous n'êtes pas mon égale. Vous ne pourriez pas conserver un poste de domestique plus de quelques mois. Vous vous égarez en pleine lumière du jour. Psychologiquement, vous n'êtes qu'un bébé. C'est normal pour vous car vous avez eu des parents dégueulasses et vous avez mille excuses pour être encore une enfant. Mais, cessez de prétendre que vous êtes ma semblable. Détendez-vous et essayer de profiter de mes soins parentaux. C'est comme ça que je veux vous aimer. Je vous en prie, n'essayez plus de me conquérir sexuellement. Abandonnez cette idée, Charlene.

- Je ne lâcherai pas. Je vous veux et je vous aurai.

Même si ses intentions à mon égard n'auraient pu être plus flagrantes, je considérais toujours ses avances comme fondamentalement malhonnêtes. Sous le prétexte de vouloir du sexe, elle cherchait à se faire nourrir au sein. Elle cherchait de la nourriture infantile sous des apparences de sexualité adulte. Il ne s'agit pas d'un phénomène rare, sauf que Charlene refusait fermement de laisser tomber son masque. Encore et encore, je lui dis d'une façon ou d'une autre:

- En réalité, vous voulez que je vous serve de mère. C'est O.K. C'est bien. J'aimerais le faire. Vous en avez besoin. En vérité, vous le méritez. Vous en avez été privée dans le passé et vous méritez une compensation. Oubliez la question du sexe. Vous n'êtes pas prête. Vous êtes trop jeune. Détendez-vous. Couchez-vous et appréciez la chaleur que je peux vous donner. Laissez-moi vous alimenter.

Elle refusait. En quelque sorte, elle craignait que mon offre ne soit un piège, comme l'amour maternel de son enfance. Si sa résistance n'avait été que le résultat de cette peur, j'aurais pu vraisemblablement m'en occuper et la vaincre; mais, le problème de puissance absolue était plus grave. Ce n'était pas tellement sa crainte de m'accorder trop de pouvoir parental; c'était plutôt son refus de perdre ses propres pouvoirs, pour n'importe quelle raison. Elle voulait être guérie, mais ne voulait rien perdre, ne rien céder. C'est comme si elle m'avait demandé: "Guérissez-moi, mais ne me changez pas." Elle voulait être nourrie et demeurer patronne de la nourrice.(46)

Quand Charlene me réprimandait pour mon manque de chaleur et mon refus de l'étreindre, elle ne cessait de dire: "Je vous demande seulement de m'aider à m'affirmer. Comment puis-je être guérie par un thérapeute qui ne veut même pas me soutenir?" Le mot était important. L'affirmation d'un enfant est l'essence même de l'amour maternel. Une mère normale et en santé aime son nouveau-né pour nulle autre raison que son existence. Son enfant n'a rien à faire pour mériter son amour. Il n'a pas de conditions à remplir. Elle aime son bébé pour lui-même, tel qu'il est. Cet amour est une déclaration d'affirmation; elle signifie: "Tu représentes une valeur immense simplement parce que tu existes."

Au cours des deuxième et troisième années de la vie d'un poupon, sa mère se met à avoir certaines exigences, comme la propreté d'évacuation, par exemple. Quand l'enfant y arrive, l'amour de la mère devient plus ou moins conditionnel. Elle commence à dire: "Je t'aime, mais ..." "Mais ... j'aimerais que tu cesses de briser mes livres." "Mais ... j'aimerais que tu ne tires plus sur le cordon de la lampe de table." "Mais ... j'aimerais que tu t'assoies sur ton petit pot pour que je n'aie plus de couches à laver." L'enfant apprend les mots "bon" et "mauvais." Et il apprend que pour continuer de s'affirmer à sa juste mesure, il lui faut maintenant être un bon enfant. Il doit mériter de pouvoir s'affirmer et, dorénavant, il en sera toujours ainsi. L'époque de son affirmation inconditionnelle n'aura duré que le temps de sa petite enfance. En qualité d'adultes "psychologiques," nous avons tous plus ou moins appris que pour être aimés nous devons être aimables.

Parmi les éléments-clés du comportement de Charlene, il y avait ses demandes, disons plutôt ses exigences, que je l'aime malgré sa conduite, que je la fasse valoir non seulement pour ce qu'elle pouvait devenir, mais pour ce qu'elle était, avec sa maladie et tout. Ce faisant, je lui donnerais ce qu'elle attendait de moi: l'amour d'une mère pour son nouveau-né, cet amour inébranlable et inconditionnel que l'on ne rencontre que durant la petite enfance. Il ne faut pas s'étonner qu'il en eût été ainsi puisque nous avions la conviction que, durant son enfance, elle n'avait par reçu cet amour valorisant que tout enfant devrait recevoir en héritage. On lui avait volé cet héritage et j'étais dans l'impossibilité de le lui rendre. Elle demandait que je l'aime sans condition comme une adulte malade. Elle insistait pour que je l'aime comme une mère aime son bébé, mais elle insistait en même temps pour que je la traite comme une adulte, d'égal à égal. Ne fût-ce que pour cette seule raison, je ne pouvais me rendre à ses désirs car elle me demandait de valoriser sa maladie.(47) Charlene ne voulait pas être guérie. Elle ne voulait pas changer, elle voulait être aimée avec sa névrose et tout le reste. Bien qu'elle ne l'eût jamais avoué, je m'aperçus nettement que Charlene continuait sa thérapie dans l'intention d'obtenir mon amour *sans thérapie*, c'est-à-dire d'avoir mon amour et sa névrose à la fois, d'avoir le beurre et l'argent du beurre.

Elle-même était la loi

À ce moment, l'obstination de Charlene était devenue évidente. Mais, l'intensité de cet entêtement ne se précisa que durant la troisième année de sa thérapie, quand je découvris qu'elle souffrait d'autisme.

La santé mentale exige que la volonté humaine soit soumise à quelque chose de supérieur. Pour bien fonctionner dans notre monde, nous devons nous soumettre à des principes qui l'emportent sur ce que nous voulons. Dieu est le principe de l'individu religieux. Il dira: "Que ta volonté soit faite, et non la mienne." Cependant, à la condition qu'ils soient sains d'esprit, les non religieux eux-mêmes, qu'ils le sachent ou pas, se soumettront à une "puissance supérieure": vérité ou amour, désirs d'autrui ou exigences de la réalité. Comme je le disais dans *Le chemin le moins fréquenté*(48): "La santé mentale est une démarche continue et respectueuse à tout prix de la réalité."

Le refus total de se soumettre à la réalité est de l'autisme. Ce mot vient de la racine grecque *auto*, signifiant "moi-même". Une personne autistique est inconsciente de certaines dimensions essentielles de la réalité; elle vit dans "son" univers, un univers dans lequel son moi est le maître absolu.

Quand je demandais à Charlene pourquoi elle voulait faire l'amour avec moi, sa réponse était toujours parfaitement simple: "Parce que je vous aime." Je l'interrogeais continuellement sur l'authenticité de cet amour, mais, dans son idée, il était hors de tout doute. A mes yeux, cependant, il était autistique. En me donnant un chèque portant une illustration différente chaque mois, elle pensait le faire *pour* moi. Dans son esprit, il y avait un rapport entre moi et le dessin sur son chèque. Ce rapport n'existait que dans son esprit. En réalité, je me fichais éperdument du dessin et des raisons qui en avaient motivé le choix.

Quant à elle, Charlene aimait tout le monde. Le culte dont elle faisait partie avait l'amour du genre humain comme principe premier. Charlene se voyait distribuant ses cadeaux et sa gentillesse partout où elle allait. Cependant, j'avais constaté que son amour excluait invariablement ma propre réalité. Par exemple, un soir d'hiver quelques minutes après la fin d'une session, je me fis un martini et me rendis dans mon salon dans le but de me permettre un rare moment de détente près du feu, tout en lisant mon courrier. J'entendis le bruit d'un moteur d'automobile qui refuse de partir. Je me dirigeai à l'extérieur. C'était Charlene.

- J'ignore ce qui ne va pas, dit-elle, il refuse de démarrer.

- Vous n'êtes pas en panne sèche?

- Non, je ne crois pas, répondit-elle.

- Vous ne croyez pas? Que dit l'indicateur d'essence?

- Oh! Il indique vide, fit-elle, gaiement.

J'aurais ri si je n'avais pas été ennuyé.

- S'il indique vide, qu'est-ce qui vous fait dire que vous ne manquez pas d'essence?

- Il indique toujours vide.

- Que voulez-vous dire par il indique toujours vide? lui

demandai-je. Est-il défectueux?

- Non. Du moins je ne le crois pas. Vous voyez, je n'achète jamais plus de quelques litres à la fois. De cette manière, je suis certaine de ne rien gaspiller. De plus, c'est amusant de deviner quand j'en aurai besoin. Je suis assez habile à ce jeu-là.

- Vous trompez-vous souvent? demandai-je, stupéfait par la découverte de ce nouveau rituel extraordinaire.

- Non, pas souvent. Trois ou quatre fois par année.

- Et je suppose qu'aujourd'hui n'est pas une de ces fois? remarquai-je avec une pointe d'ironie. Qu'allez-vous faire maintenant?

- Si vous me laissez entrer, je vais téléphoner à la compagnie de dépannage.

- Charlene, il est vingt et une heures et nous sommes à la campagne. Qu'est-ce que ces gens pourrront faire?

- Eh bien, ils viennent parfois la nuit. Par ailleurs, vous pourriez peut-être me passer un peu d'essence?

- Je vous assure que l'essence ne traîne pas autour de ma maison.

- Nous pourrions en siphonner de votre automobile, n'est-ce pas? demanda Charlene.

- Je suppose. Mais je n'ai pas de siphon.

- J'ai tout ce qu'il faut, répondit Charlene, brillamment. Je le garde dans le coffre. Je n'aime pas être prise de court.

Je partis à la recherche d'un seau et d'un entonnoir. Puis, j'installai son siphon et avalai une gorgée d'essence en amorçant l'opération. Je lui en donnai cinq litres. Son auto démarra sans problème et elle partit. J'étais transi quand je rentrai chez moi. Mon martini était tiède et dilué. J'avais un parfum d'essence dans la bouche. Je ne pus goûter rien d'autre de toute la soirée: le mauvais goût qu'elle m'avait littéralement laissé à la bouche.

Charlene revint deux jours plus tard pour sa séance suivante. Elle ne fit nullement allusion au dernier épisode. Finalement, je lui demandai ce qu'elle avait ressenti à la suite de ce qui était arrivé.

- Oh! J'ai cru que c'était sensationnel, répondit-elle. J'ai vraiment trouvé l'incident agréable.

176

- Agréable? voulus-je savoir.

- Certainement. C'était une sorte d'aventure que de siphonner de l'essence et de faire démarrer l'auto. Une aventure que nous avons vécue ensemble. Savez-vous que c'était la première fois que nous faisions quelque chose ensemble? C'était plaisant de travailler avec vous dans l'obscurité.

- Qu'est-ce que je ressentais, moi? demandai-je.

- Je ne sais pas. Je présume que vous aimiez ça?

- Qu'est-ce qui vous donne cette idée?

- Je ne sais pas. Vous n'avez pas aimé ça?

- Charlene, répliquai-je, n'avez-vous pas songé que j'avais autre chose à faire, ce soir-là, que vous aider à faire démarrer votre automobile? Quelque chose que j'aurais préféré faire?

- Non. Je crois que les gens aiment s'entraider. C'est ce que je crois. Et vous?

- Charlene, au cours de cet incident, n'avez-vous pas été le moindrement inconfortable ou embarrassée? Ne vous sentiez-vous pas mal à l'aise de vous en remettre à moi pour vous sortir d'un pétrin dont vous étiez la seule responsable?

- Ce n'était pas de ma faute.

- Non?

- Non, répondit Charlene catégoriquement. Il y avait moins d'essence dans l'auto que je ne l'avais cru. Ce n'était pas de ma faute. Vous pourriez dire que j'aurais dû être plus précise dans mon évaluation; en général, je le suis. Comme je vous ai dit, je ne me trompe que deux ou trois fois par année.

- Charlene, soulignai-je, je conduis depuis trois fois plus longtemps que vous et je n'ai jamais manqué d'essence.

- Bien, à ce qu'il paraît, une panne sèche est une catastrophe majeure à vos yeux. Vous êtes vraiment bouleversé. Ce n'est pas de ma faute si vous êtes si bouleversé.

J'abandonnai. A ce moment, j'étais trop fatigué pour me battre contre la forteresse imprenable de son inconscience. En ce qui la concernait, mes sentiments n'existaient même pas.

L'autisme est la forme ultime du narcissisme. Aux yeux d'un Narcisse authentique, les autres n'ont pas plus de réalité qu'un meuble. Les Narcisses n'ont que ce que Martin Buber appelle "une relation de moi à moi."(49) Je suis convaincu que Charlene pensait m'aimer vraiment, mais son "amour" était entièrement dans sa tête. Cet amour n'avait aucune réalité objective. Dans son idée, elle était un "flambeau sur le monde," distribuant la joie et le bonheur partout où elle passait. Cependant, tout ce que les autres et moi-même avons reçu d'elle, c'est le chaos et la confusion qu'elle laissait dans son sillage.

Charlene ne trébuchait pas sur les chaises, mais ce n'est pas que de moi seul et des autres qu'elle était inconsciente. Par exemple, elle s'égarait chaque fois qu'elle devait conduire sur la moindre distance. Ce symptôme m'a tenu dans le noir pendant très longtemps, sans doute parce que la réponse était trop évidente. Dès que je devins conscient de son autisme, le casse-tête fut facile. Un jour qu'elle se plaignait de s'être retrouvée à Newburgh, New York, alors qu'elle avait voulu se rendre dans la ville de New York, je suggérai:

- Vous avez peut-être manqué la sortie de la 84 vers la 684.

- C'est ça, s'écria Charlene, joyeusement. C'est la 684 que je voulais.

- Vous avez parcouru cette route un bon nombre de fois, et la sortie vers New York est nettement indiquée. Comment ne l'avez-vous pas vue?

- Eh bien! J'étais en train de fredonner une chanson et j'essayais de me souvenir des paroles.

- Vous avez donc manqué de concentration.

- C'est ce que je viens de vous dire, n'est-ce pas? fit Charlene, ennuyée.

- Puisque vous êtes toujours en train de vous perdre, persistai-je, le problème est peut-être toujours le même. Vous n'êtes peut-être pas attentive aux panneaux routiers.

- Je ne peux pas faire deux choses à la fois. Je ne peux me concentrer sur une chanson et sur la signalisation routière, en même temps.

- C'est exact, dis-je. Vous ne pouvez pas jouer votre chanson et compter faire danser le Ministre des Transports en même temps. Si vous ne voulez pas vous égarer, vous devrez vous occuper des indications. Si vous choisissez de vous perdre dans vos fantasmes, vous vous perdrez également dans la réalité. Je regrette, Charlene, mais on n'y peut rien.

Charlene sauta du divan.

- Cette session ne va pas dans le sens que je l'entendais, dit-elle froidement. Je n'ai pas l'intention de m'étendre ici pour écouter vos sermons. Je vous reverrai la semaine prochaine.

Ce n'était pas la première fois que Charlene mettait ainsi fin à une séance. Je plaidai quand même avec elle:

- Charlene, il vous reste encore la moitié de votre temps. Restez et essayons de trouver une solution. Il s'agit d'une question très importante.

J'entendis se refermer fermement la porte de mon bureau.

Je commençai alors à déchiffrer un autre des symptômes de Charlene: son incapacité de garder un emploi pendant plus de quelques mois. Durant nos deux années et demie ensemble, jusqu'à ce jour, Charlene avait occupé quatre postes différents, assaisonnés de longs intervalles de chômage. A la veille d'entreprendre un cinquième travail, je lui demandai:

- Etes-vous nerveuse?

Elle parut sincèrement surprise.

- Non, pourquoi le serais-je?

- Je serais nerveux avant de commencer un nouvel emploi, lui dis-je. Surtout si j'avais été renvoyé aussi souvent dans le passé. J'aurais peur d'échouer encore une fois. En réalité, je serais inquiet de m'engager dans un nouveau domaine sans en connaître les règles.

- Mais, je connais les règles, protesta Charlene.

Je la regardai, ébahi.

- Comment connaissez-vous les règles d'un emploi avant d'avoir commencé?

- C'est un travail d'aide dans une école publique pour les retardés. La dame qui m'a engagée m'a dit que les patients étaient comme des enfants. Je sais très bien comment prendre soin des enfants. Après tout, j'avais une soeur plus jeune et j'ai enseigné à l'école du dimanche, n'est-ce pas?

En explorant la question, je réalisai graduellement que Charlene n'était jamais nerveuse devant une nouvelle situation car elle connaissait toujours les règles à l'avance. Elle-même faisait ses règles. Que ses règles soient les siennes et non pas celles de son employeur ne semblait nullement l'importuner.

Non plus que le fait qu'il en résultât toujours de la confusion. En suivant ses règles établies d'avance sans se préoccuper de ce que désiraient ses employeurs, elle ne pouvait jamais comprendre pourquoi ses collègues se lassaient d'elle et, en très peu de temps, devenaient totalement rassasiés, sinon carrément furieux.

- Les gens sont si cruels, expliquait-elle.

Elle répétait sans cesse que j'étais cruel aussi. Charlene attachait beaucoup d'importance à la bonté.

La raison pour laquelle elle échoua au collège se précisa. Elle ne remettait jamais ses compositions dans les délais prévus, et quand elle le faisait, celles-ci portaient rarement sur le sujet désigné. Un psychologue chez qui je l'avais envoyée pour fins de consultation lui attribua un quotient intellectuel suffisant pour "éclairer le monde". Pourtant, elle s'était fait recaler dans un collège médiocre. J'essayai maintes fois de lui expliquer, parfois gentiment, parfois vigoureusement, à quel point son mépris d'autrui était à la source de ses échecs, et combien suicidaire était son narcissisme démésuré. Mais: "Le monde est trop implacable et cruel" fut sa remarque la plus voisine d'une admission.

Vers la fin de la thérapie, le mystère fut élucidé tant théologiquement que psychologiquement.

- Tout me semble dénué de sens, se plaignit un jour Charlene.

- Quelle est la signification de la vie? lui demandai-je feignant l'innocence.

- Comment le saurais-je? répondit-elle, visiblement irritée.

- Vous avez des convictions religieuses, poursuivis-je. Votre religion a sans doute quelque chose à dire sur le sens de la vie?

- Vous me tendez un piège, rétorqua Charlene.

- C'est vrai, opinai-je. J'essaie de vous amener à mieux voir votre problème. Quelle est l'opinion de votre religion sur le sens de la vie?

- Je ne suis pas chrétienne, déclara Charlene. Ma religion parle d'amour, non pas de signification.

- Que disent les Chrétiens sur le sens de la vie? Ce n'est

peut-être pas votre croyance, mais c'est quand même un modèle.

- Les modèles ne m'intéressent pas.

- Vous avez été élevée dans la foi chrétienne. Vous avez passé presque deux ans dans l'enseignement professionnel de la doctrine chrétienne, poursuivis-je pour la piquer. Vous n'êtes sûrement pas assez stupide pour ne pas savoir ce que pensent les chrétiens sur le sens de la vie, sur le but de l'existence.

- Nous sommes ici pour la gloire de Dieu, fit Charlene d'une voix terne, monocorde, renfrognée, comme si elle avait répété un catéchisme étranger appris comme un perroquet et qu'on lui arrachait à la pointe d'un revolver. Le but de notre existence est de glorifier Dieu.

- Eh bien?

Il y eut un court silence. J'ai cru, pour une fois, qu'elle allait pleurer.

- Je ne peux pas. Il n'y a pas de place pour *moi* là-dedans. Ce serait mon arrêt de mort, dit-elle d'une voix tremblotante. Puis, avec une soudaineté qui me fit peur, ses sanglots étouffés se tranformèrent en un rugissement:

- Je ne veux pas vivre pour Dieu. Je ne vivrai pas pour Dieu. Je veux vivre pour moi. Pour l'amour de moi!

Ce fut une autre session où Charlene partit à mi-chemin. J'eus terriblement pitié d'elle. Je voulais pleurer, mais les larmes ne venaient pas. "Mon Dieu! Elle est si seule" fut tout ce que j'ai pu murmurer.

Le rêve de la merveilleuse machine

Tout au long de sa thérapie, Charlene a soutenu obstinément qu'elle m'aimait et voulait aussi être "bien". Je soupçonnais depuis longtemps que ce n'étaient que des prétextes auxquels elle croyait elle-même.(50) Cependant, l'inconscient s'obstine à dévoiler la vérité. Ainsi, l'inconscient de Charlene, vers la fin de la thérapie et avec une clarté saisissante, me révéla la vraie nature de nos rapports.

- J'ai fait un rêve la nuit dernière, me dit-elle au début de sa quatrième année de traitements. J'étais sur une autre

181

planète. Mon peuple était en guerre contre une race étrangère. On ignorait depuis longtemps qui remporterait la victoire. J'avais construit une merveilleuse machine munie de pouvoirs offensifs et défensifs. C'était un engin énorme et très compliqué, équipé d'armes de toutes sortes. Ma machine pouvait lancer des torpilles, propulser des fusées sur de grandes distances, vaporiser des produits chimiques et accomplir une foule d'autres choses. Nous savions qu'elle nous ferait gagner la guerre. J'étais en train d'y mettre la dernière touche quand un homme entra dans mon laboratoire. C'était un étranger, un ennemi. Je savais qu'il venait pour détruire ma machine avant que nous puissions nous en servir. Je ne le craignais pas. J'étais extrêmement confiante. Nous avions beaucoup de temps. J'ai voulu faire l'amour avec lui et ensuite m'en débarrasser avant qu'il ne touche à la machine. Il y avait un divan près d'un mur dans mon laboratoire. Nous nous sommes allongés et avons commencé à faire l'amour. Mais, alors que nous étions à peine dans le feu de l'action, il se leva soudainement et courut vers la machine pour s'en prendre à elle. Je m'élançai derrière lui et essayai de pousser les boutons du mécanisme de défense afin de faire sauter cet étranger. Les boutons refusèrent de s'enfoncer. Je n'avais pas eu le temps de les vérifier. Je les frappai et tirai les manettes frénétiquement. Je me réveillai dans un état de grande agitation, sans savoir si j'allais réussir à contrecarrer cette attaque sournoise ou si cette homme allait détruire ma merveilleuse machine.

Ce qu'il y eut de remarquable dans ce rêve, ce fut la réaction violente de Charlene devant ses significations possibles.

- Qu'est-ce que vous ressentez le plus au sujet de ce rêve? lui demandai-je. Quel sentiment aviez-vous en vous réveillant?

- De la fureur. J'étais furieuse.

- Qu'est-ce qui vous rendait furieuse?

- Cet escroc, répliqua Charlene. Cet homme m'a trompée. Il avait accepté de coucher avec moi. J'ai cru qu'il s'intéressait à moi. Mais, dès que mes sens se réjouirent, il m'abandonna pour aller s'attaquer à ma machine. Il avait prétendu m'aimer alors que c'était ma machine qui l'intéressait.

Il m'a dupée. Il a abusé de moi.

- Ne l'avez-vous pas trompé vous-même et n'avez-vous pas abusé de lui?

- Que voulez-vous dire?

- Eh bien! Vous saviez que c'était votre machine qui l'intéressait d'abord, lui expliquai-je. Pourquoi lui en vouloir puisque vous saviez qu'il ne faisait que respecter le but de sa visite? Je crois que vous avez voulu le tromper en l'attirant au lit. Vous l'avez désiré sexuellement, mais vous ne m'avez pas dit qu'il vous intéressait. En réalité, vous aviez l'intention de vous en débarrasser, de le tuer si nécessaire, après avoir fait l'amour avec lui. Vous m'en avez parlé comme d'une aventure dont vous deviez sortir indemne.

- Non. Il m'a trompée, insista Charlene. Il a fait semblant de m'aimer.

- Qui représentait-il dans votre rêve?

- Vous, peut-être. Il vous ressemblait un peu, grand et blond, répondit Charlene. Dès que je me suis réveillée, j'ai pensé qu'il s'agissait probablement de vous.

- Pensez-vous être en colère contre moi parce que je vous aurais trompée?

Charlene me regarda comme on regarde un idiot qui vient d'affirmer l'évidence même.

- Bien sûr que je suis en colère contre vous. De plus, vous le savez. Je vous répète sans cesse que vous ne prenez pas assez soin de moi. Vous ne sympathisez presque jamais avec moi. Vous faites très peu d'efforts pour comprendre mes sentiments.

- Et je refuse d'avoir des rapports sexuels avec vous.

- Oui, il y a ça.

- Seulement, je ne vous ai pas menti à ce sujet, précisai-je. Je vous ai dit clairement que je n'ai pas l'intention de m'occuper de vous sexuellement.

- Alors, vous êtes menteur quand vous dites que je vous intéresse, insista Charlene. J'oserais dire que vous *croyez vraiment* vous intéresser à moi; alors, vous vous leurrez vous-même. De toute facon. vous êtes toujours si suffisant. Vous seriez différent si je vous intéressais réellement.

- Si j'étais l'homme dans votre rêve, que représentait la

machine?

    - La machine?

    - Oui, la machine.

    - Je n'y avais pas pensé, répondit Charlene, interloquée. Je suppose qu'elle représente mon intelligence.

    - Vous possédez une intelligence vraiment formidable.

    Charlene s'échauffa.

    - Et je crois que vous et votre thérapie êtes en train de miner mon intelligence. Je vous l'ai dit. Parfois je commence à croire à des choses auxquelles je ne croyais pas. Vous essayez de me dépouiller de mon intelligence et de ma volonté.

    - Dans votre rêve, vous consacrez toute votre intelligence au combat, remarquai-je. Votre intelligence déborde de systèmes offensifs et défensifs. Vous vous en servez comme d'une arme.

    - J'ai besoin de garder tous mes esprits quand je suis avec vous, répondit Charlene gaiement. Vous êtes très intelligent vous-même. Vous êtes un adversaire redoutable.

    - Pourquoi serais-je votre adversaire?

    Charlene eut l'air abasourdie.

    - Vous êtes mon adversaire dans le rêve, n'est-ce pas? dit-elle finalement. Vous essayez de détruire ma machine.

    - Supposons que la machine représente votre névrose au lieu de votre intelligence, suggérai-je. C'est vrai que j'essaie de détruire votre névrose.

    - NON! hurla Charlene.

    Ce non était si fort et puissant que je m'enfonçai dans mon fauteuil.

    - Non? fis-je faiblement.

    - NON! Ce n'est pas ma névrose.

    Je me sentis encore une fois renfoncé dans mon fauteuil. Encore aujourd'hui, j'ignore comment Charlene a pu crier avec une telle force, mais je suis sûr qu'elle fit appel à toute l'intensité dont est capable la voix humaine.

    - Pourquoi dites-vous que ce n'est pas votre névrose, m'enquis-je finalement, craignant sa colère.

    - Parce que c'était un engin merveilleux, soupira Charlene, se prosternant presque devant l'image de sa machine. Ma machine était un objet d'admiration. Elle était compliquée. Plus compliquée que tout ce que l'on peut imaginer. Elle pouvait faire une foule de choses. Elle avait été construite avec un soin immense et beaucoup d'imagination. Elle possédait un grand nombre de niveaux d'opérations. C'était un chef-d'oeuvre d'invention mécanique. Il n'aurait jamais dû essayer de la détruire. C'était la plus belle chose jamais construite.

- Mais, elle n'a pas fonctionné, ajoutai-je calmement.

Charlene se mit encore à hurler.

- Elle l'a fait. Elle a fonctionné. Elle aurait fonctionné. Je n'avais pas eu assez de temps. Je n'avais besoin que d'un peu plus de temps pour en faire l'essai. Elle aurait fonctionné merveilleusement. Il ne me restait plus qu'à faire quelques petites retouches.

- Je pense réellement que cette machine représente votre névrose, Charlene. Votre névrose est profonde et compliquée. Vous avez mis plusieurs années à la construire. Vous en faites plusieurs usages mais elle est encombrante. Elle vous fait sans cesse trébucher et ne fonctionne pas aux moments opportuns. Elle vous empêche de vous rapprocher des gens car c'est un engin de guerre; elle vous protège contre les autres et vous en aviez probablement besoin pour vous protéger de vos parents. Aujourd'hui, vous n'avez plus besoin d'une telle protection. Vous devriez être plus ouverte avec les gens, non pas les combattre. Vous n'avez plus besoin de cette machine. Elle est encombrante. C'est une machine de guerre, faite pour la guerre et pour éloigner les autres.

- Ce n'est pas seulement une machine de guerre, hurla Charlene comme un animal blessé. Pendant quelques moments, elle sembla fouiller sa mémoire. Puis, le plus sérieusement du monde et d'apparence sincère, elle déclara:

- Par exemple, près du plancher, il y avait un outil pour réparer les cuticules endommagées, vous savez, comme sur les orteils. C'était un instrument très utile.

Involontairement ou presque, j'ai fait une chose que peut-être je n'aurais pas dû faire. Je me mis à rire.

Charlene sauta du divan.

- Ma machine n'est pas une névrose, déclara-t-elle froidement et avec une furie digne d'une reine. Je vous défends de l'appeler ainsi. De plus, cette session est terminée.

185

En moins d'une seconde, avant que je ne puisse protester, elle avait déjà franchi la porte.

Charlene fut ponctuelle à son rendez-vous suivant. Elle continua sa thérapie pendant six mois. Cependant, nous ne fîmes aucun progrès dans l'interprétation du rêve. Nous avons attaqué d'autres domaines, mais chaque fois que je voulais revenir sur le rêve, elle se rebiffait. Elle demeura très ferme sur ses positions et refusa qu'il en fût jamais question.

Situation d'échec

Dans ses rêves, Charlene m'avait attribué le rôle d'un ennemi venu d'un pays étranger. Dans la réalité, je ne lui étais pas étranger. Nous nous voyions de deux à quatre fois par semaine depuis plus de trois ans. J'avais, je crois, fait tout en mon pouvoir pour être aimant et pour gagner pleinement les honoraires importants qu'elle me versait. Elle disait et croyait m'aimer. Malgré cela, son inconscient, ce réservoir de vérité que nous possédons tous, m'avait étiqueté comme un ennemi et un étranger.

D'une certaine façon, c'est ainsi que je la percevais également. Quand je reculais devant ses avances, je croyais surtout le faire dans le but de protéger ma propre sécurité. Par conséquent, ne devais-je pas en quelque sorte la considérer comme une ennemie? De plus, il y avait quelque chose en Charlene que je n'ai jamais pu comprendre malgré tous mes efforts, et avec quoi je n'ai jamais pu m'identifier. Elle m'était aussi étrangère que je l'étais pour elle. Elle m'accusait continuellement de cruauté et d'indifférence. Je me demandais souvent si elle n'avait pas raison; si je n'aurais pas dû l'envoyer chez un thérapeute plus empathique. Mais, je n'en connaissais pas de mieux placés que moi. En effet, elle avait déjà échoué avec un autre thérapeute et elle échouerait également avec mes successeurs.

Quoi qu'il en soit, Charlene me semblait souvent motivée par des désirs au-dessus de ma compréhension; des raisons si obscures qu'elles ne figuraient pas dans le champ de mon expérience. Plus que toutes autres choses, c'est sous le vocable "inhumain," lequel dépasse la compréhension psychodynamique ordinaire, que j'ai étiqueté le mal, à tort ou à raison. Mais, je ne saurais dire avec certitude si ce phénomène m'était étranger parce qu'il était mal, ou si je le qualifiais de mal parce qu'il m'était étranger.

Je ne saurais imaginer une meilleure façon de résumer ce quelque chose d'incompréhensible, d'étranger, qu'en décrivant la réaction de Charlene en rapport avec le climat. Elle n'était nullement enthousiasmée par le soleil du printemps ou de l'automne, ni par les plus beaux crépuscules. Un seul climat lui plaisait: celui des jours sombres. Elle arrivait alors en sifflant. Charlene aimait les jours gris. Non pas les jours doux et brumeux de l'automne quand doucement meurent les feuilles. Non pas les jours d'été sur la côte quand le brouillard tourbillonne en grandes nappes blanches. Mais plutôt les plus ternes des jours gris ordinaires. Les jours semblables à ceux de la Nouvelle Angleterre à la mi-mars, quand l'hiver a laissé ses débris sur le sol: branches d'arbres cassées et pourrissantes, terre boueuse et plaques souillées de neige fondante. Les jours interminables de grisaille. Les jours lugubres. Pourquoi? Pourquoi Charlene aimait-elle ces vilains jours que tout le monde déteste? Les aimait-elle parce qu'ils nous rendent tous misérables? Ou les aimait-elle pour leur laideur et pour ce quelque chose à l'intérieur qui la faisait vibrer, ce quelque chose de si étranger que nous ne pouvons même pas le nommer? Je l'ignore.

Au cours de cette dernière année, craintivement parce que je ne l'avais jamais fait avec d'autres malades auparavant, je plaçai Charlene en face de ce que je considérais son "mal." La première fois eut lieu plusieurs mois avant son rêve de la "machine merveilleuse."

- Charlene, lui dis-je, vous semez le chaos et la confusion autour de vous, y compris ici-même. Vous disiez jadis que c'était accidentel; pourtant, nous savons aujourd'hui que c'est souvent intentionnel. Je ne comprends pas encore pourquoi vous agissez ainsi.

- Parce que c'est amusant.

- Amusant?

- Oui, c'est amusant de vous embrouiller. Je vous l'ai

déjà dit, cela me donne une sensation de puissance.

- Ne serait-il pas encore plus amusant, lui demandai-je, de dériver un sentiment de puissance de votre vraie puissance?

- Je ne crois pas.

- N'êtes-vous pas mal à l'aise de vous amuser aux dépens des autres.

- Non. Je le serais peut-être si je faisais du mal à quelqu'un. Mais, je n'en fais pas, n'est-ce pas?

Charlene avait raison. Pour autant que je sache, elle ne blessait personne sérieusement. Elle ne faisait qu'ennuyer tout le monde au plus haut point. Et elle se faisait du mal à elle-même. Pourquoi s'en réjouissait-elle? J'ai cru bon de la pousser un peu plus loin.

- Charlene, lui dis-je, bien que votre penchant destructeur ne soit pas excessif, il m'apparaît quand même qu'il y a quelque chose ... euh! quelque chose de mal dans la satisfaction que vous en tirez.

- J'imagine que c'est comme ça, fit Charlene d'un ton légèrement moqueur.

- Charlene, j'ai peine à vous croire, rétorquai-je. Je vous ai quasiment dit que vous êtes méchante et vous ne semblez pas du tout ennuyée.

- Que voulez-vous que j'y fasse?

- Eh bien! Vous pourriez commencer par vous sentir mal devant la possibilité de votre méchanceté.

- Connaissez-vous un bon exorciste dans les environs? demanda Charlene tout-à-coup.

La question me prit par surprise.

- Non, fis-je, sans conviction.

- Pourquoi vous énerver, alors? demanda-t-elle joyeusement.

J'étais étourdi, sonné, comme si je venais de perdre un *round* de boxe contre un adversaire hautement supérieur. Je battis en retraite. Par ailleurs, pour la première fois de ma vie, je me penchai sur le phénomène de la possession et de l'exorcisme. Tout me semblait bizarre. Je ne savais vraiment pas quoi tirer de mes lectures sur le sujet. Toutefois, je me rendis compte que certains auteurs me semblaient non seulement sains d'esprit, mais également responsables et bienveillants. Quelques mois plus tard, je décidai de rouvrir le sujet.

- Charlene, vous souvenez-vous de m'avoir demandé il y a quelques mois si je connaissais un bon exorciste?

- Oui, je me souviens de tout ce que nous disons.

- Je n'en connais toujours pas, mais j'ai fait quelques lectures. Je pourrais en trouver un pour vous si vous voulez.

- Je vous remercie, mais je suis plutôt orientée vers la bioénergie en ce moment.

- Sacrebleu! Charlene, explosai-je, nous parlons du mal, non pas d'une petite tension ou d'une petite anxiété. Il ne s'agit pas d'une petite tache; il s'agit d'un problème très hideux.

- Et je viens de vous dire, fit Charlene malicieusement, que je m'intéresse à la bioénergie. Je ne m'intéresse pas à l'exorcisme. Un point c'est tout. Cependant, je me demande pourquoi vous travaillez sur moi si vous pensez que je suis mauvaise. Comment pouvez-vous me valoriser? Comment pouvez-vous faire preuve de la sympathie dont j'ai besoin? Je vous l'ai toujours dit: vous ne vous intéressez pas à moi.

Je reculai une autre fois. Et je revins encore et encore pour affronter son entêtement, son égocentrisme, sa nature suicidaire et ses échecs. Encore et toujours je l'incitai à régresser, à me laisser l'aimer comme un enfant, à me laisser prendre soin d'elle de la seule façon que je connaissais et dans les conditions que je jugeais saines pour elle. C'est tout ce que je pouvais faire. Mais, comme je le savais déjà, il n'y eut pas de changements. Sans grand espoir, je ne pouvais plus qu'attendre un miracle.

Aussi malade qu'elle eût parue en termes psychiatriques, je pouvais difficilement affirmer qu'elle fût "instable." Au contraire, elle était terriblement stable, fermée à son autisme, immuable. Parmi les choses qu'elle ne voulait pas changer, il y avait son refus de se soumettre aux "règles" de la thérapie et aux exigences de l'honnêteté. Bien qu'elle m'eût fait quelques révélations ici et là, elle ne cessa pas moins de taire tous les renseignements susceptibles de rendre sa thérapie efficace. Elle conserva la maîtrise de presque toutes nos rencontres, du début à la fin.

C'est donc à ma grande stupéfaction qu'elle se présenta un certain après-midi pour sa quatre-cent-vingt et unième séance, s'étendit sur le divan et, pendant cinquante minutes, se mit à me raconter doucement et franchement ce qu'elle pensait et ressentait. Nul ne l'avait jamais fait aussi bien qu'elle auparavant. Elle fut la patiente idéale pendant cinquante minutes. Sauf que, à mon insu, elle me cachait le plus important. Alors qu'il ne restait que cinq minutes à la session, je lui fis part de mon étonnement et de mon appréciation.

- Je savais que cela vous ferait plaisir, dit-elle.

- Qu'est-ce qui vous a poussée à changer aussi soudainement, à vous ouvrir librement au lieu de transformer cette rencontre en arène de lutte?

- Je voulais vous montrer que je pouvais le faire, répondit-elle, que je peux m'associer librement et obéir aux règles comme vous le voulez.

- Bien, vous avez sûrement réussi, admis-je. C'était splendide. J'espère que vous continuerez.

- Non, je ne continuerai pas.

- Vous ne continuerai pas?

- Je ne continuerez pas. C'est notre dernière séance. J'ai décidé de ne plus revenir. Vous n'êtes pas le thérapeute qu'il me faut.

Il nous restait trente secondes. J'ai voulu protester. Non, elle ne voulait plus discuter. Le patient suivant attendait. Je le laissai attendre pendant quinze minutes, mais elle demeura inébranlable. Elle avait décidé qu'il lui fallait un thérapeute moins "rigide," c'est tout. Je dus finalement la laisser partir. Par la suite, je lui écrivis à plusieurs reprises, mais je ne la revis jamais. Ce fut un tour de force mémorable.

Le mal et le pouvoir

Ce fut aussi remarquablement mesquin.

Le désir qu'avait Charlene de me conquérir n'avait pas de limites, comme son ambition de me manipuler, de tout contrôler dans nos rapports. C'était une volonté de pouvoir pour le pouvoir lui-même. Elle ne voulait pas le pouvoir dans le but d'améliorer la société, pour prendre soin d'une famille, pour se rendre plus efficace, ni pour faire quoi que ce soit de créatif. Sa soif de pouvoir n'était assujettie à rien de supérieur qu'au pouvoir lui-même.

C'était donc totalement insipide. Elle pouvait manoeuvrer avec un certain talent artistique, avec le sens de l'opportunisme quand elle me tira sa révérence. Mais, ce talent artistique n'avait rien de génial. Il n'était même pas soumis aux exigences d'une intrigue et manquait de cohérence. En fin de compte, ce fut une production dénuée de sens.

À cause de la piètre qualité de son existence erratique, on pourrait déduire que Charlene n'était pas un personnage important. Les seules traces de son passage dans le drame de la vie se résumaient à une série de petis ennuis mineurs qu'elle infligeait à un employeur après l'autre. Mais, supposons qu'elle eût été l'employeur plutôt que l'employée; supposons qu'elle eût hérité d'une grande compagnie au lieu d'une petite rente, et qu'elle l'eût dirigée avec la sournoiserie de son penchant destructeur. Ou, plus réalistes, supposons que Charlene fût devenue mère. C'est alors que la comédie ridiculement prétentieuse de sa vie aurait été transformée en une tragédie.

Quelque part dans ce livre, j'ai défini le mal comme suit: "L'exercice du pouvoir politique, c'est-à-dire l'imposition de sa volonté sur autrui, par coercition directe ou indirecte, dans le but d'éviter ... la croissance spirituelle". Qu'est-ce qui fit de l'existence de Charlene une comédie loufoque plutôt qu'une horrible tragédie ? C'est tout simplement qu'elle ne possédait pratiquement aucun pouvoir politique. Donnons-lui un mari et elle deviendra probablement Sarah. Donnons-lui un enfant et elle deviendra probablement Madame R. Donnons-lui un pays et elle deviendra probablement Hitler ou Idi Amin.

L'extraordinaire entêtement des gens mauvais est toujours accompagné de la soif du pouvoir et c'est ce qui les rend plus susceptibles que d'autres de prendre de l'envergure sur le plan politique. Simultanément, parce qu'ils sont insoumis, leur obstination extrême les entraînera probablement dans des débâcles politiques. Il m'est permis de concevoir qu'au fond d'elle-même, Charlene doit avoir eu un soupçon de bonté instinctive qui l'incita à ne pas avoir d'enfants ni à occuper des postes d'autorité. J'ai certes connu plusieurs personnes qui se sont stérilisées elles-mêmes, médicalement ou par comportement, parce qu'elles savaient qu'elles ne seraient pas de bons parents. Mais, je ne sais pas lequel des deux, trop de mal ou pas assez, fit que Charlene eût été une telle impotente politique. Tous les indices sont à l'effet que seule son énorme opiniâtreté l'empêcha d'être activement perverse. J'aimerais lui donner le bénéfice du doute.

Quoi qu'il en soit, Charlene était une ratée. Peu importe la raison pour laquelle elle ne devint pas une criminelle notoire, le fait est qu'elle ne pouvait absolument pas être créatrice. Bénédiction déguisée ou non-bénédiction, son handicap n'était pas moins un handicap. Nous ne devons pas en rire. Je me suis servi de la comédie comme métaphore pour décrire son inefficacité, mais je veux me rétracter car cette métaphore n'a plus sa raison d'être. Le handicap de Charlene n'avait rien de drôle. Je ne crois pas qu'il soit comique qu'un être humain n'atteigne pas sa plénitude. Douée d'une intelligence brillante, Charlene était quand même infiniment dépourvue sur le plan humain. Bien que d'apparence très heureuse en laissant le chaos dans son sillage, et très satisfaite de son handicap, je crois que Charlene était une des personnes les plus tristes que j'aie rencontrées.

Je suis malheureux de n'avoir pu l'aider. Que sa "demande d'aide" eût été un mensonge ou pas, c'est à moi qu'elle s'adressa. Elle était dans le besoin et méritait plus qu'elle ne reçût de moi. En réalité, la responsabilité de persistance de son handicap et son échec m'incombait.

Si je pouvais recommencer

Quand je travaillais avec Charlene, je ne savais presque rien sur l'essence du mal humain. Je ne croyais pas à l'existence du diable ni au phénomène de la possession. Je n'avais jamais assisté à un exorcisme. Je n'avais jamais entendu le mot "délivrance." Le nom du mal était absent de mon vocabulaire professionnel. Je n'avais aucune formation à ce sujet car ce n'était pas un domaine reconnu par les psychiatres, ni par toute autre personne soi-disant scientifique. J'avais appris que l'on pouvait expliquer toute la psychopathologie en termes de maladies connues ou de troubles fonctionnels, qui étaient proprement inscrits dans *Le Manuel diagnostique et statistique*. Le fait ridicule que la psychiatrie américaine ignorait la réalité fondamentale de la volonté humaine ne m'avait pas encore frappé. On ne m'avait jamais parlé d'un cas semblable à celui de Charlene. On ne m'avait jamais préparé. Je n'étais qu'un poupon.

J'ai percé mes dents canines sur Charlene. Elle fut indubitablement une des raisons d'être de ce livre.

Ce que j'ai appris grâce à Charlene et au cours des années qui suivirent est très important concernant ce qu'il faut savoir sur le mal humain. Je me contenterai de dire que si je pouvais recommencer, j'agirais avec Charlene d'une façon très différente et la réussite serait concevable.

En premier lieu, dans son cas, je diagnostiquerais le mal beaucoup plus rapidement et avec beaucoup plus d'assurance. Ses contraintes obsessionnelles ne m'entraîneraient plus à croire qu'elle souffrait d'une névrose ordinaire, ni son autisme à me demander des mois durant si je n'avais pas découvert une forme bizarre de schizophrénie. Je ne perdrais pas neuf mois dans la confusion, ni plus d'une année à méditer sur le complexe d'Oedipe. Quand je me suis finalement rendu compte que le problème le plus réel et le plus fondamental de Charlene était le "mal," je l'ai fait expérimentalement, et quand je lui en ai fait part, je l'ai fait sans autorité. Il ne faut pas diagnostiquer le mal à la légère. Néanmoins, tout ce que j'ai appris depuis n'a fait que confirmer mes conclusions expérimentales d'alors. Si je pouvais tout recommencer, je crois que je pourrais mettre le doigt sur le problème de Charlene en trois mois au lieu de trois ans, avec une fermeté qui serait peut-être un gage de guérison.

Je m'occuperais d'abord de ma confusion. Je sais maintenant qu'une des caractéristiques du mal est son désir de confondre. J'avais pris conscience de ma confusion dès le premier mois de thérapie avec Charlene, mais je l'avais attribuée à ma stupidité.

Au cours de la première année, je n'avais jamais songé à la possibilité que je fusse confus parce qu'elle voulait me confondre. Aujourd'hui, je me pencherais sur cette hypothèse et en vérifierais rapidement le bien-fondé. L'aurais-je fait en temps et lieu, il est fort probable que j'en serais venu tout de suite à un diagnostic exact.

Une telle compétence aurait-elle éloigné Charlene de sa thérapie? Oui, c'est une nette possibilité.

Il faut se demander ce qui motiva Charlene à se faire soigner. Elle n'a jamais avoué son désir d'obtenir de l'aide. Il est évident qu'elle voulait jouer avec moi et me séduire. Il faut alors se demander pourquoi elle resta si longtemps en thérapie. Ici encore, vu ma naïveté et mon désir de l'accepter telle qu'elle était, il semble que je lui procurais continuellement la satisfaction de pouvoir se jouer de moi et l'espoir de me séduire, de me posséder, ou de me conquérir. Finalement, il faut se demander pourquoi Charlene abandonna sa thérapie au moment où elle le fit. La supposition la plus évidente serait que je commençais graduellement à la "déchiffrer", que son intention de me séduire était sans espoir et qu'elle pouvait de moins en moins se jouer de moi.

S'il était devenu évident plus tôt dans nos rapports que j'avais identifié son mal et que je pouvais le combattre, il est en effet probable que Charlene aurait vite battu en retraite voyant qu'elle ne sortirait jamais victorieuse de cette lutte. En l'occurence, ce dénouement n'aurait-il pas été préférable? Elle aurait certes économisé des milliers de dollars. À mon sens, son traitement de quatre ans n'a pas plus de valeur qu'un de quatre mois. Je crois toutefois que Charlene aurait continué sa thérapie. Je le crois pour trois raisons.

La première est que je ne considérais pas Charlene comme irrémédiablement mauvaise. Il faut garder à l'esprit que les gens mauvais ont une forte tendance à s'éloigner des feux brûlants de la psychothérapie. Il est possible que Charlene prit ce risque à cause de son grand désir de me "vaincre." Il est possible également qu'une partie d'elle-même, une toute petite, ait voulu vraiment se faire aider. Il est possible que son mal ne fût pas de la "race des pur-sang". En réalité, ces possibilités ne s'excluent pas l'une l'autre. Les gens ont souvent "deux cerveaux" et les gens mauvais peuvent donc jouir d'une ambivalence semblable. Je favorise l'hypothèse que Charlene entra en thérapie par désir de faire ma conquête en même temps que pour guérir.

Cette partie d'elle-même qui voulait me conquérir semble avoir été la plus importante. Comment alors, en supposant que mes connaissances eussent été plus adéquates, puis-je supposer qu'elle se serait *elle-même* laissée conquérir, qu'elle aurait perdu le combat afin de sauver son âme? Ajoutons ici la question de l'autorité. J'ai découvert ces dernières années que le mal, qu'il soit diabolique ou humain, est étonnamment docile devant l'autorité. Je n'en connais pas la raison, mais je sais qu'il en est ainsi.

Cette autorité sur les puissances du mal n'est pas facilement acquise. On l'obtient au prix d'efforts énormes en plus d'une grande connaisance. Seul l'amour peut engendrer des efforts aussi grands. Avec Charlene, j'avais l'amour mais c'était inutile sans la connaissance. Maintenant que je possède cette connaissance, je serais heureux de recommencer si j'en avais l'occasion, quoique je frémisse devant la somme d'énergie qu'il me faudrait déployer. L'amour authentique finit toujours par être sacrificatoire. Les mots ne sont pas assez forts pour le décrire. Je n'ai jamais été suffisamment sûr de moi pour me battre vraiment avec le mal de Charlene. Je sais maintenant que la personne qui veut absolument combattre le mal doit s'attendre à s'épuiser au-delà de toute imagination, au point peut-être de ne jamais s'en remettre. Donc aujourd'hui, rapidement sinon facilement, je m'emparerais de l'autorité sur le mal de Charlene. Puis, grâce à mes nouvelles connaissances, je ferais ce que je n'ai pas fait auparavant: j'attaquerais sa peur.

J'ai dit plus haut qu'il faut avoir pitié des gens mauvais, et non les détester, car leur vie est pure terreur. En surface, Charlene paraissait sans peur. Elle ne craignait pas ces petites choses qui ont l'habitude de nous inquiéter: manquer d'essence, rater une sortie sur l'autoroute, commencer un nouveau travail. Aujourd'hui, je sais que sa sérénité superficielle et presque ridicule cachait une terreur dont peu connaîtront la profondeur. Son acharnement à contrôler tous les aspects de nos relations provenait de sa panique et de son appréhension de laisser s'échapper cette maîtrise. Dieu sait ce qu'il lui arriverait si elle se laissait dominer par un "étranger ennemi"! Son désir que je la valorise découlait de sa crainte de n'être pas "valorisable" et

195

sa demande que je l'aime venait de sa terreur que je ne le fasse pas librement.

Donc, je m'attaquerais à sa peur. Je la lui montrerais. Je sympathiserais avec elle. "Dieu du ciel, Charlene," lui dirais-je, "je ne sais pas comment vous pouvez vivre dans une telle terreur. Je ne voudrais sûrement pas chausser vos souliers. Je n'envie pas vos craintes constantes." A l'époque, je ne pouvais lui offrir la sympathie qu'elle me demandait souvent. Aujourd'hui, je le ferais. Elle pourrait, bien sûr, refuser catégoriquement les termes de mon offre. Par ailleurs, ma compassion serait des plus sincères et l'amènerait peut-être à comprendre un jour son besoin désespéré de guérir.

Finalement, je lui offrirais cette guérison. Quand je travaillais avec Charlene, j'étais presque écrasé par sa maladie. Je n'étais pas certain de pouvoir la guérir. Maintenant, je sais que, seul, je n'avais pas et n'ai pas encore ce pouvoir et que mes méthodes psychanalytiques d'alors n'étaient pas exactement ce qu'il lui fallait. Je ne connaissais rien de mieux. La situation est différente aujourd'hui. Je connais une autre approche plus appropriée et plus efficace, peut-être. Maintenant, si j'avais la preuve qu'une partie d'elle-même voulait que tout son être soit guéri, je ferais appel à mon autorité et à mon pouvoir de persuasion pour lui ouvrir toutes les avenues conduisant au salut, à la délivrance et à l'exorcisme.

5

DE LA POSSESSION ET DE L'EXORCISME

Le diable existe-t-il?

Quand j'ai commencé ce livre il y a cinq ans, j'ai compris que je ne pouvais plus ignorer la question du démon. Les cas de George et de Charlene y avaient fait allusion, mais ni l'un ni l'autre n'exigeait une solution. Cependant, m'attaquer au mal directement par l'écriture était une autre histoire. J'ai acquis, au cours des années, la foi dans un esprit bienfaisant, ou en Dieu, ainsi que dans l'existence de la méchanceté humaine. Je me suis placé évidemment en face de la question intellectuelle suivante: "Existe-t-il un esprit malfaisant? Le diable existe-t-il?"

Je ne le pensais pas. A l'instar de quatre-vingt-dix-neuf pour cent des psychiatres et de la majorité du clergé, je ne croyais pas à l'existence du diable. Pourtant, fier d'être un scientifique large d'esprit, je sentais qu'il me fallait approfondir la question et étudier les opinions contraires à la mienne. J'ai pensé que je changerais peut-être d'idée si je pouvais être témoin d'un cas bona fide de possession.

Je ne croyais certes pas à l'existence de la possession. Après quinze ans de pratique soutenue de la psychiatrie, je n'avais jamais rien vu qui puisse y ressembler. J'admets que durant les dix premières années, j'en ai peut-être rencontré sans le savoir à cause de mes préjugés. Cinq ans s'étaient écoulés depuis George et Charlene et, même si j'envisageais vaguement

197

la possibilité d'en rencontrer, je ne l'avais pas encore fait et ne croyais pas le faire un jour.

Le fait de n'en avoir jamais rencontré ne signifiait pas l'inexistence de tels cas, passés ou présents. J'avais découvert une énorme somme de documentation sur le sujet, mais rien de "scientifique". En grande partie, cette documentation était naïve, simpliste, de mauvaise qualité, ou à sensation. Par contre, quelques auteurs me parurent sérieux et avertis. Ces derniers étaient tous d'avis que les cas authentiques de possession sont des phénomènes très rares et mon expérience trop limitée ne me permettait pas d'en nier l'existence.

J'entrepris donc une recherche. J'envoyai des lettres faisant part de mon désir d'observer de soi-disant possessions dans le but d'en faire l'analyse. Les réponses furent peu nombreuses. Les deux premiers cas, comme je l'avais supposé, ne présentaient pas de désordres psychiatriques et je taillai les premières encoches sur la crosse de mon fusil scientifique.

Le troisième cas était réel.

Depuis, je me suis également impliqué dans un autre cas authentique de possession. À ces deux occasions, j'ai eu le privilège d'assister à des exorcismes réussis. La grande majorité des cas documentés sont des cas de possession par des démons de "deuxième ordre." Cependant, les deux cas qui nous occupent sont très inusités en ce qu'ils sont des cas de possession satanique. Je sais aujourd'hui que Satan est réel. Je l'ai rencontré.

Le lecteur sera naturellement déçu, sceptique même, parce que pour plusieurs bonnes raisons, je ne décrirai pas ces cas en détail. Principalement, la description d'un seul de ces événements chambarderait complètement l'équilibre de cet ouvrage. Chacun était extraordinairement complexe, beaucoup plus que les cas routiniers de psychiatrie. Pour être juste, il faudrait consacrer un livre à chacun. En ce qui nous concerne, les cas de possession véritable sont très rares. Par contre, la méchanceté humaine est courante. Ainsi, le rapport entre la possession et le mal ordinaire étant, au mieux, obscur, il serait très peu réaliste de lui consacrer la plupart de ces pages. Quoi qu'il en soit, je serais tenté de le faire s'il n'existait pas déjà un ouvrage qui décrit fort bien cinq cas de possession: *Hostage to the Devil* par Malachi Martin(51). Par expérience, je reconnais la précision et la puissance de compréhension de Martin, et ma contribution n'apporterait rien qu'il n'ait déjà dit.

Le lecteur sceptique me demandera probablement: "Comment me prouverez-vous l'existence du diable si vous ne m'offrez pas de preuves?" Je répondrai que je n'ai pas envie de convaincre qui que ce soit. En général, une conversion à Dieu exige une forme quelconque de rencontre, une expérience personnelle avec le Dieu vivant. Une conversion à Satan n'est pas différente. J'avais lu le livre de Martin avant d'assister à mon premier exorcisme et, même intrigué, je n'étais pas du tout convaincu de l'existence du diable. Il en fut autrement quand j'eus rencontré Satan en personne, face-à-face. Il m'est impossible de vous transmettre cette expérience. Cependant, j'ai l'intention de convaincre les esprits obtus d'être plus ouverts concernant l'existence d'un esprit malfaisant.

Finalement, sur la foi de deux cas seulement, je ne peux simplement pas faire une présentation scientifique complète et entière au sujet de mauvais esprits, de possession et d'exorcisme. Un vieux dicton de la science veut qu'une réponse soulève immédiatement d'autres questions. Jadis, je n'avais qu'une question: le diable existe-t-il? Maintenant j'y crois et des douzaines d'autres questions me viennent à l'esprit. Le mystère est devenu monstrueux.

Néanmoins, je me vois dans l'obligation de faire état de certaines choses que j'ai apprises au cours de ces expériences hors de l'ordinaire. Etant donné que je suis convaincu de la réalité de la possession du diable, possession rare si on veut, je suis également convaincu que le clergé, les psychothérapeutes et les agences de services sociaux, qu'ils le sachent ou non, sont souvent mis en présence de ce phénomène. Ils auront besoin de toute l'assistance disponible pour aider les victimes de possession et ils feraient bien de commencer par lire le livre de Martin. Cependant, bien que sa contribution soit très juste, il n'est pas psychiatre et je crois être en mesure d'ajouter des renseignements précieux à ses observations. Ces renseignements touchent surtout les aspects psychiatriques de la possession et les aspects psychothérapeutiques de l'exorcisme. De plus, aussi obscure qu'elle puisse paraître, je suis d'avis qu'une relation existe entre les activités de Satan et le mal humain. Mon livre ne serait pas complet sans y inclure le peu que nous savons sur "Le Père du Mensonge."

Danger: haute tension

D'aucuns peuvent penser que l'exorcisme et la psychothérapie sont des exercices tout à fait différents qui s'excluent l'un l'autre. Cependant, les deux exorcismes dont j'ai été témoin m'ont semblé de nature psychothérapeutique, aussi bien dans leur exécution que dans les résultats obtenus. En effet, un patient qui était sous les soins des psychiatres depuis plusieurs années, s'écria après l'un d'eux: "La psychothérapie toute entière est une sorte d'exorcisme!" De plus, d'après mon expérience, toute psychothérapie bien conduite fait la lutte au mensonge.

Les différences entre la psychothérapie psychanalytique et l'exorcisme tombent dans deux catégories: la délimitation conceptuelle des pouvoirs et leur utilisation.

D'innombrables volumes ont été écrits sur la délimitation conceptuelle des pouvoirs de la chrétienté et ceux de la psychanalyse; alors, penchons-nous un peu plus sur le sujet. Il convient de souligner que mes définitions ne devront pas nécessairement s'exclure mutuellement. Je les ai combinées depuis plusieurs années à des degrés différents dans la psychothérapie ordinaire, avec plusieurs patients et avec des succès vraisemblablement considérables.(52) Un nombre croissant de thérapeutes font de même.

Quant à l'utilisation de ces pouvoirs, la psychothérapie psychanalytique et l'exorcisme sont fondamentalement différents. La psychothérapie traditionnelle, d'orientation psychanalytique ou non, ne fait délibérément que très peu ou pas du tout appel à la force. Elle se déroule dans un climat de liberté totale. Le sujet est libre de partir quand il veut, même à mi-chemin durant une séance, comme l'a fait Charlene à quelques reprises. A l'exception de la menace de refuser de revoir son patient, ce qui s'avère rarement une manoeuvre constructive, le thérapeute ne dispose d'aucune arme sauf son pouvoir de persuasion, sa compréhension et son amour.

Il en est autrement de l'exorcisme. L'exorciste fait appel à tous les pouvoirs qui sont légitimement et affectivement disponibles pour combattre la maladie du patient. A ma connaissance, un exorcisme est toujours conduit par une équipe de trois membres ou plus. On se ligue contre le patient. Contrairement à la thérapie traditionnelle où la lutte se fait à un contre un, le patient est dépassé par le nombre.

La durée d'un exorcisme n'est pas prédéterminée; c'est le chef d'équipe qui décide. En psychothérapie ordinaire, une session ne dure pas plus d'une heure, et le patient le sait. S'il le désire, il n'a qu'à éviter les questions de son choix pendant une heure. L'exorcisme, lui, peut durer trois, cinq, même dix ou douze heures; c'est-à-dire aussi longtemps que l'équipe le juge à propos. En outre, le patient peut être retenu de force, ce qui se fait fréquemment; de là la nécessité de travailler en équipe. Le malade ne peut pas, à l'instar de Charlene, partir quand les choses se corsent.

Il est très important de souligner finalement que dans ses prières et son rituel, une équipe d'exorcistes invoque la puissance divine pour obtenir la guérison. Le non croyant dira qu'il s'agit d'une démarche inutile, ou il attribuera simplement sa réussite au pouvoir de la suggestion. En ma qualité de croyant, je ne peux qu'exposer mon expérience personnelle de la présence de Dieu dans la pièce où se sont déroulés les exorcismes dont j'ai été témoin.(53) En vérité, l'exorciste chrétien attribue plutôt à Dieu les succès qu'il obtient. Le seul but de la prière et du rituel est d'attirer la puissance divine dans la "mêlée."

Les exorcistes considèrent leur art comme une guérilla spirituelle. Souhaitons que leur stratégie ne repose pas sur la croyance qu'en temps de guerre tout est permis. Cependant, pour arriver à leurs fins, ils croient légitime d'utiliser tous les moyens inspirés par la bonté de coeur, d'obtenir toute l'aide motivée par la compassion et de faire appel à toutes les ressources empreintes de magnanimité.

L'expression-clé est: "Inspiré par la bonté de coeur."

Je considère l'exorcisme comme un exercice dangereux

parce que non seulement permet-il la force, mais il insiste également sur son utilisation. Le pouvoir est toujours sujet aux abus, mais ses dangers potentiels sont loin d'être une raison suffisante pour le proscrire. La neurochirurgie de quatre heures que j'ai dû subir il y a trois ans pour soulager la pression qu'un disque exerçait sur la moelle épinière de mon cou, était une intervention dangereuse; elle me rendit également possible la rédaction de ce livre et m'empêcha de devenir un quadraplégique cloué au lit ou rendu fou par la douleur. A mon sens, l'exorcisme est à la psychothérapie ordinaire ce qu'est une chirurgie majeure à l'incision d'un furoncle. Une chirurgie majeure peut guérir et sauver la vie, et c'est souvent la seule solution quand une modeste thérapie ne suffit plus.

Il faut considérer le lavage de cerveau en ce qui concerne l'utilisation du pouvoir dans l'exorcisme. Je me suis longuement soucié de cette question pour finalement conclure que l'exorcisme est un véritable lavage de cerveau. J'ai été témoin d'un exorcisme à la fin duquel le sujet se sentit très ambivalent: à la fois soulagé, reconnaissant et violé. Au cours des années suivantes, ses sentiments de soulagement et de gratitude s'accrurent, tandis que son sentiment de viol s'estompa à la façon du trauma chirurgical.

Le consentement de l'individu est ce qui empêche l'exorcisme d'être vraiment un rapt. Pour se protéger contre l'abus du pouvoir, ceux qui pratiquent l'exorcisme doivent garder à l'esprit la grande importance du consentement, ce que certains ne font pas. Nous, médecins et chirurgiens traditionnels, devons insister sur un "consentement averti." Avant la chirurgie, à l'aide d'une formule officielle et légale, nous lisons ses droit au patient, ou plutôt une liste de droits qu'il abandonne en toute connaisance de cause. Pendant l'exorcisme, le patient perd une grande partie de sa liberté et je crois fermement que cette perte devrait se faire dans un contexte juridique et d'une manière légale. Les patients devraient signer au préalable une autorisation détaillée. Ils devraient connaître exactement ce à quoi ils s'engagent. Dans le cas d'un patient incapable de signer, un subrogé tuteur pourra le faire en son nom.(54)

D'autres protections sont à prendre également. Je recommande la préparation d'un compte rendu objectif qui sera rendu public si le patient ou son tuteur le demandent. Au pis aller, ce compte rendu se fera au magnétophone ou, préférablement, sur bande vidéo.(55) La séance devrait se faire en présence d'un parent s'il est possible d'en trouver un qui soit impartial.

L'amour est encore la meilleure protection. Ce n'est que par amour qu'un exorciste pourra faire la différence entre les interventions "justes" et nécessaires, et celles qui relèvent vraiment de la manipulation ou du viol. Ce n'est que par amour qu'un exorciste pourra veiller aux meilleurs intérêts de ses patients et résister à l'omniprésente tentation d'être malhonnête et de s'éprendre du pouvoir. En vérité, les cas graves exigent plus que de l'adresse et de la connaissance; seul l'amour rendra la guérison possible.

À moins de considérer la bonté de coeur comme de la magie, l'exorcisme n'est pas une démarche magique. À l'instar de la psychothérapie, il fait appel à l'analyse, au discernement, à l'interprétation, à l'encouragement et à une confrontation amoureuse. Il diffère de la psychothérapie comme la chirurgie à coeur ouvert diffère d'une amygdalectomie. L'exorcisme est une attaque massive de psychothérapie.

Comme tout assaut massif, l'exorcisme peut être très dangereux et ne devrait être utilisé que dans des cas graves où la psychothérapie conventionelle serait vouée à l'échec. De plus, on devrait le considérer comme expérimental tant qu'on ne l'a pas scruté scientifiquement. L'exorciste s'attaque à de très hautes tensions.

Le seul but de l'exorcisme est de découvrir et isoler afin de le chasser, ce qu'il y a de démoniaque dans le patient. L'esprit malin peut lui-même être doté d'une énergie énorme. Parfois, cette énergie est trop forte pour le patient et pour l'équipe qui l'affronte. Ou encore, le patient ne veut peut-être pas vraiment s'en débarrasser. En l'occurence, l'exorcisme rendra probablement la victime pire qu'avant. Les résultats pourraient même être mortels. Dans de tels cas, il serait préférable que cette énergie diabolique à "haute tension" soit laissée à elle-même sans se faire démasquer. Avant les deux exorcismes auxquels j'ai participé, les malades ont signé une autorisation spécifiant que la cérémonie pourrait échouer et même entraîner la mort. Le lecteur pourra se faire une idée de leur courage et de leur désespoir.

Il faut aussi considérer les dangers courus par l'exorciste et ses coéquipiers. D'après ma petite expérience, Martin a trop insisté sur les dangers physiques. Cependant, les dangers psychologiques sont réels et énormes. Les deux exorcismes auxquels j'ai assisté ont été couronnés de succès, mais je frémis à la pensée des résultats probables sur l'exorciste, sur les membres de l'équipe et sur moi-même, s'ils avaient échoué. Quoique les participants eussent été soigneusement choisis à cause de leur force psychologique et leur bonté de coeur, les procédures ont engendré beaucoup de tensions nerveuses chez chacun. Et même si ces cérémonies ont connu le succès, nous avons tous connu des réactions émotionnelles au cours des semaines suivantes.

Qu'il me soit permis d'ajouter que l'exorcisme n'entraîne pas de frais élevés comme on pourrait le croire. Le premier fut le plus facile et nécessita une équipe de sept professionnels bien formés qui ont travaillé bénévolement pendant quatre jours, à raison de douze à seize heures par jour; le second impliqua une équipe de neuf hommes et femmes bénévoles qui travaillèrent de douze à vingt heures par jour pendant trois jours. L'exorcisme n'exige pas toujours un tel déploiement. Je rappelle au lecteur qu'il s'agissait de deux cas rares de possession impliquant Satan lui-même.

Les exorcismes dont j'ai été témoin étaient difficiles et dangereux, mais ils ont été couronnés de succès. Les patients n'auraient pu être guéris autrement. Ils sont aujourd'hui vivants et en bonne santé. Tout me porte à croire que, sans exorcisme, tous deux seraient déjà morts.

Les aspects du diagnostic et du traitement

Les deux personnes dont j'ai vu l'exorcisme étaient complètement différentes. Avant le rituel, l'une était maniaco-dépressive et psychotique par intermittence; l'autre était névrosée mais parfaitement saine. L'une avait une intelligence moyenne tandis que l'autre avait une intelligence supérieure.

L'une était un parent affectueux, l'autre un mauvais parent. Celle qui semblait la plus malade eut l'exorcisme le plus facile; celle qui paraissait la plus saine était la plus possédée et eut à livrer le pire combat avant d'être guérie. Chacune de leurs personnalités avait son cachet particulier.

Pourtant, certains côtés de leur possession et de leur exorcisme comportaient des similitudes frappantes. Jusqu'à la fin de ce sous-chapitre, je vais vous entretenir de ces ressemblances parce qu'elles pourraient servir de guides vers la compréhension de la possession et de l'exorcisme. Cependant, je le ferai toujours en rappelant que deux cas ne suffisent pas pour créer une science et qu'il ne faut pas s'attendre à ce que tous les cas soient semblables.

À partir de ces deux cas, je concluerai que la possession ne provient pas d'un accident. Je doute fort qu'un démon sorte d'un bosquet, saute sur un passant et entre en lui. Une possession se fait graduellement alors que la personne possédée, pour une raison ou l'autre, capitule sans cesse à chaque occasion. La solitude semble avoir été la raison principale qui a causé la capitulation des deux exorcisés que j'ai connus. Chacun était terriblement seul et, dès le début, chacun adopta le Malin comme compagnon imaginaire. Il y avait également des raisons secondaires, raisons qui pourraient, selon moi, devenir des raisons principales dans d'autres cas.

L'un des patients s'impliqua dans l'occultisme dès l'âge de douze ans.(56) Quant à l'autre, le procédé s'amorça quand il eut cinq ans, à la suite de quelque chose de plus terrible que ce que nous considérons normalement comme occulte.

Dans les deux cas, dès ses débuts, la possession suscita ce que les psychiatres appellent une fixation. Quand la partie saine de lui-même fut capable de parler durant l'exorcisme, un patient nous donna le définition de la fixation la plus poignante jamais entendue: "Je n'ai rien appris au cours des vingt dernières années. En réalité, je n'ai que douze ans. Comment pourrai-je fonctionner après l'exorcisme? Je suis beaucoup trop jeune pour être marié et avoir des enfants. Comment puis-je faire l'amour et faire des enfants si je n'ai que douze ans?." Après l'exorcisme, l'autre patient dont la possession remontait à l'âge de cinq ans, dut suivre une psychothérapie intensive pour combattre toutes sortes de peurs, de fausses opinions, de problèmes et de transferts propres à un enfant de cinq ans.

Ils étaient tous deux fortement prédisposés à la possession à cause de nombreuses pressions subies avant et après que celle-ci ne débute. Tous deux avaient été victimes du mal humain autant que du mal diabolique. Alors que l'Église traditionnelle les avait appuyés plus ou moins sérieusement, chacun avait été profondément et gravement blessé par des gens mauvais oeuvrant sous le couvert de la religion.

A l'instar de la possession, l'exorcisme est lui-même un processus. En réalité, il ne commence pas avec la cérémonie elle-même, mais bien avant que le patient ne soit mis en présence de l'exorciste. Les psychothérapeutes devraient comprendre cette vérité. Habituellement, dans les cas ordinaires, le plus grand pas vers la guérison a lieu dès que le malade décide de consulter un psychothérapeute. Dans de telles situations, les gens se sont déjà déclarés malades et ont décidé de retenir les services d'un professionnel pour combattre leur maladie. A un moment donné, ces deux patients avaient décidé de combattre leur possession. La possession avait paru amicale à ses débuts, mais ils avaient fini par se rendre compte que le démon en eux ne voulait pas leur bien. C'est alors que le combat commença. En effet, ce combat fut probablement la seule raison qui exposa leur possession au grand jour. C'est à cause de cette lutte entre une âme humaine intacte et une énergie diabolique envahissante, que Martin avance que tous les cas de possession devraient s'appeler "possession partielle," ou "possession incomplète."(57)

Il n'est pas facile de diagnostiquer la possession. Aucun des deux cas cités n'avait les "yeux exorbités;" aucun ne faisait preuve de phénomènes surnaturels avant l'exorcisme proprement dit. Ils ont tous deux démontré à plusieurs reprises qu'ils souffraient des maladies mentales de routine, comme la dépression, l'hystérie ou le relâchement social. Placés devant de tels cas, les autorités se plaisent à demander: "Le malade est-il possédé ou souffre-t-il d'une maladie mentale?" Cette question n'est pas valable. Autant que je sache pour l'instant, il faut un problème émotionnel grave avant que ne se produise la possession. Ensuite, la possession elle-même grossira ce problème et en créera d'autres. La bonne question est la suivante: "Le malade souffre-t-il d'une maladie mentale, ou est-il à la fois malade mentalement et possédé?"

Mon premier cas fut celui d'un patient qui avait déjà consulté un psychiatre en se plaignant de possession. Le psychiatre, un professionnel particulièrement doué, large d'esprit et consciencieux, n'ajouta pas foi à cet auto-diagnostic et ne voulut traiter le cas qu'à l'aide de médicaments et de psychothérapie, mais sans succès. Soulignons en passant que ce sage médecin fut plus tard très utile au patient, avant et après l'exorcisme. J'ai dû, un an plus tard, passer quatre heures avec ce malade avant d'avoir la moindre indication que j'étais en présence de quelque chose qui dépassait la psychothérapie ordinaire.

Mon deuxième cas fut celui d'une femme exceptionnellement versée dans les choses spirituelles qui, pendant dix-huit mois, dut suivre une psychothérapie intensive axée sur l'analyse, avant que le thérapeute ne s'aperçoive qu'il s'agissait probablement d'un cas de possession. C'est le thérapeute lui-même qui souleva la question. En effet, selon lui, c'est grâce aux progrès accomplis en psychothérapie que l'on a pu démasquer la possession.

Il s'écoula six mois dans un cas et neuf mois dans l'autre entre la constatation spécifique de possession et l'exorcisme proprement dit. Dans chaque cas, le diagnostic ne fut pas fondé sur un seul incident, mais sur toute une série d'agissements et de comportements échelonnés dans le temps.

En ce qui a trait au diagnostic différentiel dans les deux cas, la plus importante distinction à faire a été entre la possession et le dédoublement de personnalité. Ces désordres présentent des caractéristiques différentes. Dans le dédoublement de personnalité, la "personnalité-noyau", ou personnalité première ignore presque toujours l'existence d'une deuxième personnalité, du moins jusqu'à la toute fin d'un traitement prolongé et fructueux. Autrement dit, les deux personnalités sont véritablement dissociées. Cependant, dans un cas comme dans l'autre, les patients savaient, ou apprirent dès le début, qu'une partie d'eux-mêmes était non seulement suicidaire, mais possédait aussi sa personnalité distincte et *étrangère*. Non qu'ils n'aient pas été confondus par cette deuxième personnalité. Au contraire, il devint bientôt évident que la deuxième personnalité *désirait* les confondre. De plusieurs points de vue, la seconde personnalité agit comme une résistance personnifiée. La deuxième distinction est à l'effet que, dans un cas de dédoublement de personnalité, même si elle peut jouer le rôle de "prostituée", d'agent "agresseur" ou "indépendant," ou encore avoir d'autres traits non avoués, je n'ai jamais eu connaissance que la deuxième personnalité eût été franchement mauvaise. Dans les cas qui nous occupent, la deuxième personnalité était criante de méchanceté avant l'exorcisme.

Une tentative de délivrance fut un point crucial dans l'établissement d'un diagnostic. La délivrance est une sorte de "mini-exorcisme" souvent utilisé depuis une vingtaine d'années par des Chrétiens charismatiques, pour traiter des malades souffrant d'"oppression". L'oppression se situe à mi-chemin entre la tentation du démon dont nous sommes tous victimes selon les charismatiques, et la possession véritable.(58) Dans un premier cas, la délivrance fut un échec. Mais, plus tard, quand le malade fut vigoureusement confronté avec une partie de l'équipe de délivrance, au nombre de quatre originalement, un personnage complètement mauvais se manifesta temporairement. Dans le deuxième cas, l'équipe de délivrance réussit après six heures, à identifier et à chasser un esprit malin de seconde importance. Pas hystérique du tout, le patient connut pendant six semaines une amélioration dramatique extraordinaire. Puis, tout s'effondra. Dans l'espace d'une nuit, le malade fut pris d'une maladie très grave et se mit à entendre "la voix de Lucifer." Je ne peux que faire des conjectures sur le succès temporaire de cette délivrance. En fin de compte, ce phénomène mystérieux nous a été utile pour confirmer nos soupçons que le démon jouait un rôle important dans la maladie de ce patient.

Voici venu le moment de dire quelque chose de la plus haute importance. Bien que ces deux patients aient affiché une seconde personnalité franchement mauvaise, ils n'étaient *pas* des gens mauvais. Ni l'un ni l'autre ne me parut mauvais. Contrairement à Charlene, je ne les *sentais* pas mauvais. J'ai avancé l'hypothèse que Charlene aurait pu être une candidate pour l'exorcisme, mais je crois que l'expérience n'aurait pas réussi. Je suis d'avis que même si j'avais pu isoler la partie saine d'elle-même, je me serais peut-être rendu compte que sa deuxième personnalité était bonne, alors que sa "personnalité-noyau" était celle qui était mauvaise. Je ne suis pas convaincu que l'exorcisme pourrait réussir dans ces conditions.

Mais les exorcismes dont je parle étaient différents. La "personnalité-noyau" de chacun était non seulement saine, mais elle semblait aussi extraordinairement bonne et virtuellement sainte. En effet, j'ai admiré ces deux personnes même avant l'exorcisme. Comme je l'ai dit plus haut, elles en sont arrivées à l'exorcisme après avoir combattu la possession pendant plusieurs années. A la suite d'un de ces exorcismes, un psychiatre, membre aguerri de l'équipe, affirmait: "Je n'ai jamais rencontré une personne aussi courageuse." J'ai des raisons de croire que l'état de sainteté de ces deux personnes entraîna lui-même leur possession. Nous reviendrons plus tard sur ce sujet.

Martin a étiqueté la première étape de l'exorcisme, habituellement la plus longue, de "faux-semblant," ou de "prétexte". Je suis complètement d'accord. Ce faux-semblant, ou prétexte, signifie que le démon se cache dedans et derrière sa victime. Pour que l'exorcisme réussisse, il faut détruire le prétexte; il faut découvrir et exposer l'esprit malin. Toutefois, Martin ne fit pas de commentaires sur le processus d'exorcisme proprement dit. La question primordiale durant la longue évaluation de ces deux malades a été la suivante: "Cette personne est-elle réellement possédée?" Pour y répondre et avant d'entreprendre l'exorcisme, il faut entrer au moins partiellement dans le "prétexte". Cette pénétration partielle est le point culminant de la période d'évaluation.

Ce n'est pas le seul aspect. Pendant l'évaluation, il faut éduquer et encourager la personnalité première, la "personnalité-noyau". Il faut l'encourager vers la fin surtout, parce que ces deux cas m'ont donné l'impression que lorsque l'exorcisme est sur le point de réussir, le démon "se réchauffe" et le malade souffre considérablement.

L'un des nombreux dangers de l'exorcisme est qu'il s'avère impossible de l'entreprendre sur la foi d'un diagnostic ferme de possession. En vérité, il est préférable de s'y engager sans avoir une certitude absolue. L'exorcisme proprement dit est le dépouillement ultime du prétexte avant de se trouver face à face avec le démon. Cela ne devrait jamais se faire sans le soutien d'une équipe aimante et bien préparée, ni sans un horaire généreux et soigneusement planifié. Il a fallu pendant deux heures contraindre un de ces patients durant l'exorcisme; l'autre a dû être continuellement retenu pendant plus d'une journée! C'est semblable à une chirurgie majeure pour extraire une tumeur du cerveau. Il ne faut pas l'entreprendre avant d'être raisonnablement certain que la tumeur existe; mais nul ne peut savoir ce qu'il trouvera avant d'avoir relevé la calotte crânienne et commencé l'opération. Mon conseil est de procéder comme on l'a fait dans les deux cas dont il s'agit: évaluer la situation lentement et laborieusement jusqu'à obtenir un diagnostic de possesion sûr à quatre-vingt-quinze pour cent, et ne rien entreprendre d'autre avant le début de l'exorcisme proprement dit.

Quand l'exorcisme commença avec les prières et le rituel appropriés, le silence m'a paru le moyen le plus efficace pour la pénétration finale du prétexte. L'équipe acceptait de communiquer soit avec la personnalité-noyau, personnalité saine du patient, soit avec le ou les démons, mais elle refusait de parler avec un vague mélange des deux. Dans chaque cas, l'équipe a mis du temps avant de s'y faire. Le démon lui-même semblait très habile à attirer l'exorciste ou son équipe dans des conversations sans issue. Mais, à mesure que l'équipe se faisait plus perceptive et refusait fermement de se laisser détourner, les patients se mirent tous deux à alterner entre une personnalité-noyau d'apparence plus saine, et une personnalité secondaire progressivement plus mauvaise, jusqu'à ce que, soudainement, la deuxième personnalité prenne des allures barbares et que le prétexte se rompe. En ma qualité d'homme de science pratique, ce que je crois être, je peux faire appel à la dynamique traditionnelle de la psychiatrie pour expliquer quatre-vingt-quinze pour cent de ce qui se produisit dans ces deux cas d'exorcisme. Par exemple, l'efficacité de la technique du silence ci-haut mentionnée s'explique sans que soit nécessaire la présence de démons. Du fait qu'il s'agissait de gens seuls, affamés de rapports sociaux, cette technique favorisait la création de deux "moi" distincts ayant des rapports entre eux, et créait le besoin de choisir entre ces deux "moi". Quant à la possession, je pourrais parler en termes de "séparation" et d'"introjection psychique". Pour ce qui est de l'exorcisme, je pourrais m'exprimer en termes de lavage de cerveau, de "déprogrammation" et de "reprogrammation", de catharsis, de thérapie de groupe marathonnienne et d'identification. Mais il me reste cinq pour cent que je suis incapable d'expliquer. Il me reste ce que Martin a appelé la "présence."

En une circonstance, quand l'esprit malin s'exprima clairement, une expression que l'on ne pourrait qualifier que de satanique apparut sur le visage du patient. C'était un rictus incroyablement méprisant et d'une extrême malveillance. J'ai passé plusieurs heures devant mon miroir à essayer de l'imiter, mais je n'ai jamais réussi. Je n'ai revu cette expression qu'une seule autre fois dans ma vie, pendant quelques secondes seulement, sur le visage de l'autre patient, vers la fin de sa période d'évaluation. Quand le démon se manifesta finalement durant l'exorcisme de ce deuxième patient, l'expression sur son visage était encore plus horrible. Il prit soudainement l'apparence d'un serpent d'une force énorme, se contorsionnant et essayant vicieusement de mordre les membres de l'équipe. Cependant, le visage était encore plus effrayant que le corps tordu. Les yeux fermés dégageaient cette torpeur paresseuse du reptile, sauf quand celui-ci se lançait à l'attaque et que les yeux grand ouverts flamboyaient de haine. Malgré ces fréquentes attaques, ce qui me bouleversa le plus fut la sensation d'une lourdeur vieille de cinquante millions d'années. Je ne croyais plus à l'éventuel succès de l'exorcisme. A ces moments précis, presque tous les membres des deux équipes étaient convaincus d'être en présence de quelque chose d'absolument "étranger" et inhumain. Les deux exorcismes se sont terminés par le départ de cette présence hors du malade et hors de la chambre.

Le moment critique de l'exorcisme est ce que Martin appelle l'"expulsion". On ne peut la hâter. Au cours des deux exorcismes dont j'ai été témoin, on a tenté l'expulsion de façon trop prématurée. Je ne pourrais expliquer exactement ce qui se passa à ce moment, mais je peux affirmer que le rôle de l'exorciste devint alors de moindre importance. Plus importantes furent les prières désespérées de l'équipe pour invoquer le secours de Dieu, ou du Christ. Chaque fois, j'ai eu l'impression que Dieu répondait à l'appel. Je l'ai déjà dit, c'est Dieu qui exorcise.

Permettez-moi une précision. Le libre arbitre est essentiel. Il l'emporte sur la guérison. Même Dieu ne peut guérir une personne qui ne le veut pas. Au moment de l'expulsion, les deux patients s'emparèrent volontairement du crucifix, le serrèrent sur leur poitrine et prièrent pour leur délivrance. Tous deux choisirent ce moment pour s'abandonner dans les mains de Dieu. En fin de compte, le patient devient lui-même l'exorciste.

Je ne voudrais pas minimiser l'importance de l'exorciste désigné. En passant, soulignons que je n'ai jamais rencontré d'exorciste féminin et je suis d'avis qu'il en faudrait le plus rapidement possible. Or, je veux jeter un peu de lumière sur le pouvoir d'exorciser. En vérité, le rôle de l'exorciste est celui d'un héros. Il ne possède pas un pouvoir magique au moment de l'expulsion. C'est par la douceur, l'attention, la patience, le discernement et l'acceptation de souffrir qu'il pilote le déroulement de l'exorcisme du début à la fin. Lui seul a le pouvoir de décider si le malade est vraiment possédé et d'entreprendre l'exorcisme proprement dit. Il doit réunir son équipe et en choisir les membres. Il les préparera, ainsi que le patient, du mieux qu'il peut. Il favorisera leur confiance et leur compréhension. Il prendra les décisions critiques concernant le déroulement et l'orientation du rituel. Il absorbera de plein fouet le choc de la rencontre avec le démon, et il devra porter tout le blâme en cas d'échec. Finalement, c'est lui qui devra s'occuper des séquelles de l'exorcisme en s'occupant non seulement des réactions émotives de tous les membres de son équipe, mais également du patient durant cette période extrêmement critique où ce dernier est très vulnérable et requiert des soins intensifs avant de se retrouver en sécurité.

Les deux patients dont il s'agit ont eu besoin d'au moins deux heures par jour de psychothérapie pendant quelques semaines après l'exorcisme proprement dit. Ce fut une période très épuisante.

Satan n'abandonne pas facilement. Il reste dans les parages après une expulsion et cherche désespérément à revenir. En réalité, nous avons eu pendant peu de temps la forte impression que l'exorcisme avait échoué dans les deux cas. Les patients semblaient avoir retrouvé leur même état d'esprit. Néanmoins, en moins de quelques heures, nous avons pu constater des changements subtils mais extraordinaires. Les anciens complexes étaient de retour, mais ils avaient perdu leur vigueur. Les patients pouvaient écouter et ce qu'ils entendaient semblait produire un effet sur eux. L'un d'eux a même pu commencer une première psychothérapie. L'autre a tiré de plus grands bénéfices de cinquante heures de psychothérapie intense qu'il ne l'avait fait des cinq cents heures précédentes. Tous deux progressèrent rapidement, comme s'ils voulaient rattraper le temps perdu. Cependant, parce que les progrès furent si rapides, ces thérapies ont été tumultueuses et très exigeantes pour le thérapeute.

Il est important de souligner que mes expériences ont prouvé que Satan n'est pas un lâcheur. Il ne se contentera pas de prouver au patient qu'il est encore dans les environs, il essaiera à maintes reprises également de lui faire croire qu'il est toujours en lui. En l'occurence, la tentation la plus forte et la plus diabolique pour le patient aussi bien que pour l'exorciste, c'est probablement celle de croire que l'exorcisme a échoué alors qu'il est une réussite totale.

L'exorcisme proprement dit nous a semblé avoir transformé la "possession" du démon en ce qu'on appelle une "attaque" du démon. Les voix menaçantes, tentatrices et épouvantables que chacun entendit, étaient toujours aussi réelles. Mais, pour citer les mots d'un patient: "Auparavant, je n'étais qu'un tout petit embryon complètement caché et entouré par ces voix, de sorte que je ne pouvais pas être moi-même. Maintenant, je suis moi-même et les voix que j'entends proviennent de l'extérieur." Ou les paroles de l'autre: "Auparavant les voix me contrôlaient; maintenant, c'est moi qui les contrôle."

Les voix ne disparurent que graduellement. Cependant, la guérison ne fut pas graduelle. Compte tenu de la gravité de la psychothérapie avant l'exorcisme, la rapidité du retour à la santé ne peut s'expliquer dans les termes connus de la psychothérapie ordinaire.

Parlons encore un peu plus des équipes. Chacun des membres, y compris les exorcistes, a agi beaucoup plus par amour que par curiosité et au prix de maints dangers et sacrifices. Prenons l'exemple des deux membres qui ont prêté leur maison pour l'exorcisme. Celui qui se lance à la recherche d'un endroit où tenir un exorcisme, ailleurs que chez le patient comme ce fut le cas, se rendra facilement compte de la pleine signification de l'expression: "Il n'y avait plus de place ... dans l'auberge." Les hôpitaux n'ont pas l'habitude de tolérer un exorcisme dans leur établissement. Les couvents et les monastères non plus. Or, deux braves personnes nous prêtèrent non seulement leur corps, mais leur maison également. J'ai déjà dit que la présence de Dieu était palpable dans la pièce et je ne crois pas que ce fut par accident. Je suis d'avis que lorsque sept à dix personnes se rassemblent à leurs risques, motivées par l'amour et un désir de guérison, Dieu descend parmi elles, comme l'a promis son Fils, et la guérison a lieu.

J'ai mentionné plus haut que la solitude avait été la raison principale qui avait poussé chacun de ces patients à se vendre au démon. Non seulement étaient-ils solitaires, mais ils avaient l'habitude d'être seuls et l'étaient toujours au moment de l'exorcisme. Leur courage est encore plus réel quand on sait que ni l'un ni l'autre n'était confiant. Dans chaque exorcisme, l'équipe fut d'une extrême importance parce qu'elle a permis au patient de vivre sa première expérience au sein d'une vraie communauté.(59) Ce fut un facteur essentiel dans le succès des deux exorcismes.

Ces combats avec le démon ont exigé beaucoup de dextérité: désintéressement analytique, implication compatissante, formulation intellectuelle, perspicacité intuitive, discernement spirituel, profonde compréhension de la théologie, excellente connaissance de la psychiatrie, beaucoup d'expérience dans l'art de prier, et autres. À elle seule, une personne ne peut posséder tous ces talents. Je suppose que dans les exorcismes de moindre importance, l'équipe ne sert qu'à retenir le patient. Mais, ici, même si l'exorciste était le coordinateur en charge, l'intervention de l'équipe était absolument nécessaire et on a dû faire appel aux talents de tous les coéquipiers.

Durant ces exorcismes, j'ai eu l'impression qu'on exploitait nos faiblesses et nos erreurs. On a dit que le Christ peut même se servir de nos péchés. J'ai fait allusion à la présence de Dieu dans les lieux où se sont déroulés les exorcismes. Au risque de paraître mystique, après réflexion, j'ai conclu que le Christ, ou Dieu, avait été le chorégraphe du spectacle tout entier.

La réaction la plus courante des coéquipiers a été exprimée par une dame au terme des exorcismes: "Jamais je ne recommencerai, mais je n'aurais pas voulu manqué cela pour tout l'or du monde." Etrangement, les exorcismes ont été salutaires non seulement pour les patients, mais pour les équipiers également. Un autre membre, un homme cette fois, déclara deux semaines plus tard: "Vous ne le saviez pas, mais j'avais toujours eu un petit endroit dur et glacé dans le coeur; aujourd'hui, je ne l'ai plus. De plus, je suis devenu un meilleur thérapeute." En outre, certaines personnes qui avaient prié pour le succès des exorcismes sans y assister, ont cru ressentir un certain effet de guérison. Parlant de façon mystique encore une fois, j'ai la vague impression que ces exorcismes n'avaient pas été des cérémonies isolées, mais une sorte d'événements quasi cosmiques.

Néanmoins, les patients sont au centre de ces rituels. Je leur rends hommage. Leurs tourments et leur courage dans leur lutte contre Satan leur a assuré la victoire, à eux-mêmes et à beaucoup d'autres.

Recherche et enseignement

J'ai essayé d'être le plus objectif possible, mais il n'en reste pas moins que le compte rendu subjectif de ces récits n'est que le fruit de mon expérience personnelle. Je suis convaincu que chaque coéquipier raconterait une histoire différente. Je crois également que le phénomène de la possession devrait faire l'objet d'une étude scientifique car il ne s'agit pas d'une simple question de curiosité. Une authentique possession est un phénomène rare mais, pour le chercheur, le sujet est une mine d'or inexploitée. L'hémophilie est aussi une maladie rare, mais son étude a jeté beaucoup de lumière sur la physiologie de la coagulation du sang. De la même manière, l'étude de la possession et de l'exorcisme non seulement illuminerait la physiologie du mal, mais notre compréhension de la raison d'être de l'homme également.

Une telle étude scientifique suscite beaucoup d'opposition, et cette dernière fait partie d'une opposition plus globale contre les choses spprirituelles et "surnaturelles". Il est intéressant de souligner que, même si la possession et l'exorcisme n'ont jamais fait l'objet de recherches en Amérique ou en Europe à ce que je sache, les anthropologues des pays de l'ouest n'ont pas moins écrit à profusion sur des rituels de guérison à connotation d'exorcisme parmi des peuplades lointaines ou "primitives". Il semble qu'il soit permis d'étudier les événements qui se passent "là-bas", très loin de nous, pourvu que nous fermions les yeux sur ce qui se passe ici.

Je n'ai pas l'ambition de déprécier ces entreprises anthropologiques. Au contraire, je crois qu'elles devraient être plus nombreuses. Les deux cas dont j'ai été témoin étaient des cas de possession par un esprit que la documentation chrétienne, à juste titre, reconnaît sous le nom de Satan. Ce même esprit serait-il identifiable, sous un nom différent, dans des exorcismes hindous ou hottentots? Satan est-il un ennemi universel ou ne s'attaque-t-il qu'aux judéo-chrétiens? La question est importante.

L'opposition à l'étude scientifique de ces phénomènes dans notre milieu provient autant des hommes de science que des religieux. J'ai déjà suggéré la création d'un "Institut de Recherches sur la Délivrance" à une organisation de profession-nels scientifiques et religieux qui s'entendaient plutôt mal entre eux. Pour la première fois depuis des années, ils ont pu s'unir pour s'opposer en choeur à ma suggestion de mener des recherches sur la guérison spirituelle, y compris sur la prière, la délivrance et l'exorcisme. Pour leur part, les scientifiques s'exclamèrent: "Il y a trop de variables; vos définitions sont floues; ces recherches sont impossibles par inhérence". Quant aux religieux, ils déclarèrent: "Chacun sait que la prière porte fruits; vous ne devriez pas toucher à la foi".

En réalité, mon projet d'institut rencontrerait des obstacles plus nombreux et plus inquiétants. Je doute fort que l'on puisse jamais institutionnaliser l'exorcisme. J'ai déclaré plus haut que les deux équipes avaient été formées au prix de graves dangers personnels et de sacrifices, et je crois profondément que c'est une des raisons du succès des exorcismes. Je ne crois pas que des salariés des "services sociaux" obtiendraient les mêmes résultats en faisant du "neuf à cinq" en équipes tournantes.

En outre, comment faire une "recherche scientifique" sur les exorcismes? Devrais-je me faire exorciste, je n'excluerais pas de mon équipe tout individu sérieux et bon, qu'il fût hindou, bouddhiste, musulman, juif, athée ou agnostique. La présence d'une seule personne qui manquerait de bonté de coeur serait suffisante pour faire échouer l'exorcisme et causer de grands torts à l'équipe et au patient lui-même. Si la bonté de coeur est incompatible avec l'objectivité scientifique, alors il ne peut pas et ne devrait pas y avoir d'observations scientifiques sur les lieux d'un exorcisme. Les seuls observateurs devraient être les participants eux-mêmes.

Cependant, dans tout rituel de guérison, il est souhaitable d'avoir au moins le soutien d'un organisme officiel. D'un point de vue psychiatrique, les deux patients dont j'ai parlé étaient gravement malades avant leur exorcisme. La situation aurait été moins pénible si un hôpital psychiatrique avait été disponible pour traiter les cas de possession reconnue. Aussi, tout aurait été beaucoup plus facile si l'Église avait cautionné la démarche en accordant sa bénédiction et ses services. Quelques ecclésiastiques ont bien accepté de coopérer, mais, dans les deux cas, l'attitude générale de l'Eglise a été de fuir toute participation. Dans les circonstances, cette crainte était naturelle et réaliste, sans nécessairement être humanitaire.

Au mieux, il faudrait une banque de données et un centre de recherches. Des rapports et des cassettes vidéo d'exorcismes seraient acheminés vers ce centre où des béhavioristes autorisés pourraient puiser des renseignements qui respecteraient scrupuleusement la confidentialité. Bien que l'atmosphère authentique et l'énergie sprirituelle ne puissent entrer dans ces comptes rendus, ceux-ci constitueraient quand

217

même une base solide pour de nombreuses études scientifiques.

Le centre pourrait aussi servir à des fins pédagogiques. On pourrait y établir des normes de diagnostic et de traitement afin de réduire la possibilité d'exorcismes et de délivrances irréfléchis. On pourrait également y organiser des colloques pour le bénéfice de participants triés sur le volet. Même si les cas de vraie possession sont rares, le nombre d'exorcistes compétents n'est pas encore suffisant.

Le père du mensonge

Vers la fin d'un exorcisme, en réplique à la remarque que l'esprit devait vraiment haïr Jésus, le visage entier du patient prit une expression satanique et il déclara d'une voix onctueuse et douceureuse: "Nous ne haïssons pas Jésus. Nous le mettons à l'épreuve". À mi-chemin du second exorcisme, quand on lui demanda si la possession était le fait de plusieurs esprits, le patient qui avait le regard sombre et perfide, prononça sourdement d'une voix sifflante: "Tous ces esprits m'appartiennent".

Pour plagier un article récent: "Qui, diable est Satan?" Je ne sais pas.

L'expérience de deux exorcismes n'est certainement pas suffisante pour démêler les mystères du royaume des esprits. Cent exorcismes ne seraient pas assez. Mais, aujourd'hui, je crois en connaître un peu plus sur Satan et je suis en mesure de faire quelques spéculations.

Je ne suis pas qualifié pour prouver les doctrines et les mythes judéo-chrétiens sur Satan, et je n'ai rien trouvé qui me permette de les réfuter. Selon ces mythes et doctrines, Satan fut d'abord le commandant en second de Dieu, patron de tous Ses anges; il était le beau et bien-aimé Lucifer. Au nom de Dieu, son rôle consistait à mettre en valeur la croissance spirituelle des humains au moyen d'épreuves et de tentations, comme nous le faisons à l'école pour nos enfants. Satan était donc un enseignant de l'humanité avant tout; c'est pourquoi il portait le nom de Lucifer, le "porteur de lumière".(61) Au fil du temps, Satan

218

devint si épris de ses fonctions qu'il se mit à les employer pour son grand plaisir plutôt que pour servir Dieu. C'est ce qui nous est raconté dans le Livre de Job. Simultanément, Dieu décida qu'il fallait plus que de simples épreuves pour rehausser l'humanité; il voulut nous donner un exemple de Son amour et un mode de vie à imiter. Alors, il envoya Son fils unique pour habiter et mourir parmi nous. Satan perdit ses fonctions et fut remplacé par le Christ dans le coeur de Dieu. Trop imbu de lui-même, Satan perçut la situation comme une insulte personnelle. Gonflé d'orgueil, il refusa de se soumettre à la décision de Dieu et à la préséance du Christ. Il se révolta contre Dieu et le ciel devint trop petit pour qu'il puisse y cohabiter avec le Christ. Il fut dès lors irrévocablement précipité en enfer où, de porteur de lumière qu'il avait été, il réside dans les ténèbres comme Père du Mensonge, rêvant continuellement à se venger de Dieu. Avec les anges qui lui sont restés fidèles dans sa rébellion et sa chute, il s'emploie à lutter contre les plans de Dieu. Alors qu'il avait jadis oeuvré pour la croissance de l'humanité, il ne désire plus maintenant que nous détruire. Dans cette bataille pour nos âmes, il s'oppose au Christ à tous les détours car il le considère comme son ennemi personnel. L'esprit du Christ est vivant; Satan l'Antéchrist, également.

L'esprit que j'ai rencontré à l'occasion de chaque exorcisme s'opposait carrément et nettement à la vie et à la croissance humaine. Il incita chaque patient à se suicider. Quand on demanda à l'un d'eux pourquoi il était l'Antéchrist, il répondit: "Parce que le Christ a enseigné aux hommes de s'aimer les uns les autres". Puis, quand on voulut savoir pourquoi l'amour lui déplaisait à ce point, il répliqua: "Je veux que les gens travaillent à faire la guerre". À un exorciste qui insistait, il ajouta: "Je veux te tuer". Il n'avait absolument rien de créateur ni de constructif; il était tout à fait destructeur.

En théodicée, le plus grand problème est de savoir pourquoi Dieu, créateur de Satan, ne l'a pas tout simplement détruit après sa rébellion. Cette question présuppose que Dieu détruirait quelque chose; elle prend pour acquis que Dieu peut punir et tuer. La réponse est peut-être que Dieu donna à Satan le libre arbitre et que Dieu ne peut rien détruire; Il ne peut que créer.

Dieu ne punit pas. Pour nous faire à Son image, il nous a donné le libre arbitre. S'il avait agit autrement, nous ne serions que des marionnettes vides. Pour nous donner le libre arbitre, Dieu a dû renoncer à l'utilisation de la force contre nous. Nous ne pourrions jouir du libre arbitre avec un fusil dans le dos. Dieu possède certainenement le pouvoir de nous détruire ou de nous punir, mais, à cause de Son amour pour nous, Il a péniblement et terriblement choisi de ne jamais s'en servir. Il doit se tenir à l'écart dans l'angoisse, et nous laisser agir. Il n'intervient que pour aider, jamais pour nuire. Le Dieu chrétien est un Dieu de modération. Ayant renoncé à l'utilisation de Son pouvoir *contre* nous, il ne peut que verser des larmes quand nous refusons Son aide et nous punissons nous-mêmes.

Cet aspect n'est pas clair dans l'Ancien Testament, qui nous parle d'un Dieu vengeur. Mais, tout s'éclaircit avec la venue du Christ. Dieu lui-même, dans la personne du Christ, subit la peine de mort sans réagir. Il ne leva pas le petit doigt contre Ses persécuteurs et contre la méchanceté humaine. C'est vrai que dans le Nouveau Testament, nous entendons des échos du Dieu vengeur de l'Ancien Testament quand on nous dit que "les méchants recevront leur dû". Mais ce ne sont que des échos et nous n'entendons plus jamais parler du Dieu vengeur. Bien que plusieurs Chrétiens, de nom seulement, considèrent toujours leur Dieu comme un super-policier dans le ciel, la doctrine chrétienne enseigne que Dieu s'est à jamais débarrassé de ses pouvoirs de justicier.

Au sujet de l'Holocauste et autres maux de moindre importance, on demande souvent: "Comment un Dieu si bon peut-il permettre de telles choses?" C'est une question blessante et brutale. La réponse chrétienne n'est peut-être pas conforme à nos goûts, mais elle n'a rien d'ambigu. Ayant abandonné la force, Dieu est impuissant devant les atrocités que nous commettons les uns envers les autres. Il ne peut que s'affliger avec nous. Il nous offrira Sa personne avec toute Sa sagesse, mais Il ne peut pas nous forcer à Lui être fidèle.

Pour le moment, Dieu se tourmente et nous observe d'un holocauste à l'autre. Peut-être sommes-nous alors portés à croire que nous sommes condamnés par ce Dieu bizarre qui règne dans la faiblesse. Mais la doctrine chrétienne a prévu un dénouement: Dieu dans Sa faiblesse sortira vainqueur de Son combat contre le mal. En réalité, Il a déjà remporté la bataille. La résurrection, il y a deux mille ans, signifie que le Christ a triomphé du mal de son temps et que son triomphe est éternel. Le Christ impuissant et cloué sur la croix est l'arme ultime de Dieu. Grâce à lui, la défaite du mal est assurée. Il est de nécessité vitale que nous combattions le mal de toutes nos forces, quoique la victoire décisive ait été remportée il y a deux mille ans. Aussi nécessaires, même dangereuses et dévastatrices que soient nos luttes personnelles, elles ne sont, à notre insu, que du nettoyage de tranchées derrière un ennemi qui a perdu la guerre depuis longtemps et bat en retraite.

L'idée que Satan et ses oeuvres soient en fuite malgré les apparences, m'apporte la possibilité d'une réponse à une de mes grandes questions. J'ai fait allusion aux deux facteurs qui avaient prédisposés à la possession les deux patients dont il s'est agi plus haut. Mais que dire du nombre effarant d'enfants qui sont aussi des victimes solitaires de la méchanceté humaine et qui sont accablés de déficiences de caractère encore plus graves sans jamais devenir possédés du démon? Pourquoi ne le deviennent-ils pas? J'ai aussi mentionné le potentiel de sainteté de chaque patient. Je me demande s'ils ne seraient pas devenus possédés précisément à cause de ce potentiel? Satan ne leur aurait-il pas dévolu toutes ses forces parce qu'ils menaçaient ses plans? Satan n'a peut-être plus l'énergie suffisante pour se diriger partout où il y a de la faiblesse humaine. Peut-être s'acharne-t-il frénétiquement à éteindre un feu sans cesse renaissant.

Quoi qu'il en soit, comme le souligne Martin, il est extrêmement important de comprendre que Satan est un esprit. J'ai dit que j'avais rencontré Satan: c'est la vérité. Non pas d'une façon tangible, comme un matériau tangible. Il n'a pas plus de cornes, de sabots ni de queue fourchue, que Dieu n'a de longue barbe blanche.(62) Même le nom de Satan n'est qu'un nom que nous avons donné à quelque chose qui, au fond, n'en a pas. Tout comme Dieu, Satan peut se manifester par et dans des objets matériels, sans que lui-même ou ses manifestations ne soient matériels. Dans un des cas décrits plus haut, il se manifesta dans les contorsions sinueuses du patient, dans le grincement de ses dents, dans les griffades et dans son regard reptilien. Cependant, il n'avait ni crocs ni écailles. Se servant du corps du patient, il parvint à ressembler à un serpent de façon extraordinaire et dramatique, quasi surnaturelle. Mais il n'est pas lui-même un serpent, il est esprit.

Voilà, je crois, la réponse à une question qui remonte à la nuit des temps. Pourquoi les esprits du diable sont-ils si attachés au corps humain? Pendant un des exorcismes, j'ai vu l'exorciste essayer de mettre Satan dans une telle colère qu'il l'attaquât après s'être échappé du corps du possédé. Cette manoeuvre a échoué. Rien n'est arrivé malgré toute sa furie à l'endroit de l'exorciste. Nous nous sommes lentement rendu compte que l'esprit ne pouvait, ou ne voulait, quitter le corps du malade dans ces conditions. Ceci nous mena à deux conclusions. L'une, que nous avons déjà mentionnée, est à l'effet que l'exorciste doit finalement devenir le patient lui-même. L'autre dit que *Satan n'a de pouvoirs que dans un corps humain*.

Satan ne peut faire de mal que par le truchement d'un corps humain. Même s'il est "un assassin depuis toujours", il ne peut commettre de meurtre qu'à l'aide de mains humaines. Seul, il ne peut tuer ni faire de mal. Il lui faut se servir des êtres humains pour commettre ses maléfices. Sans cesse il menaçait de tuer le patient et l'exorciste, mais ses menaces étaient vides de sens. Les menaces de Satan sont toujours sans résultat. Toutes sont des mensonges.

En réalité, *les seuls pouvoirs de Satan reposent sur une croyance dans ses mensonges*. Ces deux patients sont devenus possédés parce qu'ils se sont laissés prendre par de fausses promesses séductrices d'"amitié". La possession dura parce qu'ils ont cru à des menaces de mort. Elle cessa quand ils choisirent de ne plus croire aux mensonges et de transformer leur peur en une confiance au Christ ressuscité et d'implorer le Dieu de la Vérité pour obtenir la délivrance. Durant chaque exorcisme, on défia les mensonges de Satan. Chaque exorcisme se termina heureusement par une sorte de conversion, une transformation de la foi ou des échelles de valeur. Je sais maintenant ce que signifie cette phrase que Jésus répétait souvent: "Ta foi t'a guéri".

Nous voilà donc revenus au mensonge. Quels que soient ses rapports avec "les gens du mensonge", je ne connais pas de meilleure qualification pour Satan que celle de Père du Mensonge. Il mentit continuellement au cours des deux exorcismes. Quand il se montra, il ne le fit que par demi-vérités. Il avoua être l'Antéchrist quand il dit: "Nous n'haïssons pas Jésus, nous ne faisons que le mettre à l'épreuve". Mais, en vérité, il hait Jésus.

Sa liste de mensonges était sans fin, un peu semblable à une litanie ennuyeuse. En particulier, je me souviens de ceux-ci: les humains doivent se défendre pour survivre et ne peuvent compter que sur eux-mêmes pour se défendre; tout peut s'expliquer en termes d'énergies positives et négatives qui s'équilibrent, faisant qu'il n'y a plus de mystères dans le monde; l'amour est une pensée dépourvue de toute réalité objective; la science est tout ce que l'on veut appeler science; la mort est la fin absolue de la vie, le néant; tous les humains sont principalement motivés par l'argent et tous ceux qui ne semblent pas l'être sont des hypocrites; par conséquent, le désir d'amasser de l'argent est le seul objectif intelligent.

Satan peut exploiter tous les péchés ou faiblesses humaines comme, par exemple, la cupidité et l'orgueil. Il se livrera à toutes les tactiques imaginables: séduction, cajolerie, flatterie, raisonnement. Cependant, la peur est son arme de prédilection. Ainsi, dans la période qui suivit les exorcismes, après que ses mensonges eussent été démasqués, il fut réduit à pourchasser les patients de ses remarques répétitives: "Nous allons te tuer. Nous aurons ta peau. Nous allons te torturer. Nous allons te tuer."

Autant nous pouvons dire que Satan est le Père du Mensonge, autant nous pouvons affirmer qu'il est un esprit de la maladie mentale. Dans *Le Chemin le moins fréquenté,*(63) j'ai décrit la santé mentale comme "un processus continu de consécration à la réalité à tout prix." Satan se consacre entièrement à combattre ce processus. En effet, ma meilleure définition de Satan est de le qualifier de *véritable esprit de l'irréalité.* Il faut reconnaître la réalité paradoxale de cet esprit. Bien qu'il soit intangible et immatériel, il possède sa personnalité, son être propre. Nous ne devons pas reprendre la doctrine "privatio boni" de Saint Augustin, aujourd'hui rejetée, qui définit le mal comme l'absence du bien. On ne peut pas caractériser la personnalité de Satan par une simple absence, un néant. C'est vrai que l'amour est absent de sa personnalité. Cependant, la haine y est activement présente. Satan veut nous détruire et il est important que nous le sachions. De nos jours, il y a des écoles très populaires de pensée, comme la "Christian Science" ou le "Course in Miracles," qui considèrent le mal comme irréel. Ce n'est qu'une demi-vérité. L'esprit du mal est irréel, mais le mal lui-même est réel. Il existe vraiment. On se trompe en pensant autrement. En effet, comme plusieurs l'ont dit, le meilleur atout de Satan est peut-être sa façon généralement fructueuse d'empêcher l'esprit humain de le démasquer.

Satan possède des pouvoirs, mais il a aussi des faiblesses flagrantes, les mêmes qui l'ont fait chasser du ciel. Martin a souligné que l'exorcisme démontre non seulement la brillante intelligence du démon, mais son immense stupidité également. Mes propres observations le confirment. N'étaient son grand orgueil et son narcissisme, Satan ne se dévoilerait probablement jamais. L'orgueil l'emporte sur son intelligence, ce qui fait que le démon de la déception est aussi une sorte de "m'as-tu-vu". Eût-il été complètement intelligent, il aurait abandonné les deux patients longtemps avant leur exorcisme. Cependant, il ne pouvait se permettre de perdre. Il voulait gagner et s'entêta jusqu'au bout; c'est pourquoi plusieurs personnes et moi-même sommes aujourd'hui convaincus de son existence.

De la même manière, j'ai pu me rendre compte que son intelligence est affligée de deux points aveugles. L'un est causé par son égocentrisme poussé à l'extrême, ce qui l'empêche de comprendre le phénomène de l'amour. Il considère l'amour comme une réalité à combattre, à imiter au besoin; mais, comme lui-même n'en possède pas du tout, il n'y comprend absolument rien. Pour lui, l'existence de l'amour n'est qu'une mauvaise blague. La notion du sacrifice lui est totalement étrangère. Dans un exorcisme, quand les gens parlent d'amour, il ne comprend pas ce qu'ils disent. Et quand ils agissent par amour, Satan est tout à fait ignorant des règles du jeu.

Compte tenu de la raison d'être de ce livre, il est très intéressant de noter que Satan ne comprend pas la science. La science est un phénomène anti-narcissique. Elle adopte cette tendance profondément humaine de s'illusionner, tendance qu'elle neutralise ensuite à l'aide de méthodes scientifiques car elle place la vérité au-dessus de tout désir personnel. Imposteur pour lui-même et pour les autres, Satan ne peut admettre que les humains refusent de se leurrer eux-mêmes. La science humaine est incompréhensible pour lui parce qu'il est entiché de sa propre volonté et déteste l'éclat de la vérité.

Les faiblesses de Satan ne devraient pas nous empêcher de voir sa force. Il propose ses mensonges avec une persuasion hors de l'ordinaire. Le fait qu'il ait possédé les deux personnes dont j'ai parlé n'est pas une réussite remarquable, puisqu'il l'a fait quand elles n'étaient que deux enfants souffrant de solitude. Mais, dans chacun des exorcismes, j'ai vu les exorcistes, hommes forts, mûrs et fidèles, plonger dans la confusion dans un cas, et succomber temporairement au désespoir dans l'autre, devant le pouvoir des mensonges de Satan.

Je pense qu'il faut craindre Satan autant que nous le haïssons. Cependant, comme dans le cas des gens mauvais, je crois que nous devons surtout en avoir pitié. L'eschatologie chrétienne nous propose deux scénarios se rapportant à Satan. L'un veut que toutes les âmes humaines, après s'être converties à la lumière et à l'amour, offrent leur amitié à l'esprit de haine et du mensonge. Se rendant enfin compte qu'il a été irrévocablement vaincu, qu'il est seul et qu'il ne lui reste plus de corps à posséder car tous sont immunisés, Satan s'effondre et accepte cette offre d'amitié. Même Satan se convertit finalement. Je prie pour que ce scénario se réalise. Mais, comme je l'ai déjà dit, seul le libre arbitre peut décider de la guérison. Dans l'autre scénario, refusant toujours de perdre, Satan tourne à jamais le dos aux mains "humiliantes" de l'amitié et subit sa glaciale solitude jusqu'à la fin des temps. Un ami qui avait assisté avec moi à un des exorcismes, m'a dit ensuite: "Tu sais, Scotty, je ne t'ai pas cru quand tu m'as parlé de la monotonie du mal et quand tu m'as assuré qu'il fallait en avoir pitié plutôt que le prendre en horreur. Mais, parmi mes impressions les plus profondes, j'ai senti à quel point il était ennuyeux avec sa litanie sans fin de mensonges idiots. Quand j'ai vu cette bête qui se tordait stupidement dans une agonie éternelle, j'ai compris ce que tu avais voulu me dire."

En vue d'être précis, j'ai peut-être parlé de Satan de façon trop catégorique. En grande partie, j'ai décrit les deux exorcismes comme des procédés de séparation. Cependant, même dans leurs moments les plus distincts, il était souvent impossible de savoir si nous entendions la voix de l'inconscient du patient ou celle d'un démon. Peut-être sera-t-il à jamais impossible de saisir la ligne de démarcation entre le Fantôme de l'Homme et le Prince des Ténèbres. En conclusion, nous concentrerons notre attention sur le mystère surnaturel de Satan. Les exorcismes ont suffi pour me faire croire à son existence et je ne peux ignorer la réalité des guérisons dont j'ai été témoin. Pourtant, je me vois aux prises avec beaucoup plus de questions qu'auparavant; trop nombreuses même pour que je puisse les définir en détail.

Je m'interroge sur l'existence de démons de moindre importance. Les deux cas que j'ai vus étaient des possessions de Satan, mais la littérature sur le sujet ne concerne presque toujours que des démons de deuxième ordre. Mes expériences étaient-elles accidentelles, ou ont-elles été dictées par un destin mystérieux? En réalité, de "petits" démons se sont manifestés dans les deux exorcismes. Dans un premier cas, avant d'atteindre l'Antéchrist, l'équipe a dû passer successivement par quatre esprits identifiés, chacun représentant un mensonge particulier. Dans le deuxième cas, le malade fut temporairement et dramatiquement délivré d'un esprit de moindre importance et guéri jusqu'à ce que "Lucifer" lui-même s'empare mystérieusement de lui. Que se passa-t-il? Ces "petits" esprits étaient-ils des entités propres, ou s'agissait-il de reflets de Satan? Je ne le sais pas. Cependant, tout indique qu'il y a moins de liberté dans le royaume des démons qu'il y en a dans le monde des humains. A cause de leur lâcheté, de leur frayeur et de la foi qu'ils accordent à leur propres mensonges, les petits démons sont si soumis à leurs supérieurs qu'ils manquent d'individualité telle que nous la connaissons.

Mais la plus grande question est de savoir quel est le rôle de Satan dans la méchanceté humaine. Quelle a été l'influence de Satan sur des gens vraiment mauvais comme les parents de Bobby et de Roger, et sur Sarah et Charlene? Comme je le disais plus haut, les deux possédés que j'ai vus, contrairement à ceux-là, ne semblaient pas mauvais; aussi, Martin a déclaré correctement qu'il nous faudrait plutôt qualifier de possession "partielle," "incomplète," ou "imparfaite," les rares cas que nous qualifions de possession. Martin formule l'hypothèse que la "possession parfaite" existe peut-être, est même abondante, mais il insiste sur le fait que ce n'est rien d'autre qu'une hypothèse. Les gens vraiment mauvais que j'ai connus étaient-ils victimes d'une "possession parfaite"? Je ne le sais pas. La question est peut-être académique. Etant donné qu'ils refuseront la psychothérapie, les gens vraiment mauvais seront encore plus réfractaires à l'idée d'un exorcisme qui permettrait de découvrir la nature du démon qui les habite. La possession parfaite, si elle existe, écartera fort probablement toute menace d'exposition.

J'ignore complètement si Satan se livre activement à du recrutement auprès des gens mauvais ordinaires. Je ne le crois pas. Considérant la dynamique du péché et du narcissisme, je suis plutôt d'avis que les démons se recrutent entre eux. Mais, je continuerai d'hésiter tant que ma connaissance de Satan ne sera pas meilleure.

6

MYLAI:
UNE ÉTUDE DU MAL COLLECTIF

Avant que l'exorcisme, au cours d'une période de Science et de Raisonnement, ne tombât dans une disgrâce partiellement méritée, les exorcistes avaient leur statut officiel dans la hiérarchie de l'Église. Comme ils faisaient des "ordres mineurs," on les avait situés au bas de l'échelle. Je crois que c'était et que c'est encore la position appropriée. J'en suis venu à définir le rôle de l'exorciste comme relativement facile, aussi exigeant et sacrificiel soit-il. C'est un privilège enrichissant et unique que de rencontrer le mal dans des circonstances qui permettent de l'isoler et le chasser.

Le curé de paroisse et le pasteur n'occupent pas un poste aussi privilégié. Le mal qu'ils rencontrent chez leurs fidèles, dans les assemblées paroissiales et dans la société, n'est pas aussi discret et guérissable. Il est plus subtil, plus envahissant et dévastateur. Aussi intelligents et chaleureux soient-ils, ces hommes de robe doivent se battre à l'aveuglette contre les forces des ténèbres. Ils n'obtiendront que peu ou pas de succès. Nous allons donc aborder maintenant quelques exemples de ces forces cancéreuses oeuvrant dans notre société.

Les crimes

Au matin du 16 mars 1968, le Détachement Spécial Barker de l'armée américaine fit irruption dans un petit regroupement de hameaux collectivement connus sous le nom de MyLai, dans la province de Quang Ngai du Viêt-Nam du Sud. Il s'agissait d'une mission typique de "search and destroy". C'est-à-dire que les soldats américains devaient trouver des Viêt-cong et les tuer.

Comparativement à d'autres unités en opération au Viêt-nam, les soldats du Détachement spécial Barker avaient été, en quelque sorte, rassemblés et entraînés à la hâte. Ils ne s'étaient pas livrés à des opérations militaires au cours du mois précédent. Ils n'avaient pas eu à combattre l'ennemi, mais plusieurs des leurs avaient été tués par des mines et autres objets piégés. La province de Quang Ngai était considérée comme une forteresse du Viêt-Nam où la population civile était contrôlée et influencée par les guérillas communistes. On croyait généralement que les civils étaient complices des guérillas au point qu'il ait été souvent difficile de distinguer les combattants des non-combattants. Par conséquent, les Américains étaient portés à haïr tous les Vietnamiens du voisinage et à s'en méfier.

Le service de renseignements avait annoncé que des villageois de MyLai donnaient asile à des Viêt-cong. Les membres du Détachement spécial s'attendaient à y trouver des combattants, et ils trépignaient d'impatience à la veille de l'opération; ils pourraient enfin attaquer l'ennemi et jouer leur vrai rôle.

Les directives données ce soir-là par les officiers séniors aux soldats et aux officiers subalternes étaient pour le moins ambiguës quant à la distinction à faire entre les combattants et les non-combattants. Tous étaient censés connaître la Convention de Genève qui déclare criminelle l'attaque d'un non-combattant, ou d'un combattant blessé ou malade qui a déposé les armes. Reste à savoir s'ils étaient familiers avec cette Convention. Cependant, il est probable que plusieurs soldats ne connaissaient pas la *Law of Land Warfare* (Loi de la guerre sur terre), tirée du *U.S. Army Field Manual,* (Manuel de campagne de l'Armée américaine), qui stipule qu'il faut désobéir aux ordres allant à l'encontre de la Convention de Genève, car ces ordres sont illégaux.

Essentiellement, tous les éléments du Détachement spécial Barker furent plus ou moins impliqués dans l'opération, mais les soldats d'infanterie les plus directement touchés furent ceux de la "C Company, 1st Battalion, 20th Infantry of the 11th Light Infantry Brigade" (Compagnie C, 1er Bataillon, 20è Infanterie de la 11è Brigade de l'Infanterie légère). Quand les soldats de la Compagnie "Charlie" firent irruption dans les hameaux de MyLai, ils n'y découvrirent pas de combattants. Aucun Vietnamien n'était armé. Nul ne tira sur eux. Ils n'y trouvèrent que des femmes, des enfants et des vieillards sans armes.

On n'est pas sûr de ce qui arriva à ce moment-là. Cependant, il est clair que les soldats de la Compagnie "C" tuèrent entre cinq et six cents de ces villageois non armés. Ils les tuèrent de plusieurs façons. Dans certains cas, on se tenait dans l'embrasure de la porte d'une hutte et on tirait aveuglément sur tous ceux qui se trouvaient à l'intérieur et sur ceux qui essayaient de s'échapper, y compris les enfants. La tuerie la plus importante eut lieu à MyLai 4, où la première section de la Compagnie "Charlie", sous le commandement du lieutenant William L. Calley, jr, rassembla les villageois en troupeaux de vingt à quarante personnes ou plus, et les abattit à l'aide de fusils, de mitrailleuses et de grenades. Il importe de savoir qu'au même moment, de nombreux civils sans armes ont aussi été assassinés dans d'autres hameaux de MyLai par des soldats d'autres sections commandées par d'autres officiers.

Cette tuerie dura toute une matinée. Une seule personne essaya d'y mettre fin. Il s'agissait d'un pilote d'hélicoptère, un sous-officier chargé du support de la mission. Il pouvait tout voir du haut des airs. Il atterrit et essaya sans succès de dissuader les soldats. Il remonta et communiqua par radio avec les quartiers généraux et ses supérieurs, mais ceux-ci restèrent indifférents. Il décida de ne plus s'en mêler.

On ne peut qu'estimer le nombre de soldats qui furent impliqués. Il n'y en eut peut-être qu'une cinquantaine à presser la gâchette. Il y eut environ deux cents témoins oculaires.(64)

Je suppose qu'en moins d'une semaine, au moins cinq cents membres du détachement spécial Barker savaient que des crimes de guerre avaient été commis.

C'est un crime en soi de ne pas rapporter un crime. Au cours de l'année qui suivit, personne, au Détachement Spécial Barker, n'essaya de rapporter les atrocités de MyLai. Ce "camouflage de la vérité" est un crime.

Les Américains n'ont été mis au courant de MyLai que grâce à une lettre écrite à la fin de mars 1969 par Ron Ridenhour au sujet de ces massacres et adressée à plusieurs membres du Congrès plus d'un an après les événements. Ridenhour n'avait pas fait partie du détachement spécial Barker, mais il avait été mis au courant de la tuerie au cours d'une conversation avec des amis qui avaient été présents à MyLai. Il écrivit sa lettre trois mois après son licenciement.

Au printemps de 1972, j'ai présidé un comité de trois psychiatres nommés par le Médecin-chef de l'Armée, à la demande du Chef d'état-major, et chargés de faire des recommandations concernant des recherches susceptibles d'éclairer les causes psychologiques de MyLai et en prévenir d'autres. Nos méthodes de recherches ont été rejetées par le Chef d'état-major parce qu'on ne pouvait les garder secrètes et qu'elles auraient pu embarrasser l'administration, "ce qu'il faillait éviter à ce moment."

Ce refus est symbolique sous plusieurs aspects. Toute recherche sur la nature du mal peut devenir troublante, non seulement pour les sujets de recherche, mais pour les chercheurs eux-mêmes. En étudiant la nature de la méchanceté humaine, je doute que nous puissions séparer *eux* de *nous*; il est fort probable que la recherche ne pourrait porter que sur notre propre nature. Cette possibilité est sans doute une des raisons qui nous ont empêchés jusqu'ici de créer une psychologie du mal.

De plus, ce refus illustre le fait qu'en examinant les méchancetés de MyLai, ou toute méchanceté, nous devrions affronter notre manque de connaissances scientifiques. Compte tenu de ce qui précède, beaucoup de ce qui suit n'est que de la pure spéculation. Inévitablement, nous devrons nous en tenir à des spéculations tant que nous ne serons pas en mesure, grâce à la science, d'amasser assez de connaissances pour constituer une véritable psychologie du mal.

Prélude au mal collectif

Ce sont les individus qui appuient sur les gâchettes. Ce sont les individus qui donnent les ordres ou qui les exécutent. En dernière analyse, toutes les actions humaines découlent d'un choix individuel. Il n'y a pas d'innocents parmi tous ceux qui ont pris part aux atrocités de MyLai ou aux manoeuvres de camouflage qui suivirent. On peut même blâmer le pilote d'hélicoptère qui fut assez bon et assez brave pour essayer d'arrêter le massacre, mais négligea de le rapporter à un échelon plus élevé que ses supérieurs immédiats.

Jusqu'à maintenant, nous nous sommes concentrés sur des individus spécifiques que j'ai qualifiés de "mauvais" et que j'ai isolés de la grande majorité de ceux que j'ai appelés "non-mauvais". Bien que nous sachions que cette nette distinction est en quelque sorte arbitraire et qu'il y a continuité entre ceux qui sont complètement mauvais et ceux qui ne le sont pas du tout, nous devons faire face à la question suivante: Comment se fait-il qu'environ cinq cents hommes dont la majorité n'est sûrement pas constituée d'individus mauvais, aient tous participé à une opération aussi monstrueuse que celle de MyLai". Pour comprendre MyLai, il est évident qu'il ne faut pas s'attarder sur le mal individuel ni sur des choix du même niveau. Par conséquent, ce chapitre traitera du mal collectif en opposition au mal individuel, quoique ces deux phénomènes se ressemblent sous certains angles. Les rapports entre le mal individuel et le mal collectif ne sont pas des nouveaux sujets de recherche. Il y a même un livre qui traite précisément des mêmes événements: *Individual and Collective Responsibility: The Massacre at MyLai.* (65) Cependant, cet ouvrage expose le point de vue d'un philosophe et non celui d'un psychologue.

J'ai cru m'apercevoir au cours des années que les groupes ont tendance à se comporter à la façon des individus, sauf à des niveaux plus primitifs et dépourvus de maturité. Pourquoi en est-il ainsi? Pourquoi les groupes manquent-ils de maturité de façon aussi frappante? Psychologiquement, pourquoi sont-ils plus jeunes que la somme de leurs parties? Ces questions sont au-delà de mes compétences.(66) Cependant, je suis certain qu'il y a plus d'une bonne réponse. Pour employer une expression utilisée en psychiatrie, le phénomène de l'immaturité collective est "défini à outrance". Ce qui revient à dire qu'il découle de plusieurs causes. L'une de ces causes est le problème de la spécialisation.

La spécialisation est un des plus grands avantages des groupes. Certains groupes peuvent fonctionner avec beaucoup plus d'efficacité que les individus. Ses employés étant classés en directeurs, concepteurs, outilleurs, asssembleurs de spécialités diverses, la compagnie General Motors peut fabriquer un nombre effarant d'automobiles. Notre standard de vie exceptionnel repose entièrement sur la spécialisation de notre société. Si j'ai la connaissance et le temps pour écrire ce livre, c'est directement relié au fait que dans notre communauté je suis un spécialiste avantagé et tout à fait dépendant des agriculteurs, des mécaniciens, des éditeurs et des libraires. Je pourrais difficilement considérer la spécialisation elle-même comme étant mauvaise. Par ailleurs, je suis profondément convaincu que nos maux proviennent en grande partie de la spécialisation et que nous avons besoin de faire preuve d'une grande prudence dans ce domaine. Je suis d'avis qu'il faut utiliser la spécialisation avec une méfiance et une protection identiques à celles dont nous nous entourons dans le cas de réacteurs nucléaires.

La spécialisation contribue de plusieurs manières à l'immaturité des groupes et à leur méchanceté virtuelle. Pour l'instant, je ne parlerai que d'une seule de ces manières, la fragmentation de la conscience. A l'époque de MyLai, en déambulant dans le Pentagone, j'ai parlé aux responsables de la fabrication du napalm et de son transport au Viêt-Nam sous forme de bombes; je les ai interrogés sur la moralité de la guerre et, partant, sur la moralité de ce qu'ils faisaient. Invariablement j'ai reçu la réponse suivante: "Euh! Nous prenons note de vos inquiétudes, oui, certainement. Mais, j'ai peur que vous ne frappiez à la mauvaise porte. Vous n'êtes pas au bon ministère. Ici, c'est le service du matériel et nous ne faisons que fournir des armes. Nous ne décidons pas quand et pourquoi elles serviront. Ce sont les gens de la politique extérieure qu'il faut voir. Ils sont là, au bout du corridor." Et, quand je me rendis au bout du corridor, voici ce que les gens de la politique extérieure déclarèrent: "Eh bien! Ceci implique des problèmes d'envergure qui ne sont pas de notre ressort. Nous ne faisons que dire comment faire la guerre, non pas s'il y aura une guerre ou non. Voyez-vous, l'armée n'est qu'une agence des pouvoirs exécutifs. L'armée ne fait qu'obéir aux ordres. Les décisions sont prises à la Maison Blanche, pas ici. C'est à eux que vous devriez vous adresser." Et ainsi de suite...

Chaque fois qu'un membre du groupe se spécialise, il peut alors facilement transmettre sa responsabilité morale à un autre membre du groupe. En agissant ainsi, non seulement met-il sa conscience de côté, mais la conscience collective du groupe devient fragmentée et diluée au point d'être inexistante. Dans la discussion qui suit, nous observerons cette fragmentation à maintes reprises, d'une façon ou d'une autre. En vérité, tout groupe demeure inévitablement et virtuellement sans conscience et mauvais jusqu'à ce que tous ses membres se rendent directement responsables de la conduite de tout le groupe, de toute l'organisation dont ils font partie. Nous n'avons encore rien fait dans ce domaine.

Sans oublier l'immaturité psychologique des groupes, nous allons analyser les deux crimes de MyLai: les atrocités elles-mêmes et ce que l'on fit pour les camoufler. Ces deux crimes sont imbriqués l'un dans l'autre. Quoique la dissimulation semble moins barbare que les atrocités, elles sont de la même famille. Comment tant d'individus ont-ils pu commettre des actions aussi monstrueuses sans qu'un seul d'entre eux ne soit pris de remords et ne passe aux aveux?

La dissimulation de la vérité a été un gigantesque mensonge collectif. Mentir est simultanément un des symptômes et une des causes du mal, une de ses fleurs et une de ses racines. C'est pourquoi j'ai intitulé ce livre *Les Gens du Mensonge*. Jusqu'ici, nous avons parlé individuellement des gens du mensonge. Plus loin, nous en traiterons dans l'ensemble de la population. En vertu de leur participation commune, ou plutôt communautaire, dans cette opération de camouflage, les hommes du Détachement Spécial Barker étaient des "gens du mensonge." Quand nous aurons fini, nous concluerons peut-être que tous les Américains, du moins durant ces années de guerre, étaient des gens du mensonge.

Comme c'est généralement le cas pour tout mensonge, la peur fut la raison principale du camouflage. Ceux qui avaient commis les crimes, pressé sur les gâchettes ou donné les ordres, avaient des raisons évidentes de ne pas rapporter ce qu'ils avaient fait. La cour martiale les attendait. Mais, que dire du nombre beaucoup plus grand de ceux qui n'avaient été que les témoins de ces atrocités et pourtant ne dirent rien de ce "quelque chose plutôt sanguinaire et ténébreux?"(67) Qu'avaient-ils à craindre?

Si l'on réfléchit le moindrement sur les pressions de groupe, on se rend compte qu'il aurait fallu énormément de courage aux membres du Détachement Spécial Barker pour divulguer leurs crimes à l'extérieur de leur cercle. On aurait qualififié de "mouchard" ou de "délateur" celui qui l'aurait fait. Il n'y a pas d'étiquette plus insupportable. On assassine souvent les mouchards ou, au mieux, on les frappe d'ostracisme. L'ostracisme n'est peut-être pas si horrible aux yeux du citoyen ordinaire qui dira: "Et après? Si un groupe me chasse, je n'ai qu'à me joindre à un autre." Cependant, souvenons-nous qu'un soldat ne peut changer de groupe aussi facilement. Il ne peut sortir de l'Armée avant d'avoir complété son engagement car la désertion est une offense très grave. Il se voit donc pris dans son groupe, à la discrétion des autorités militaires. En outre, l'Armée agit souvent de propos délibéré pour augmenter la pression de groupe dans ses rangs. Du point de vue de la dynamique de groupe, particulièrement de la dynamique d'un groupe militaire, il ne faut pas s'étonner que les membres du Détachement Spécial Barker n'aient pas rapporté leurs crimes. Il ne faut pas s'étonner non plus du fait que celui qui décida finalement de le faire n'était pas un membre du groupe, ni même un militaire quand il le fit.

À mon sens, il existe une autre raison extrêmement importante pour que ces crimes aient été cachés pendant si longtemps. Ce n'est toutefois qu'une conjecture de ma part car je n'ai pu m'entretenir avec les individus concernés. Cependant, j'ai parlé avec de très nombreux soldats qui étaient au Viêt-Nam au cours des mêmes années et je suis profondément familier avec les attitudes prédominantes de l'époque. Ainsi, je soupçonne fortement que les membres du Détachement Spécial Barker n'aient pas avoué leurs crimes simplement *parce qu'ils ignoraient les avoir commis*. Ils savaient bien sûr ce qu'ils avaient fait, mais c'est autre chose que d'en connaître la signification et la nature. J'ai l'impression que plusieurs d'entre eux ne pensaient pas avoir mal agi. Ils n'ont pas avoué parce qu'ils ne croyaient pas avoir quelque chose à avouer. Indubitablement, certains d'entre eux dissimulèrent leur culpabilité; mais les autres ne croyaient pas avoir quelque chose à cacher.

Comment cela est-il possible? Comment un homme sain d'esprit peut-il commettre un meurtre sans le savoir? Comment un être qui n'est pas fondamentalement mauvais peut-il prendre part à une action si monstrueuse sans savoir ce qu'il a fait? C'est la question qui servira de toile de fond à la discussion qui suit sur le mal individuel et le mal collectif. Pour essayer de répondre à cette question, je parlerai d'abord du mal individuel, ensuite du mal commis par des petits groupes comme le Détachement Spécial Barker et, finalement, par des groupes plus considérables.

En remontant l'échelle de la responsabilité collective: l'individu en état de stress

Je me fis extraire les quatre dents de sagesse durant mes vacances d'été quand j'eus seize ans. Durant les cinq jours qui suivirent, ma mâchoire enflée me fit beaucoup souffrir. Je ne pouvais rien manger de solide et dû me contenter de nourriture pour bébés. J'avais sans cesse le goût fétide du sang dans la bouche. Vers la cinquième journée, mes capacités psychiques n'étaient plus que celles d'un enfant de trois ans. J'étais devenu complètement égocentrique. J'étais pleurnichard et irritable. J'aurais voulu que les autres ne s'occupent que de ma personne. La moindre chose me faisait pleurer et mes mécontentements étaient explosifs.

Quiconque a éprouvé des douleurs semblables pendant

une semaine environ me comprendra. Dans une période d'inconfort qui se prolonge, l'être humain tend à régresser. Sa croissance psychologique fait demi-tour et il renonce à sa maturité. Il devient vite plus enfantin, plus primitif. Qui dit inconfort, dit stress. Ce que je viens de décrire est la tendance naturelle de l'organisme humain à régresser quand il est en état de stress chronique.

Dans une zone de combat, un soldat vit dans un stress chronique. Bien que l'Armée eût fait tout ce qui est possible pour réduire le stress de ses troupes au Viêt-Nam, soit par des spectacles, du repos, des loisirs et autres moyens de relaxer, il n'en reste pas moins que les soldats du Détachement Spécial Barker étaient en situation constante de stress. Ils étaient loin de leurs foyers à l'autre bout du monde, la nourriture était de piètre qualité, les insectes pullulaient, la chaleur était accablante et le sommeil impossible. De plus, le danger était omniprésent; un danger non seulement aussi grave que dans d'autres guerres, mais probablement plus susceptible de créer des tensions nerveuses parce qu'il était imprévisible. Danger sous la forme de tirs de mortiers durant la nuit alors que tous se croyaient en sécurité, de pièges sur le sentier qui mène aux latrines, de mines qui explosent et arrachent les jambes d'un soldat qui se promène dans une allée paisible. Que le Détachement Spécial Barker n'ait pas trouvé l'ennemi en ce jour mémorable à MyLai est caractéristique de la nature du combat au Viêt-Nam; l'ennemi n'apparaissait que dans les moments les plus inattendus.

Les êtres humains ne réagissent pas toujours de la même façon devant le stress. C'est un mécanisme de défense. Robert Jay Lifton a fait des recherches sur les survivants d'Hiroshima et autres catastrophes et a appelé ce mécanisme un "engourdissement psychique". Quand nos réactions émotionnelles nous accablent de douleurs et d'amertume, nous avons le pouvoir de nous insensibiliser nous-mêmes. C'est un processus assez simple. Nous trouvons horrifiante la vue d'un seul corps en sang et déchiqueté; mais, si nous en voyons autour de nous jour après jour, nous finissons par trouver la situation normale et perdons notre sens de l'horreur. Nous changeons de longueur d'ondes. Notre appréciation de l'horreur s'émousse. Nous ne voyons plus le sang; nous ne sentons plus l'odeur nauséabonde et ne sommes plus touchés par l'agonie ambiante. Inconsciemment, nous sommes devenus insensibles.

Cette auto-anesthésie émotionnelle comporte évidemment des avantages. Elle nous a sans doute été transmise en cours d'évolution et elle augmente notre capacité de survivre. Elle nous permet de fonctionner dans des situations si pénibles que nous nous écroulerions si nous conservions notre sensibilité normale. Cependant, ce mécanisme d'auto-insensibilisation n'est pas du tout sélectif. Quand nous devenons moins sensibles à la laideur en vivant près d'un dépotoir, nous risquons de devenir nous-mêmes des semeurs d'ordures et d'immondices. Quand nous sommes insensibles à nos propres douleurs, nous devenons insensibles aux douleurs des autres. Quand nous ne sommes pas traités avec dignité, nous perdons non seulement le sens de notre propre dignité, mais également le sens de la dignité d'autrui. Si nous sommes indifférents à la vue de corps déchiquetés, nous pourrons facilement en déchiqueter nous-mêmes. En effet, il est difficile de fermer les yeux sur certaines brutalités sans les fermer sur d'autres. Pouvons-nous être insensibles à la brutalité sans être des brutes nous-mêmes?

Nous pouvons donc présumer qu'après un mois de campagne avec le Détachement Spécial Barker, un mois de mauvaise nourriture, d'insomnie, un mois à voir ses camarades se faire tuer ou blesser, un soldat ordinaire est devenu psychologiquement moins mûr, plus primitif et brutal qu'il ne l'eût été ailleurs avec moins de stress.

J'ai parlé des rapports entre le narcissisme et le mal, et j'ai dit que normalement l'homme se sort du narcissisme. Nous pouvons alors voir le mal comme une sorte d'immaturité. Ceux qui manquent de maturité sont plus portés vers le mal que les autres. Nous sommes frappés non seulement par l'innocence des enfants, mais aussi par leur cruauté. On dira avec raison qu'un adulte est sadique, même mauvais, s'il s'amuse à arracher les ailes d'une mouche. D'un enfant de quatre ans qui fait de même, on dira qu'il est curieux et on se contentera de le réprimander; on commencera à s'inquiéter si l'enfant à douze ans.

Étant donné que nous nous sortons de la méchanceté et du narcissisme, et considérant que nous régressons devant le stress, ne pourrions-nous pas dire que nous sommes portés à être plus mauvais en situation de stress qu'en situation de confort? Je crois que oui. Nous nous sommes demandé comment un groupe de cinquante ou de cinq cents individus, dont une toute petite minorité était mauvaise, ait pu commettre des actions aussi odieuses à MyLai? On pourrait répondre que, vu leur stress chronique, les membres du Détachement Spécial Barker étaient moins mûrs et plus mauvais qu'ils ne l'auraient été normalement. Le stress a fait que la répartition normale du bien et du mal s'est accentuée du côté du mal. Cependant, nous verrons que d'autres facteurs étaient à l'origine du mal à MyLai.

Nous avons parlé des rapports entre le mal et le stress et nous traiterons maintenant des rapports entre le bien et le stress. Celui qui se conduit dignement quand le soleil luit, c'est-à-dire l'ami des beaux jours, n'est peut-être pas aussi digne quand s'annonce la tempête. C'est en période de stress que l'on mesure le bien. Les vraiment bons sont-ils ceux qui, en période de stress, conservent leur intégrité, leur maturité, leur sensibilité? La grandeur d'âme est la force de ne pas régresser devant la dégradation, de ne pas faiblir devant la douleur, d'endurer l'angoisse et de demeurer intègre. Comme je le disais ailleurs: "...la meilleure façon de mesurer la grandeur d'un homme, c'est dans sa capacité de souffrir."(68)

Dynamique de groupe: dépendance et narcissisme

Non seulement les individus régressent-ils en temps de stress, mais ils le font également quand ils sont regroupés. Si vous ne me croyez pas, observez ce qui se passe lors d'une assemblée du Club des Lions ou à une réunion d'anciens de classe. La dépendance envers le chef de file est un phénomène typique de ces événements. Rassemblez un petit groupe d'étrangers, une douzaine environ, et vous verrez qu'un ou deux d'entre eux s'empareront rapidement du rôle de chef de groupe. Ce n'est pas le fruit d'un processus logique ni d'une élection éclairée; c'est un fait qui se produit naturellement, spontanément et inconsciemment. Pourquoi se produit-il si rapidement et si facilement? Certains individus sont évidemment plus aptes ou plus désireux que d'autres à diriger; mais, la raison profonde est exactement la contrepartie de ce qui précède: la plupart des gens sont des suiveurs. Plus qu'autre chose, c'est probablement une question de paresse. Il est facile de suivre; beaucoup plus facile d'être un suiveur qu'un chef de file. Le suiveur n'a pas besoin de se torturer pour prendre des décisions difficiles, planifier, prendre des initiatives, mettre sa popularité en péril, ou faire preuve de courage.

Le rôle d'un suiveur est celui d'un enfant. Pris individuellement, un adulte est capitaine de son propre bateau, maître de sa destinée. Par contre, quand il accepte le rôle de suiveur, il transmet ses pouvoirs au chef de file: l'autorité sur lui-même et sa maturité comme preneur de décisions. Psychologiquement, il dépend de son chef comme un enfant dépend de ses parents. Dans ces conditions, l'individu moyen éprouve une tendance très prononcée à regresser émotivement dès qu'il devient membre d'un groupe.

Le thérapeute en charge d'un groupe ne prise pas cette régression. Après tout, sa tâche est de favoriser, nourrir et développer la maturité de son patient. Par conséquent, le travail d'un thérapeute de groupe sera de mettre le patient en présence de sa dépendance quand il fait partie d'un groupe, de contester cette dépendance pour ensuite se retirer et inciter le patient à assumer un rôle de chef et apprendre à exercer un pouvoir réfléchi dans une collectivité. Une thérapie de groupe bien conduite est celle où tous les participants auront eu chacun une part égale dans la conduite du groupe, en proportion de leurs talents individuels. En thérapie, le groupe idéal est celui qui ne compte que des chefs de file.

La plupart des groupes n'ont pas la psychothérapie ou le développement personnel comme raison d'être. Le but de la première section de la Compagnie "Charlie" du Détachement Spécial Barker n'etait pas de former des chefs de file, mais de tuer des Viêt-cong. En effet, pour ses propres visées, l'armée a developpé et favorisé un style de leadership qui est essentiellement à l'opposé d'un groupe de thérapie. Un vieux

241

dicton déclare que les soldats ne doivent pas se permettre de penser. Les chefs ne sont pas des élus du groupe, mais ils sont nommés d'en haut et sont délibérément entourés des symboles de l'autorité. L'obéissance est la plus importante discipline militaire. On ne fait pas qu'encourager le soldat à dépendre de son chef de file; il en a le devoir.(69) À cause de la nature même de sa mission, à dessein et de façon probablement réaliste, l'Armée encourage la dépendance naturellement régressive des individus dans ses groupes.

Dans des circonstances comme à MyLai, le soldat se trouve individuellement dans une situation presque impossible. D'une part, il peut se souvenir vaguement qu'on lui a dit dans une salle de classe qu'il n'est pas forcé de renier sa conscience, mais doit conserver assez de maturité de jugement, de sens du devoir, pour refuser d'obéir à un ordre illégal. D'autre part, l'organisation de l'Armée et sa dynamique de groupe font tout ce qui est nécessaire pour que le soldat trouve aussi pénible que possible, difficile et anormal de désobéir ou d'exercer sa liberté de jugement. On ne sait pas au juste si la Compagnie "Charlie" avait l'ordre de "tuer tout ce qui bouge," ou de "détruire le village." Le cas échéant, faut-il s'étonner que les soldats aient obéi aux ordres de leurs supérieurs? Auraient-ils dû se mutiner en masse?

Si l'idée d'une mutinerie massive nous semble tirée par les cheveux, ne pourrions-nous pas au moins supposer que quelques individus auraient dû être assez braves pour se révolter? Pas nécessairement. J'ai déjà souligné que les comportements de groupe sont remarquablement semblables aux comportements individuels. Un groupe est un organisme qui veut fonctionner comme une seule unité. Un groupe d'individus se comporte comme une unité à cause de sa cohésion. Des forces profondes agissent au sein des groupes pour garder les membres ensemble et au pas. Quand ces forces échouent, le groupe se désintègre et cesse d'être un groupe.

Le narcissisme est probablement la plus puissante de ces forces de cohésion au sein des groupes. Sous son aspect le plus simple et le plus bénin, cette force prend la forme de l'orgueil du groupe. Quand les membres sont fiers de leur groupe, le groupe est fier de lui-même. Je le répète, l'Armée fait délibérément plus que la plupart des autres organisations pour encourager l'orgueil dans ses groupes. Pour ce faire, elle utilise plusieurs moyens: fanions, insignes, épaulettes, uniformes spéciaux, compétitions de groupes incluant les sports intérieurs et comparaisons des résultats d'une unité à l'autre. Ce n'est pas par accident que l'on décrit habituellement la fierté de groupe à l'aide d'une expression militaire : esprit de corps.

Plus grave et pratiquement universelle est cette forme de narcissisme de groupe qu'on peut appeler la "création d'ennemis" ou la haine de ce qui est "extérieur au groupe." Ceci se produit naturellement chez les enfants qui apprennent à se former en groupes.(70) Ces groupes deviennent des cliques. Les non-membres du groupe, du club ou de la clique, sont méprisés et considérés comme inférieurs ou mauvais, ou les deux à la fois. Un groupe qui n'a pas d'ennemis aura vite fait de s'en trouver. Bien sûr, le Détachement Spécial Barker avait un ennemi tout désigné: les Viêt-cong. Mais, les Viêt-cong étaient en grande partie des Vietnamiens du Sud, et il était souvent impossible de les distinguer les uns des autres. Inévitablement ou presque, l'ennemi désigné comprenait tous les Vietnamiens en général, et le soldat américain ne faisait pas que détester les Viêt-cong, il haïssait tous les "Gooks" en général.

Presque tout le monde sait que le meilleur moyen de cimenter la cohésion du groupe est de nourrir sa haine pour un ennemi venant de l'extérieur. On peut facilement et sans peine fermer les yeux sur les déficiences de son groupe, en concentrant son attention sur les déficiences ou les "péchés" des autres groupes. Sous Hitler, les Allemands ont pu ignorer leurs problèmes domestiques en faisant des Juifs leurs boucs émissaires. Quand les troupes américaines manquèrent d'efficacité en Nouvelle-Guinée pendant la Deuxième Guerre, les autorités améliorèrent leur esprit de corps en projetant des films montrant des Japonais en train de commettre des atrocités. Ce narcissisme, qu'il soit inconscient ou délibéré, est virtuellement mauvais. Nous avons discuté de tous les moyens que prennent les gens mauvais pour fuir les examens de conscience, en blâmant les autres et en essayant de détruire tout ce qui pourrait jeter de la lumière sur leurs déficiences. Nous voyons maintenant que le même comportement narcissique malin est naturel au sein des groupes.

D'après ce qui pécède, il est évident que le groupe qui échoue est probablement celui qui sera le plus méchant. L'échec blesse l'orgueil et un animal blessé devient vicieux. Dans un organisme sain, un échec encouragera l'auto-critique et l'examen de conscience. Mais, puisqu'un individu mauvais ne peut tolérer l'auto-critique, c'est inévitablement à l'occasion d'un échec qu'il se lancera à l'attaque d'une façon quelconque. C'est ainsi qu'agissent les groupes. L'échec et l'auto-critique sapent l'orgueil et la cohésion du groupe. Partout et toujours, en période d'insuccès, les chefs de file s'appliquent de façon routinière à soutenir la cohésion de groupe en moussant la haine de l'étranger ou de l'"ennemi".

Mais, revenons à notre sujet. Nous nous souviendrons qu'à l'époque de MyLai, le Détachement Spécial Barker n'avait pas encore connu de succès. Un mois s'était écoulé et on n'avait même pas encore rencontré l'ennemi. Cependant, on avait dû lentement et régulièrement subir des pertes, tandis que la somme d'ennemis tués était de zéro. Ayant failli à leur mission qui était principalement de tuer, les chefs de file du groupe avaient soif de sang. Dans les circonstances, cette soif n'était pas discriminatoire et le seul but était de la satisfaire.

Un groupe spécialisé: "Task Force Barker"

J'ai déjà fait état du mal potentiel de la spécialisation. J'en ai profité pour expliquer comment l'individu spécialisé pouvait transférer ses responsabilités à un autre rouage dans la machine, ou à la machine elle-même. Quand j'ai parlé de la régression de ceux qui se donnent le rôle de suiveurs dans un groupe, je faisais encore allusion à la spécialisation. Le suiveur n'est pas une personne entière. Celui qui a accepté de ne pas penser ni de diriger, faillit à sa capacité de penser et de diriger. De plus, parce que penser et diriger ne font plus partie de sa spécialité, il manque à sa conscience par la même occasion.

Passons maintenant de l'individu spécialisé au groupe spécialisé, et nous verrons les mêmes forces dangereuses au travail. Le Détachement Spécial Barker était un groupe spécialisé. Ses buts n'étaient pas nombreux. Il n'existait pas pour jouer au football, ni pour construire des barrages ni même pour se nourrir. Il n'existait que pour un seul but hautement spécialisé, c'est-à-dire celui de chercher des Viêt-cong dans la province de Quang Ngai en 1968, et de les tuer.

Il est important de se souvenir que la spécialisation est rarement accidentelle ou faite au hasard. Elle est habituellement très sélective. Ce n'est pas par accident que je suis un psychiatre. J'ai choisi de le devenir et j'ai accompli ce qu'il fallait pour me préparer à remplir ce rôle spécialisé. En outre, j'ai non seulement choisi cette profession, mais la société également m'a choisi pour l'occuper. Au cours de plusieurs stages, on m'a fait passer des examens pour voir si j'étais digne d'être membre du "club". Tous les groupes spécialisés sont des créations uniques issues à la fois d'une sélection personnelle et d'une sélection collective. Par exemple, si vous assistez à une convention de psychiatres et observez leurs costumes, leur diction, leur allure et l'orientation de leurs propos, vous concluerez facilement que nous sommes des créations uniques.

Examinons un autre exemple encore plus typique: la force policière. On ne devient pas policier par accident. En premier lieu, des gens spécifiques choisissent la profession de policier et posent leur candidature pour le devenir. Un jeune homme de la classe moyenne qui est à la fois agressif et conformiste, par exemple, serait un candidat idéal pour faire partie de la force constabulaire. Un jeune intellectuel timide ne le serait point. Par sa nature, le travail d'un policier exige une certaine dose d'agressivité pour faire respecter la loi, en même temps que le respect des règles d'éthique d'une organisation hautement structurée et vouée au service de la loi. Cette profession conviendra aux besoins psychologiques du premier jeune homme. Graduellement, il ira vers elle. S'il s'aperçoit durant son entraînement, ou durant ses premiers jours au travail, qu'il n'est pas heureux ou qu'il ne s'entend pas avec les hommes du groupe, il démissionnera ou sera limogé. En fin de compte, un corps policier ordinaire est un groupe très homogène d'hommes ayant plusieurs choses en commun et qui forment un ensemble distinctement différent de tous les autres groupes, d'un groupe de pacifistes par exemple, ou d'une association de diplômés universitaires.

À partir de ces exemples, nous pouvons distinguer trois grands principes concernant les groupes spécialisés. D'abord, un groupe spécialisé acquiert inévitablement un caractère qui se renforce de l'intérieur. Ensuite, les groupes spécialisés sont particulièrement enclins au narcissisme, c'est-à-dire qu'ils se croient les seuls à avoir raison au-dessus de tous les autres groupes homogènes. Finalement, à cause du processus d'auto-sélection dont nous avons parlé, la société en général accorde ses tâches spécialisées à des types de gens spécifiques; par exemple, la politique sera confiée à des individus agressifs et conformistes.

Nous avons déjà mentionné que le Détachement Spécial Barker formait un groupe spécialisé dont la seule raison d'être était de mener des missions de "recherches et destruction" dans la province de Quang Ngai. Cependant, le lecteur ignore peut-être la somme de sélections et d'auto-sélections qu'exige la création d'un groupe semblable. À l'époque, les civils étaient appelés sous les drapeaux mais le Détachement Spécial Barker n'était sûrement pas un échantillonnage de la population américaine. Les plus pacifistes se réfugiaient au Canada pour s'exempter, ou se disaient objecteurs de conscience. Ceux des moins pacifistes qui ne voulaient pas combattre, préférèrent s'enrôler plutôt qu'attendre d'être appelés sous les drapeaux. En s'enrôlant, ils pouvaient choisir de servir dans l'aviation, la marine, ou dans une spécialité non combattante peu susceptible de les conduire au Viêt-nam. Le Détachement Spécial Barker était formé de soldats qui avaient librement choisi de se battre, de jeunes "grognards" qui avaient fait de même, ou d'autres qui n'avaient pu s'échapper du système.

Jusqu'à la fin de 1968, longtemps après MyLai, la guerre du Viêt-Nam du côté américain a été faite par des volontaires. Les militaires de carrière trouvaient très désirable une tournée au Viêt-Nam. Il y avait des décorations à recevoir, des émotions fortes, de l'argent et des promotions. Il y avait aussi un système unique de volontariat à l'intention des jeunes enrôlés. Presque tous les volontaires du Viêt-Nam étaient assurés de trois choses: un changement instantané de location, un congé immédiat et un boni. Ces primes d'encouragement suffisaient pour attirer assez de "chair à canon" volontaire, d'une escalade américaine à l'autre, après l'affaire de MyLai.

À l'aide d'un prototype, nous allons illustrer quelques aspects des rapports entre la Société américaine de 1968, son armée et le sous-groupe de combattants au Viêt-Nam. Donnons le nom de "Larry" à ce prototype, et disons qu'il est originaire de l'Iowa. L'aîné de six enfants, fils d'un père alcoolique et d'une mère fatiguée, Larry fut un fauteur de troubles depuis la puberté. Il laissa le collège dès l'âge de seize ans, en 1965. Larry eut une série de menus emplois insuffisants pour payer son assurance d'automobile, l'essence et son train de vie de gros buveur. En novembre 1966, il cambriola une station-service et fut arrêté. La communauté se réjouit de se débarrasser de Larry, et ce dernier n'avait aucunement envie de gonfler la population carcérale, non plus que le fardeau fiscal. Après tout, l'argent volé avait été remboursé et il n'y avait pas eu de gros dégâts. Le juge proposa à Larry de joindre l'Armée ou d'aller en prison.

Tout se simplifia dès lors. L'officier recruteur de l'Armée avait son petit bureau dans le même édifice que le juge et, inutile de dire, l'infanterie cherchait du personnel. Larry s'engagea pour l'Allemagne parce qu'on lui avait dit que les filles étaient faciles là-bas. En moins d'une semaine il était en route pour Fort Leonard-Wood, Missouri, pour son entraînement de base. À cause de cet entraînement et du cours spécialisé d'infanterie (Advanced Infantry Training), il fut si occupé qu'il n'eut pas le temps de se mettre les pieds dans les plats. En Allemagne, les choses ont été différentes. Les filles étaient comme on l'avait promis et la bière excellente. Seulement, les prix étaient élevés. Il emprunta de l'argent et ne put rembourser. Il se fit revendeur de hachisch, mais son fournisseur fut transféré. Ses dettes augmentèrent. Larry avait maintenant dix-neuf ans et pouvait entrevoir ce qui l'attendait. Soit que ses créanciers le dénoncent, soit qu'ils le battent. Il lui restait une porte de sortie. Il se porta volontaire pour le Viêt-Nam et, en moins d'une semaine, il s'envolait vers les Etats-Unis, loin de ses problèmes. Il se sentait bien. Il avait son boni en poche et obtenu un congé de dix jours chez lui dans l'Iowa. Il comptait bien revoir ses vieux amis et impressionner les filles. Il n'était nullement inquiet de l'avenir. Il avait appris que les filles du Viêt-Nam étaient encore meilleures que les Allemandes. De plus, il avait hâte de voir un peu plus d'action. C'était peut-être drôle de tirer sur des "Gooks."

Malheureusement, malgré d'éventuels apports à notre compréhension, on n'a jamais fait d'étude sociologique sur la composition du Détachement Spécial Barker. Par conséquent, je ne peux rien affirmer de scientifique. Loin de moi l'idée de suggérer que le groupe n'était composé que de petits criminels comme Larry. J'affirme cependant que la Compagnie "C" et le Détachement Spécial Barker n'étaient pas du tout représentatifs du peuple américain. Ses membres arrivèrent à MyLai en mars 1968, motivés par des raisons personnelles et par auto-sélection, choisis par un système de sélection lui-même mis en place par l'Armée américaine et par l'ensemble de la Société américaine. Ce n'était pas un groupe d'hommes choisis au hasard. C'était un groupe hautement spécialisé non seulement par sa mission, mais aussi par sa composition particulière.

La composition spécialisée du Détachement Spécial Barker, et d'un nombre infini d'autres groupes d'humains, soulève trois questions importantes. En premier lieu, il y a la flexibilité qu'on peut espérer de la part d'êtres humains spécialisés. La Compagnie "Charlie" était un groupe de tueurs spécialisés. Pour une raison ou l'autre, les individus qui en faisaient partie avaient été attirés par ce rôle de tueur parce que le système les avait séduits. En outre, nous les avons formés pour ce rôle et leur avons fourni des armes pour le remplir. Faut-il alors s'étonner, compte tenu d'une foule d'autres circonstances accessoires, qu'ils aient tué aveuglément? Ou qu'ils n'aient apparemment ressenti aucune culpabilité à la suite de ce que nous les avions poussés à faire? Est-il réaliste d'encourager des êtres humains et les manipuler pour les faire se joindre à un groupe spécialisé et, simultanément, sans entraînement pour ainsi dire, s'attendre à ce qu'ils puissent le moindrement regarder par delà leur spécialité?

La seconde question est la quête subtile et manifeste d'un bouc émissaire. Le prototype Larry était un petit tricheur et un voleur de bas étage, une sorte de bonhomme pour lequel on peut difficilement éprouver de la sympathie. De plus, c'était un bouc émissaire. Quand sa communauté le poussa dans l'Armée, on ne cherchait pas à soigner le problème humain et social qu'il représentait; on voulait simplement se débarrasser du problème. Les citoyens purifièrent leur communauté en déversant leurs saletés dans l'Armée, et sacrifièrent Larry au Dieu de la Guerre. Ils firent de l'Armée un bouc émissaire également. Une des fonctions officieuses de l'Armée est de servir de dépotoir pour les plus désaxés de la jeunesse américaine: une école de réforme nationale en quelque sorte. Le fait que ce système fonctionne avec un succès relatif ne doit pas nous faire oublier que, par nature, il s'agit d'un recours au bouc émissaire.

Naturellement, Larry devint un peu plus bouc émissaire quand l'Armée le séduisit pour l'attirer au Viêt-Nam. D'une part, c'est d'une logique sociale impeccable. Pourquoi des fauteurs de troubles et des inadaptés comme Larry ne seraient-ils pas les meilleurs candidats pour faire de la chair à canon? Si quelqu'un doit se faire tuer, pourquoi ce quelqu'un ne serait-il pas visiblement dépourvu de valeurs sociales? Mais, ce n'est pas Larry qui décida de tuer. Ni le Lieutenant Calley. Ni son officier supérieur, le Capitaine Medina. Ni le Lieutenant-Colonel Barker. Ce fut une décision de l'Amérique entière. Pour un motif quelconque, L'Amérique a décidé qu'il y aurait une tuerie et, en ce qui a trait aux gestes des soldats, ceux-ci ne faisaient que ce qu'on leur avait demandé. Peut-être étaient-ils plus sales et moins nobles que l'Américain moyen, mais le fait demeure que nous, comme société, les avons délibérément choisis et leur avons demandé de tuer pour nous, de faire nos saletés. Dans cette optique, ils étaient tous nos boucs émissaires.

L'histoire du mouvement pacifiste illustre bien ce manège de faire retomber ses torts sur autrui. C'est en 1965 que la "gauche intellectuelle" se mit à critiquer le rôle des Etats-Unis au Viêt-Nam; mais, malgré toutes les démonstrations et les marches, le mouvement pacifiste ne devint populaire et efficace qu'en 1970. Pourquoi ce décalage? Il y eut sûrement plusieurs raisons. Mais le plus important facteur est peut-être le fait que c'est seulement en 1969 qu'on se mit à envoyer au Viêt-Nam des Américains enrôlés *qui ne s'étaient pas portés volontaires pour y aller*.

Il était tout naturel que la population américaine soit demeurée calme quand tous ceux qui se trouvaient au Viêt-Nam y étaient de bon gré. Par contre, il était normal que le public finisse par s'inquiéter quand des frères, des fils et des pères y furent envoyés contre leur volonté. C'est alors que fut constituée la base du mouvement pacifiste.

En fait, nous avions assez de tueurs spécialisés pour faire une guerre de bonne envergure pendant six ans, sans impliquer d'une manière grave ou personnelle la population américaine dans son ensemble. Etant donné qu'il n'était pas directement touché, le public était satisfait de laisser les tueurs qu'il avait créés "faire leur besogne". Le public ne commença à prendre ses responsabilités que lorsqu'il manqua de spécialistes. Et voici le troisième aspect que nous devons considérer et dont nous ne devons pas ignorer l'affreuse réalité. Cette réalité montre qu'il est facile, naturel même pour un grand groupe, de faire le mal sans implication émotive en laissant simplement le champ libre à ses spécialistes. C'est arrivé au Viêt-Nam; c'est arrivé dans l'Allemagne nazie et j'ai peur que cela ne continue de se produire.

Nous avons besoin d'apprendre que tant que nous créerons des groupes spécialisés, nous créerons la dangereuse possibilité que la main droite ne sache plus ce que fait la gauche. Je ne dis pas qu'il faille éliminer complètement les groupes spécialisés; ce serait jeter le bébé avec l'eau du bain. Toutefois, c'est un danger que nous devons reconnaître et nous devons aussi structurer nos groupes spécialisés de manière à le minimiser. Ce n'est pas ce que nous faisons actuellement. Par exemple, parce qu'elle n'est pas touchée dans son ensemble, notre société a établi et soutient une politique d'engagement volontaire dans l'armée. Notre réaction pacifiste engendrée par la guerre du Viêt-Nam nous a incités à vouloir une armée encore plus spécialisée, sans tenir compte des dangers éventuels. Nous avons abandonné le concept du citoyen-soldat au profit du mercenaire, ce qui nous a placés en très mauvaise posture. Dans vingt ans, quand le Viêt-Nam aura été à peu près oublié, comme il sera facile de faire encore appel à des volontaires pour s'engager dans d'autres petites aventures en sol étranger. De telles entreprises gardent nos soldats sur le qui-vive, leur permettent de mettre leur bravoure à l'épreuve dans des jeux de guerre réalistes, et tout cela sans blesser le citoyen moyen, ni l'impliquer avant qu'il ne soit trop tard.

La conscription, ou service militaire obligatoire, est la seule chose qui puisse garder notre armée en santé. Sans cela, elle deviendra inévitablement de plus en plus spécialisée non seulement dans son fonctionnement, mais dans sa psychologie également. Elle ne recevra pas d'air frais de l'extérieur. Elle se suffira à elle-même et renforcera ses propres valeurs et alors, quand elle aura la voie libre, elle perdra le contrôle comme c'est arrivé au Viêt-Nam. La conscription est une démarche douloureuse. Il en est de même des primes d'assurance. Le service militaire "obligatoire" est le seul moyen de s'assurer que la "main gauche" de notre armée reste saine. S'il nous faut absolument une armée, *il faut que cela fasse mal.* En tant que peuple, nous ne devons pas jouer avec des engins de destruction massive sans accepter individuellement la responsabilité de les brandir. Si nous devons tuer, ne sollicitons pas et n'entraînons pas des tueurs à gages pour commettre ces saletés en notre nom, pour ensuite oublier que le sang a coulé. Si nous devons tuer, soyons assez honnêtes pour en accepter l'horreur. Autrement, nous nous isolerons loin de nos propres actions et, tous ensemble, nous deviendrons un peuple de gens aussi mauvais que ceux que j'ai peints dans des chapitres précédents. Le mal se dresse quand on refuse de reconnaître ses propres péchés.

Un groupe spécialisé plus grand: l'Armée

J'ai parlé du fantassin individuel et de sa régression en présence de stress au combat. J'ai aussi fait allusion à la tendance de l'individu de régresser quand il fait partie d'un groupe. Ensuite, nous avons étudié les forces du conformisme et du narcissisme dans les petits groupes, particulièrement les groupes militaires comme le Détachement Spécial Barker. De là, nous avons examiné les rapports entre un petit groupe spécialisé et le groupe plus considérable d'où il émane, en insistant sur le phénomène du bouc émissaire. Tournons-nous maintenant vers ce groupe plus considérable, c'est-à-dire l'armée américaine.

Le coeur de l'armée est le soldat de carrière, l'homme de vingt ou trente ans, officier supérieur ou sous-officier. Ce sont eux surtout qui déterminent la nature de l'organisation militaire. L'organisation doit certes se faire souple pour aider les recrues et promouvoir l'enrôlement. Il lui faut aussi répondre aux directives de ses chefs civils, qui dépendent eux-mêmes du Secrétaire à la Défense. Mais, les secrétaires à la défense passent et ne durent pas. Les recrues et les simples soldats ne font eux aussi que passer. Les hommes de carrière demeurent et ce sont eux qui non seulement assurent la continuité de l'armée, mais lui donnent aussi une âme.

Certains aspects de l'âme de l'armée américaine sont d'une grande valeur, une valeur souvent spirituelle. Les civils en ont plus qu'ils ne le croient à apprendre de la tradition militaire, de la discipline et des modes de leadership. Cependant, mon but n'est pas de vous présenter une image équilibrée de l'armée, mais plutôt d'examiner une faillite le l'armée à titre d'exemple du phénomène du mal collectif. Par conséquent, je concentrai mon propos sur les côtés les moins savoureux du "cerveau militaire", ou de son âme.

Nous, les humains, sommes ainsi faits que nous devons connaître le sens de nos valeurs sociales. Rien ne nous fait plus plaisir que de nous savoir désirés et utiles. Inversement, rien n'est plus désespérant qu'un sentiment d'inutilité et de rejet. En temps de paix, on fait peu de cas des soldats, tout au plus les considère-t-on comme un mal nécessaire ou, pire encore, comme de pitoyables parasites du corps politique. En temps de guerre, par contre, on leur découvre soudain une utilité et leur accorde un rôle absolument essentiel dans la société. Le laissé-pour-compte devient un héros.

La guerre est donc psychologiquement satisfaisante pour le soldat de carrière, en même temps qu'économiquement enrichissante. En temps de paix, les promotions sont rares et on se débarrasse des membres inutiles. On effectue même des rétrogradations.. Pour survivre économiquement et psychologiquement en temps de paix, le militaire de carrière doit posséder une résistance morale hors de l'ordinaire. Inconnu et délaissé, il doit attendre qu'une guerre lui rende sa raison d'être. Dès lors, ses responsabilités montent dramatiquement en flèche. Les promotions se succèdent, de même que l'augmentation des salaires, les avantages marginaux et les bonis. Le militaire peut accumuler les médailles et redevenir l'homme de l'heure, libre de dettes et de désespoirs, indubitablement important.

Il est donc inévitable que le soldat de carrière moyen, inconsciemment sinon consciemment, meure d'envie de faire la guerre. La guerre est sa raison d'être. Quelques militaires d'envergure et d'une grandeur spirituelle extraordinaire parviennent à surmonter les lourd penchants de leur carrière et à prêcher pour la paix. Ces rares martyrs sont des héros méconnus et nous ne pouvons prétendre au droit d'en avoir. Au contraire, sans que nous versions dans la rancoeur et la récrimination, nous devons toujours miser sur le fait que le militaire se rangera du côté de la guerre. Prétendre le contraire serait puéril et manquerait de réalisme.

Ce qui précède nous indique que l'armée américaine n'était pas au Viêt-Nam à contrecoeur. Le personnel de carrière n'était pas pris de doute, de circonspection, ni de modération. L'exhubérance régnait: "Hourra! Allons-y les gars." Une ferveur sanctifiée par le Président et Commandant en Chef qui se rendit lui-même au Viêt-Nam et demanda aux troupes de "ramener la peau du vaincu".

Il faut aussi tenir compte de la technologie de l'armée américaine de 1960. L'armée ne s'y était pas beaucoup intéressée dans le passé, mais nous pouvons considérer cette année comme celle de nos plus grandes préoccupations pour la technologie en général, et pour la technologie américaine en particulier. L'armée devint le reflet de l'engouement de notre société toute entière pour les machines, les appareils et l'équipement qui avaient le pouvoir de rendre toute occupation facile et efficace, y compris celle de tuer. En effet, le Viêt-Nam fut perçu comme le terrain d'essai idéal d'une nouvelle technologie militaire innovatrice, où le soldat s'acquittait adéquatement du rôle de premier exploiteur au nom de l'ensemble de la société américaine. Par conséquent, nous nous gavâmes de technologie au Viêt-Nam et utilisâmes nos bulldozers, nos armes compliquées, nos bombes de précisions et nos défoliants chimiques avec la ferveur du docteur Strangelove. De plus, nous nous éloignâmes émotivement de nos victimes puisque nous ne les voyions pas la plupart du temps. Ce fut le napalm, non pas nous, qui mit le feu aux corps des Vietnamiens. Ce furent les avions, les chars d'assaut, les bombes et les mortiers qui tuèrent l'ennemi, non pas nous. À MyLai, la tuerie a eu lieu face-à-face, mais je crois que notre technologie avait endormi notre sensibilité. Depuis plusieurs années, nous placions tous nos gadgets entre nous-mêmes et nos victimes, ce qui avait pour effet d'isoler nos consciences. En pareilles circonstances, je suis d'avis que la technologie produira toujours les mêmes résultats.

Pourtant, rien ne fonctionnait malgré toute notre technologie, notre compétence militaire et la débrouillardise américaine. Notre nation était la plus puissante au monde, une nation qui n'avait jamais perdu une guerre de toute son existence, et l'incroyable était en train de se produire. En 1967 et en 1968, nous avons commencé à entrevoir une réalité si monstrueuse que nous n'y avions jamais songé: nous ne pouvions gagner la guerre. Malgré notre technique, nous, le pays le plus fort du monde, étions en train de perdre une guerre contre un peuple minuscule, primitif et non industrialisé.

Parce qu'ils étaient sur les lieux, les soldats furent les premiers à se rendre compte de l'inconcevable. Ils eurent à subir le fardeau brutal de cette humiliation raffinée. Jusqu'à-lors invaincus, ils venaient de trahir leur propre raison d'être. Ils ne pouvaient plus remplir le but de leur existence. Soudainement et sans explication, l'heure de gloire venait de sûrir. L'esprit de corps et les fières traditions s'envolaient en fumée.(71) À l'époque de MyLai au début de 1968, le soldat était semblable à une énorme bête remplie de confiance, une bête qui souffre tout à coup et se sent blessée par des milliers de petits dards sans connaître leur provenance. Il commençait à rugir de rage et de confusion.

C'est un fait connu que les animaux coincés et blessés sont particulièrement vicieux ou dangereux. Les Américains n'étaient pas sérieusement coincés ou menacés au debut de

1968 au Viêt-Nam, mais leur orgueil avait été piqué au vif, surtout celui des soldats qui se sentirent profondément meurtris. À maintes reprises nous avons assisté à la naissance du mal lorsque le narcissisme se sent menacé et, dans les circonstances, les soldats en étaient rendus à ce point. Les grands Narcisses, les gens mauvais, chercheront à détruire tout ce qui menace leur image de perfection. Or, vers la fin de 1967, l'organisation militaire américaine, organisation hautement narcissique à l'instar de tous les autres groupes, se mit à frapper avec une méchanceté et une fourberie peu communes sur le peuple viêtnamien qui massacrait son amour-propre. On torturait ceux que l'on soupçonnait d'espionnage. Des Viêt-cong, morts ou vivants, étaient traînés dans la boue derrière des transporteurs blindés. L'ère du décompte se mit en branle. Il y eut escalade du mensonge et de la duperie qui existaient depuis notre arrivée au Viêt-Nam. Bien que les atrocités de MyLai fussent uniques par leur ampleur, j'ai des raisons de croire que des massacres de moindre importance ont été commis ailleurs au Viêt-Nam par des troupes américaines à la même époque. On pourrait dire sans se tromper que MyLai eut lieu dans le mauvais climat d'atrocités qui s'était emparé non seulement du Détachement spécial Barker, mais aussi de l'ensemble des forces américaines au Viêt-Nam.

Bien qu'exprimée sur un ton incisif, cette conjecture d'un climat d'atrocités ne demeure qu'une conjecture. Comme je le disais plus haut, j'ai fait partie d'un groupe à qui on avait proposé de faire des recherches qui aideraient à comprendre les aspects psychologiques de MyLai. Sachant fort bien qu'il ne serait pas accueilli favorablement, notre comité poussa quand même l'honnêteté jusqu'à suggérer, entre autres choses, d'étudier la fréquence des atrocités commises par les soldats américains ailleurs au Viêt-Nam et de la comparer, si possible, avec la fréquence des atrocités commises par d'autres soldats américains dans d'autres guerres et contre d'autres ennemis. Pour la période entre l'insurrection de 1899 aux Philippines(72) et le massacre de MyLai, rien n'avait été publié ou documenté publiquement sur des crimes de guerre et des atrocités commises par des Américains. Devrions-nous présumer que nos bons petits Américains n'ont pas fait preuve de brutalité en

Corée ou dans la Deuxième Guerre? Des douzaines de questions me viennent à l'esprit. Des atrocités ont-elles été commises avec la même fréquence, sans être rapportées à cause du climat prévalant? Les atrocités du Viêt-Nam, ailleurs qu'à MyLai, ont-elles été plus ou moins fréquentes qu'on ne le supposait? Les atrocités du Viêt-Nam étaient-elles uniques? Les Américains sont-ils plus portés à commettre des atrocités contre des Asiatiques que contre des blancs, des Allemands par exemple?

Nous ne pouvons comprendre le mal collectif de MyLai sans répondre à ces questions, et les réponses ne nous serons fournies que par le truchement de recherches scientifiques sur le sujet. Malgré certains problèmes techniques, comme l'immunité pour ceux qui seraient interrogés, ces recherches sont théoriquement possibles. Le sont-elles philosophiquement? Elles n'étaient pas opportunes en 1972, quand nous les avons proposées. Je prédis que ces questions demeureront toujours sans réponses, non pas que le jeu n'en vaille la chandelle, mais parce que nous, le peuple, ne voulons pas les découvrir. Les dangers d'embarras sont trop grands. Nous préférons éviter un examen de conscience trop fouillé sur nous-mêmes et sur notre société. Le mal collectif est une menace suffisante pour que nous refusions de lui faire face. En 1972, la demande que l'on nous adressa pour que nous fassions des suggestions de recherches sur les aspect psychologiques de MyLai, n'avait pour but que d'en empêcher la récidive. Etant donné que notre proposition a été rejetée *in toto*, je n'ai pas de base scientifique sur laquelle je pourrais me fonder pour parler de prévention. Cependant, le chemin qui mène à la prévention me semble clair.

Puisque nous devons avoir une organisation militaire, je suggère que notre société songe sérieusement à la "dé-spécialiser" le plus possible. Je proposerais une combinaison de plusieurs vieilles idées: le service militaire universel et un corps d'armée national. Au lieu d'une armée comme nous la connaissons actuellement, nous pourrions compter sur une armée nationale qui non seulement s'acquitterait de ses devoirs militaires, mais remplirait aussi une foule de tâches civiques: lutte contre les taudis, protection de l'environnement, formation professionnelle, et autres fonctions essentielles. Ce corps d'armée ne serait pas entièrement formé de volontaires et ne reposerait pas sur un système inéquitable de contingentement; il serait plutôt basé sur le service militaire national obligatoire de tous les jeunes Américains, mâles ou femelles. Le but ne serait pas d'en faire de la chair à canon, mais on les utiliserait pour exécuter toutes sortes de travaux utiles. L'obligation de servir ne ferait pas seulement obstacle à l'esprit d'aventure des bellicistes, elle favoriserait aussi la mobilisation générale, au besoin. Compte tenu de ses importantes responsabilités en temps de paix, le soldat de carrière serait moins spécialisé et aurait moins hâte de faire la guerre. Ces suggestions sont radicales, mais elles sont réalisables.

Un groupe spécialisé encore plus grand: la Société américaine de 1968

L'armée entra au Viêt-Nam comme un taureau enragé, mais elle ne s'est pas rendue là d'elle-même. Cette bête idiote a été libérée sur ce sol étranger par le Gouvernement des États-Unis, au nom du peuple américain. Pourquoi? Pourquoi avons-nous fait cette guerre?

Au fond, nous l'avons faite à cause d'un ensemble de trois courants de pensées différentes: (1) le communisme était une force monolithique du mal qui menaçait la liberté en général et celle des Américains en particulier; (2) les États-Unis avaient le devoir de diriger l'opposition au communisme car, économiquement, ils étaient les plus puissants au monde; et (3) il fallait s'opposer au communisme partout et de n'importe quelle façon.

Ces attitudes, qui étaient aussi celles des Américains dans leurs relations internationales, ont eu leur origine vers la fin des années 1940 et au début des années 1950. Tout de suite après la Deuxième Guerre, avec une rapidité et une agressivité hors de l'ordinaire, l'U.R.S.S. communiste imposa sa domination politique sur la quasi totalité de l'Europe de l'est: sur la Pologne, la Lituanie, la Lettonie, l'Estonie, l'Allemagne de l'Est, la Tchécoslovaquie, la Hongrie, la Bulgarie, la Roumanie, l'Albanie et vraisemblablement la Yougoslavie. C'est grâce à l'argent, aux armes et au leadership américains que l'Europe toute entière n'est pas tombée dans les griffes du communisme. Puis, alors que nous consolidions nos défenses occidentales contre lui, le communisme éclata à l'est en 1950 et la Chine tout entière tomba sous son joug presque du jour au lendemain. De plus, il menaçait nettement de se répandre au Viêt-Nam et en Malaisie. Il fallait tirer la ligne. Vu l'expansion du communisme de chaque côté de l'U.R.S.S. il ne faut pas s'étonner qu'en 1954 nous l'ayons perçu comme une force du mal réunie en un seul bloc, une force si dangereuse pour le monde entier que nous devions la combattre à mort sans égards pour nos scrupules moraux.

Cependant, quelque douze années plus tard, une montagne de preuves nous a appris que le communisme n'était pas, et n'avait peut-être jamais été, une force monolithique ou un mal nécessaire. La Yougoslavie ne dépendait nullement de l'U.R.S.S., et l'Albanie était sur le point de ne plus l'être. La Chine et l'U.R.S.S. n'étaient plus des alliés mais des ennemis en puissance. Quant au Viêt-Nam, toute analyse intelligente de son histoire le démontrait comme un ennemi traditionnel de la Chine. À cette époque de leur histoire, les communistes vietnamiens ne recherchaient pas l'expansion du communisme; ils agissaient plutôt par nationalisme et pour résister à la domination colonialiste. De plus, malgré les atteintes à leurs libertés civiles, il était clair que les sociétés communistes avaient la vie plus facile que sous leurs gouvernements précédents. Il était clair également que plusieurs populations non communistes parmi nos alliés voyaient leurs droits humains bafoués dans la même mesure qu'en U.R.S.S. et en Chine.

Notre rôle militaire au Viêt-Nam commença entre 1954 et 1956, époque où il semblait réaliste de craindre la menace d'un bloc communiste. Cette menace n'existait plus une douzaine d'années plus tard; mais, à ce moment même, alors que nous aurions dû modifier notre statégie et nous retirer du Viêt-Nam, nous avons choisi d'intensifier sérieusement la défense d'un courant d'opinion tombé en désuétude. Pourquoi? À commencer vers de 1964, pourquoi le comportement des Américains au Viêt-Nam se fit-il progressivement si peu réaliste et si inopportun? Il y a deux raisons: la paresse et, encore une fois, le narcissisme.

Les attitudes sont en quelque sorte apathiques. Quand elles se mettent en mouvement, l'évidence même ne peut les arrêter. Il faut du courage et une force considérable pour les modifier. Le processus se met en branle soit par une prise de position constamment maintenue par l'effort et qui amène à nous critiquer et douter de nous, soit par la pénible admission que ce que nous ayons toujours considéré comme vrai ne l'est peut-être pas. Ensuite, ce processus entre dans une période de confusion, une confusion très peu confortable car on ne distingue plus le bien du mal, ni l'orientation à prendre. Cependant, cette confusion est un état d'ouverture et, par conséquent, de découverte et de croissance. Les sables mouvants de la confusion deviennent le tremplin qui nous permet de sauter vers une vision neuve et meilleure.

Je suis d'avis que nous pouvons correctement considérer comme paresseux et contents de soi, les hommes de l'administration Johnson qui gouvernaient les États-Unis à l'époque de MyLai. À l'instar de la majorité des individus moyens, ils n'avaient pas de penchant particulier pour la confusion mentale, ni pour l'effort requis par "une de position soutenue d'autocritique de manque et de confiance en soi." Ils ont tenu pour acquis que ce qu'ils savaient depuis une vingtaine d'années sur "la menace du bloc communiste" était toujours valable. Ils ont fermé les yeux sur les preuves grandissantes du contraire. Agir autrement les aurait forcés à une pénible et difficile révision de leurs opinions. Ils n'avaient pas le goût de s'engager dans un tel travail. Il était plus facile d'aller à l'aveuglette comme si rien n'avait changé.

Jusqu'ici, nous nous sommes concentrés sur la paresse qui mène à s'en remettre à de vieilles cartes ou à des idées désuètes.(73) Passons maintenant au narcissisme. Nous sommes ce que nous pensons. Si quelqu'un critique mon attitude, j'ai l'impression qu'il me critique *moi-même*. Quand une de mes opinions est dans l'erreur, c'est *moi* qui suis dans l'erreur; on a brisé mon image de perfection. Les individus et les nations restent attachés à des idées vieilles et usées non seulement à cause des efforts requis pour les changer, mais aussi parce que leur narcissisme les empêche de croire qu'ils auraient pu se tromper. Ils sont sûrs d'avoir raison. En surface, nous admettrons promptement notre faillibilité; mais, la plupart d'entre nous croyons fermement avoir toujours raison, surtout si nous sommes puissants et avons réussi dans la vie. C'est à cette forme de narcissisme qui s'est manifestée dans notre comportement au Viêt-Nam que le sénateur William Fulbright faisait allusion quand il a parlé de "l'arrogance du pouvoir."

D'habitude, quand on nous plonge le nez dans l'évidence, nous pouvons endurer une douloureuse blessure narcissique, admettre le besoin d'un changement et corriger notre point de vue. Mais, comme c'est le cas chez de nombreux individus, le narcissisme d'une nation toute entière outrepasse parfois les limites normales. Dans cette éventualité, la nation dont il s'agit ne se conforme pas à la preuve mais cherche plutôt à la détruire. C'est ce que firent les États-Unis dans les années 1960. La situation au Viêt-Nam nous a prouvé l'erreur de notre opinion du monde et nous a indiqué les limites de notre puissance. Alors, au lieu de réfléchir et corriger nos idées, nous nous sommes mis en frais de détruire la situation, et tout le Viêt-Nam si nécessaire.

Ceci était mal. Nous avons déjà défini le mal simplement en disant que c'était l'utilisation du pouvoir pour détruire autrui dans le but de défendre et protéger l'intégrité de sa propre personne. Depuis qu'elle est démodée, notre vision monolithique du communisme fait partie de notre égo national malade; cette vision n'est plus réaliste ni conforme. On nous a prouvé le désastre et l'immoralité de nos politiques par l'échec du régime de Diem que nous avions soutenu, par l'échec de tous nos "conseillers" et des "Bérets Verts," ainsi que par l'échec de l'aide économique et militaire que nous avons mise en oeuvre pour contrecarrer l'expansion du Viêt-cong. Plutôt que de modifier ces politiques, nous nous sommes lancés dans une guerre à outrance pour les protéger. Plutôt que d'admettre ce qui n'aurait été qu'un échec mineur en 1964, nous nous sommes empressés d'intensifier la guerre pour prouver que nous avions raison, aux dépens du peuple vietnamien et de ses aspirations. Le problème n'était plus de faire ce qui était bon pour le Viêt-nam, mais de protéger notre infaillibilité et notre "honneur" national.

Fait bizarre, le président Johnson et les membres de son administration savaient qu'ils agissaient mal. Sinon, pourquoi tant de mensonges?(74) C'était si bizarre et insensé que nous pouvons difficilement nous rappeler l'extraordinaire malhonnêteté nationale de cette époque vieille d'à peine une quinzaine d'années. Même l'"Incident du Golfe du Tonkin" qui servit d'excuse au président Johnson pour bombarder le Viêt-nam du Nord et entreprendre la guerre en 1964, semble n'avoir été qu'une fraude intentionnelle. Grâce à cette fraude, le Congrès lui accorda l'autorité de déclarer la guerre sans sa permission, ce qui était contraire à ses responsabilités constitutionnelles normales. Il se mit alors à "emprunter" de l'argent pour défrayer cette guerre en détournant des fonds qui devaient servir à d'autres fins et en extorquant des "bons d'épargne" à même le salaire des employés fédéraux, dans le but de ne pas imposer de nouvelles taxes et d'alourdir immédiatement le fardeau des contribuables.

J'ai intitulé ce livre *Les Gens du Mensonge* parce que mentir est à la fois une cause et une manifestation du mal. C'est à leurs mensonges que l'on reconnaît souvent les gens mauvais. Il est évident que le président Johnson ne voulait pas que le peuple américain sache et comprenne ce qu'il faisait en leur nom au Viêt-nam. Il savait qu'à la fin du compte on ne l'appuierait pas. Puisqu'il se vit forcé de camoufler ses actions, c'est donc qu'il trouvait mal de tromper l'électorat et qu'il le fit en connaissance de cause.

Ce serait une erreur et un mauvais raisonnement en soi de jeter tout le blâme sur l'administration Johnson. Il faut se demander pourquoi Johnson a réussi à nous tromper. Comment a-t-il fait pour nous tromper si longtemps? Mais, certains ne tombèrent pas dans le piège. Une toute petite minorité découvrit rapidement le pot aux roses, sentit que "quelque chose de ténébreux et sanguinaire" se préparait au nom de la nation. Pourquoi alors ne nous sommes-nous pas mis en colère? Pourquoi ne sommes-nous pas devenus méfiants? Pourquoi ne nous sommes-nous même pas inquiétés au sujet du bien-fondé de cette guerre?

Nous nous retrouvons encore une fois devant notre

261

paresse et notre narcissisme si humains. Au fond, il aurait fallu faire trop d'efforts. Nous avions une vie à vivre, un travail à accomplir, une automobile à acheter, une maison à peindre et des enfants aux études. Au sein de tous groupes, la majorité des membres confient le gouvernail à quelques-uns, et c'est ce que nous avons fait en laissant le Gouvernement à "sa besogne." Johnson était le chef et nous n'avions qu'à suivre. La population était trop léthargique pour réagir. En outre, nous partagions avec Johnson un narcissisme aussi considérable que l'état du Texas. Notre attitude et nos politiques nationales ne pouvaient certes pas verser dans l'erreur. Notre Gouvernement savait sûrement ce qu'il faisait; après tout, nous l'avions élu, n'est-ce pas? Ses membres étaient sans l'ombre d'un doute des hommes bons et honnêtes, issus de notre merveilleux système démocratique. Ce système ne pouvait dérailler. Aussi, tout ce que nos gouvernants, nos spécialistes et nos experts décidaient au sujet du Viêt-nam devait être approprié car n'étions-nous pas le peuple le plus puissant du monde libre?

En se laissant berner de façon si facile et flagrante, la population dans son ensemble a participé au mal de l'administration Johnson. Ce mal et ces années de mensonges et de manipulations ont tous contribué directement au mauvais climat de mensonges et de manipulations qui a prévalu au Viêt-nam pendant que nous y étions. C'est dans ce climat qu'eut lieu MyLai en mars 1968. Le Détachement Spécial Barker ne savait pas qu'il fut pris d'une crise de folie ce jour-là, et l'Amérique elle-même n'était à peu près pas au courant, au début de 1968, d'avoir perdu le nord quasi irrémédiablement.

La tuerie humaine

Il ne faudrait pas oublier que les États-Unis ne forment qu'un seul groupe qui fait partie d'un tout. Plus précisément, ils ne réprésentent qu'un seul des sous-groupes politiques que nous appelons les états nationaux de la race humaine. De plus, la race humaine elle-même n'est qu'une forme de vie parmi toutes celles qui sont répandues sur la planète. Le fait que nous devions nous rappeler cette vérité ne fait que démontrer encore une fois notre tendance narcississique à ne penser qu'en fonction de notre propre espèce.

Il ne faudrait pas oublier non plus que mal et meurtre vont de pair, que le mal est l'ennemi de la vie. Nous voyons MyLai comme un exemple du mal collectif à cause de la tuerie particulière qui s'y produisit, mais ce n'était qu'un faux-pas dans cette danse rituelle de la mort que nous appelons guerre. La guerre est une sorte d'assassinat à grande échelle que les humains considèrent comme un instrument convenable de politique nationale. Or, nous allons maintenant approfondir le meurtre en général et la tuerie humaine en particulier.

Tous les animaux tuent, et pas nécessairement pour se nourrir ou se défendre. Par exemple, j'ai deux chats bien nourris qui m'horrifient quand ils apportent dans la maison des petites bêtes mutilées qu'ils ont tuées pour le plaisir. Mais le meurtre par des humains a quelque chose d'unique. L'homme ne tue pas par instinct. L'extraordinaire diversité de son comportement nous prouve qu'il n'est pas de nature instinctive. Certains sont des oiseaux de proie, d'autres sont des colombes. Certains adorent la chasse, d'autres la détestent, tandis que plusieurs sont indifférents. Les chats sont tous semblables: ils chasseront toujours les petites bêtes s'ils en ont l'occasion.

La nature humaine est presque totalement dépourvue d'instincts: elle est complexe, prédéterminée, stéréotypée. C'est notre absence d'instinct qui est responsable des extraordinaires variabilité et mutabilité de notre nature et de notre comportement. Chez l'homme, le choix individuel réfléchi remplace les instincts propres à l'espèce. En définitive, nous sommes tous libres de choisir notre façon d'agir. Nous sommes même libres de rejeter ce que l'on nous a enseigné et ce qui est normal dans notre société. Nous pouvons même rejeter les quelques instincts que nous possédons, comme le font ceux qui choisissent délibérément le célibat ou le martyre. Le libre arbitre est la réalité ultime de l'homme.

Souvenons-nous que plusieurs théologiens ont dit que le mal est un fait concomitant du libre arbitre, le prix à payer pour notre capacité de choisir. Puisque nous avons ce pouvoir, nous sommes libres de choisir avec stupidité ou avec sagesse, de faire un bon ou un mauvais choix, de choisir le bien ou de choisir le mal. Puisque nous avons cette énorme et quasi incroyable liberté, il ne faut pas s'étonner que nous en abusions si souvent et que notre conduite soit si souvent détraquée comparativement à celle des animaux "inférieurs". Plusieurs animaux tueront pour protéger leur territoire; mais seul l'être humain massacrera des individus de son espèce pour protéger ses "intérêts" sur un sol lointain qu'il n'a jamais vu.

Donc, l'être humain devient meurtrier par choix. Pour survivre, nous ne pouvons pas ne pas tuer; mais nous pouvons choisir quand, comment, où et quoi tuer. La complexité morale de ces choix est énorme et souvent paradoxale. Une personne peut devenir végétarienne pour éviter de tuer, même indirectement, et pour survivre, elle endossera le geste de couper à la racine des plantes vivantes et de les rôtir au four. On peut se demander si un végétarien devrait manger des oeufs, bébés virtuels d'oiseaux magnifiques, ou boire du lait provenant de vaches dont les veaux ont été abattus? Puis, il y a le problème de l'avortement. Un femme devrait-elle mener à terme un enfant non désiré ou dont elle serait incapable de s'occuper? A-t-elle le droit d'assassiner un foetus soi-disant sacré? N'est-il pas étrange que plusieurs pacifistes soient en faveur de l'avortement? Ou encore que ceux qui combattent l'avortement sous prétexte que la vie est sacrée, sont souvent les mêmes qui se prononcent en faveur de la peine capitale? Et, puisque nous y sommes, quel est le sens moral de tuer un meurtrier pour prouver aux autres que l'assassinat est moralement mauvais?

Aussi compliquée que soit la morale de notre choix de tuer ou de ne pas tuer, un facteur contribue nettement à des tueries inutiles et visiblement immorales: le narcissisme. Encore une fois le narcissisme. Notre narcissisme présente cette particularité que nous sommes beaucoup plus portés à tuer ce qui nous est étranger que ce qui nous ressemble. Le végétarien se sent coupable de tuer d'autres formes de vie animale, mais non pas des formes de vie végétale. Certains végétariens spécialisés mangeront du poisson et fuiront la viande; d'autres mangeront du poulet et éviteront les mammifères. Il y a des pêcheurs qui ont la chasse en horreur, et des chasseurs qui tueront des oiseaux et refuseront de tirer sur un chevreuil parce que ses yeux sont trop humains. Le même principe s'applique quand un humain tue un autre humain. Les caucasiens éprouveront moins de scrupules en tuant des noirs, des indiens ou des orientaux, qu'en tuant des blancs. Un homme blanc trouve plus facile de lyncher un nègre qu'un visage pâle. J'imagine qu'il serait également plus facile pour un oriental de tuer un caucasien plutôt qu'un autre oriental, mais je n'en suis pas certain. La question raciale de l'assassinat entre espèces en est une autre qui devrait faire l'objet d'une sérieuse étude scientifique.(75)

Aujourd'hui, la guerre est une question d'orgueil national autant, sinon plus, que d'orgueil racial. Ce que nous appelons nationalisme n'est le plus souvent qu'un mauvais narcissisme national plutôt que la saine satisfaction d'agir selon sa culture. En réalité, jusqu'au plus haut point, c'est le nationalisme qui assure la survie du régime "un pays, une nation." Il y a un siècle, quand il fallait des semaines pour transmettre une lettre des Etats-Unis à la France, et des mois à la Chine, le système "un pays, une nation" avait du sens. Aujourd'hui, à l'ère des communications et des holocaustes instantanés autour du globe, le système politique international est en grande partie devenu désuet. Cependant, notre narcissisme national s'accroche à nos idées démodées sur la souveraineté et nuit à la mise en place d'un mécanisme efficace pour assurer la paix internationale.

Sciemment ou non, nous enseignons le narcissisme national à nos enfants. Les États-Unis sont au centre des mappemondes suspendues dans nos innombrables salles de classe. L'U.R.S.S. est au centre des innombrables mappemondes suspendues en Russie. Les résultats de ce genre d'enseignement sont parfois ridicules.

Ceci me ramène au premier jour de mai de 1964, à Honolulu, quand ma femme reçut sa citoyenneté en même temps que deux cents autres personnes, à l'occasion d'une fête où les familles étaient réunies avec de nombreux dignitaires et fonctionnaires. Les célébrations commencèrent par une parade. Trois compagnies de soldats immaculés et équipés de fusils reluisants marchèrent autour du terrain avant de se ranger derrière sept obusiers. L'événement fut souligné par une salve de vingt et un coups de canon. Ensuite, le Gouverneur d'Hawaï monta sur le podium juste en face des canons encore fumants et déclara: "On dit qu'aujourd'hui est le "Jour de Mai" mais notre nation l'a déclaré "Law Day" (Jour de la Loi). Ici, à Hawaï, nous pourrions l'appeler "Lei Day," fit-il en voulant faire de l'esprit. De toutes façons, nous le célébrons avec des fleurs alors que les pays communistes le font avec des déploiements militaires."

Personne n'a ri. Comme si l'absurdité et l'insanité étaient passé inaperçues. Ce dignitaire indubitablement intelligent se permettait de châtier les Russes à cause de la nature militaire de *leurs* célébrations, alors que trois compagnies de soldats se tenaient à l'attention derrière lui et que la fumée de sept canons lui faisaient une auréole.

La guerre et la tuerie, qu'elles soient organisées, collectives ou entre espèces, sont des comportements exclusivement humains. Etant donné que ces comportements ont essentiellement caractérisé toutes les cultures depuis l'aube de l'histoire, plusieurs sont d'avis que les humains possèdent l'instinct guerrier et que faire la guerre est un fait immuable de la nature humaine. J'imagine que c'est pour cette raison que les hommes rapaces se disent réalistes et les colombes se voient comme des idéalistes frisottants. Les idéalistes sont des gens qui font confiance au pouvoir de transformation de la nature humaine. Cependant, j'ai déjà affirmé que la qualité la plus essentielle de la nature humaine est sa mutabilité et son manque d'instincts; c'est-à-dire qu'elle a toujours le pouvoir de modifier sa nature. Il s'ensuit que les idéalistes sont à leur place tandis que les réalistes ne sont pas à la hauteur. Quiconque affirme que faire la guerre est autre chose qu'un choix, est ignorant de l'existence du mal et de ce que nous démontre la psychologie humaine. Faire la guerre n'est peut-être pas toujours nécessairement mauvais, mais c'est *toujours un choix*.

Je suis parfois très attiré par un raisonnement simpliste sur la guerre. Je voudrais m'en remettre implicitement au Sixième Commandement et croire que "Tu ne tueras point" ne signifie pas autre chose que "Tu ne tueras pas les êtres humains". Je suis aussi très attiré par l'indéniable universalité du plus célèbre des principes moraux: "La fin ne justifie pas les moyens". Mais, jusqu'ici, je ne peux m'empêcher de conclure qu'à certains moments de l'histoire, il eût été nécessaire et moral de commettre des meurtres pour en éviter d'autres en plus grand nombre. J'avoue que cette opinion me rend profondément inquiet.

Cependant, tout n'est pas ambigu. Je demeure suffisamment simpliste pour croire que dans n'importe quelle guerre, des êtres humains ont perdu leurs amarres et certains, probablement plusieurs, ont succombé au mal. Chaque fois qu'il y a une guerre, quelqu'un s'est trompé. Un côté est à blâmer, ou les deux à la fois. Quelqu'un a fait un mauvais choix quelque part.

Il est important de garder ces vérités à l'esprit parce que, dans nos guerres modernes, tous les adversaires se déclarent victimes. Jadis, quand les humains n'étaient pas aussi scrupuleux, une tribu n'hésitait pas à en massacrer une autre en avouant franchement son ambition de conquérir. Aujourd'hui, on s'accroche toujours à un prétexte d'innocence. Hitler lui-même inventa des motifs pour justifier ses invasions et il est fort probable qu'il ait cru à ces motifs, comme l'ont fait la majorité des Allemands. Il en est toujours ainsi. Chaque côté se croit une victime agressée par l'autre. Placés devant cette rhétorique bilatérale et la complexité des relations internationales, nous jetons les bras en l'air en disant que personne n'est responsable de la guerre, que personne n'est l'agresseur, que personne n'a fait un mauvais choix. La guerre est arrivée, simplement, comme l'inflammation spontanée.

Je ne suis pas d'accord avec cette attitude d'impuissance, cette abrogation de notre capacité de porter un jugement moral. Donner à Satan l'impression que l'homme ne peut reconnaître le mal, serait le plonger dans une grande allégresse et lui faire croire qu'il a réussi à conquérir la race humaine.

La guerre du Viêt-Nam ne fut pas un événement fortuit. Les Anglais l'ont commencée en 1945 (75) et les Français l'ont continuée jusqu'à leur défaite en 1954. Puis, avec la paix en vue, elle fut recommencée par les Américains et continuée pendant dix-huit ans. Plusieurs ne s'entendent pas encore sur la question, mais je suis convaincu que l'histoire me donnera raison quand j'affirme que les États-Unis ont été l'agresseur. Les décisions que nous avons prises à cette époque étaient des plus blâmables. Nous étions les "méchants."

Mais comment pouvions-nous, nous Américains, être des méchants? Les Allemands et les Japonais en 1941, oui certainement. Les Russes, oui. Mais les Américains? Nous ne sommes sûrement pas un peuple de bandits. Si nous avons été méchants, c'était sans doute involontaire. Je le concède: nous avons été très inconscients. Mais comment se peut-il qu'un individu, un groupe, ou une nation tout entière deviennent méchants sans le savoir? Voilà une question cruciale à laquelle j'ai déjà répondu de plusieurs façons. Revenons-y et parlons encore une fois de narcissisme et de paresse à partir de ce nouveau point de vue plus vaste.

L'expression "méchants involontaires" est particulièrement appropriée parce que notre méchanceté provient de notre inconscience. Nous sommes devenus méchants précisément parce que nous n'avions pas toute notre logique, tous nos esprits. Dans ce contexte, le mot "esprit" signifie connaissance. Nous étions méchants à cause de notre ignorance. Les événements de MyLai ont été camouflés pendant un an principalement parce que les soldats du Détachement Spécial Barker ne croyaient pas avoir accompli quelque chose de foncièrement mal; dans le même ordre d'idées, les Américains ont fait cette guerre sans savoir qu'ils agissaient mal.

J'ai souvent demandé à des soldats qui partaient pour le Viêt-Nam ce qu'ils savaient sur cette guerre et sur ses rapports avec l'histoire du Viêt-Nam. Les simples soldats n'en savaient rien. Quatre-vingt-dix pour cent des officiers subalternes n'en savaient rien. Le peu que savaient les officiers supérieurs et quelques officiers subalternes n'était généralement que l'opinion très partiale de leur académie militaire. C'était renversant. Au moins quatre-vingt-quinze pour cent des hommes qui allaient risquer leur vie n'avaient pas la moindre idée sur le sens de cette guerre. J'ai aussi interrogé des employés civils du Ministère de la Défense, ceux qui administraient la guerre, et découvrit la même ignorance crasse de l'histoire vietnamienne. En vérité, à l'échelle nationale, nous ne savions même pas pourquoi nous étions engagés dans ce combat.

Etait-ce possible? Comment une nation tout entière pouvait-elle partir en guerre sans savoir pourquoi? La réponse est simple. Comme peuple, nous étions trop paresseux pour apprendre et trop arrogants pour croire que nous avions besoin d'apprendre. Nous pensions que notre première impression était la bonne et qu'il était inutile d'aller plus loin; que tout ce que nous faisions était bien et que nous n'avions pas besoin de pousser notre réflexion plus loin. Nous avons eu tort parce que nous n'avons jamais songé un seul instant que nous pouvions ne pas avoir raison. Notre paresse et notre narcissisme se nourrissaient l'un l'autre et nous nous sommes mis en frais de nous imposer au peuple vietnamien par effusion de sang presque sans savoir de quoi il s'agissait. Après défaite sur défaite aux mains des vietnamiens, un grand nombre d'entre nous, citoyens de la nation la plus puissante au monde, avons constaté ce que nous avions fait.

Ainsi, notre nation chrétienne est devenue une nation de scélérats. La même chose est arrivée à d'autres nations dans le passé, et la même chose arrivera à l'avenir à d'autres nations, y compris à la nôtre. En qualité de nation et de race, nous ne serons jamais à l'abri de la guerre tant et aussi longtemps que nous n'aurons pas fait de progrès vers l'élimination des deux enfants du mal: la paresse et le narcissisme.

La prévention du mal collectif

Comme exemple de mal collectif, MyLai n'a pas été un "accident" inexplicable, ni une aberration imprévisible. Le massacre s'est produit dans un contexte de guerre, un contexte de mal. Les atrocités ont été commises par l'agresseur qui, par son agression, était déjà lui-même plongé dans le mal. Le mal d'un petit groupe, du Détachement spécial Barker, était nettement le reflet de tout le mal de la présence militaire américaine au Viêt-Nam. Cette présence militaire était administrée par un gouvernement trompeur formé de Narcisses qui avaient perdu le nord après avoir été élus dans la torpeur et l'arrogance. Le climat était complètement pourri. Le massacre de MyLai était un fait qui attendait de se produire.

Souvenons-nous que nous avons analysé MyLai en sa qualité d'*exemple* de mal collectif. Le mal collectif n'est pas un incident unique qui arriva un beau matin de 1968, à l'autre bout du monde. La même chose se produit continuellement partout sur le globe. Elle se produit chez nous, aujourd'hui même. Comme le mal individuel, le mal collectif est courant. En réalité, il est courant au point de sembler normal.

Nous vivons à l'Ère de l'Établissement. Il y a une centaine d'années, la plupart des Américains étaient leur propre patron. Aujourd'hui, à l'exception d'une petite minorité, tous travaillent pour des organismes plus considérables les uns que les autres.

J'ai commencé mon exposé en disant que les responsabilités se diluent au sein des groupes, au point de disparaître complètement dans les groupes plus considérables. Prenons l'exemple d'une grande compagnie. Le Président, ou le Directeur, déclarera: "Mes décisions ne semblent peut-être pas tout à fait morales mais, après tout, elles ne sont pas vraiment de mon ressort. Je suis responsable devant les actionnaires, savez-vous. Pour eux, seuls les profits comptent." Alors, qui décide du comportement de l'organisation? Le petit investisseur qui ne sait rien de son fonctionnement? Une société d'investissement à l'autre bout du pays? Quelle société d'investissement? Quelle maison de courtage? Quel banquier?

Au fur et à mesure qu'elles deviennent de plus en plus importantes, nos institutions perdent leur visage et leur âme. Qu'arrive-t-il quand l'âme n'y est plus? Le vide? Satan s'installe-t-il là où il y avait une âme auparavant? Je n'en sais rien. Mais, je crois que les frères Berrigan, activistes et pacifistes, avaient raison de dire qu'il ne nous reste plus qu'à métaphoriquement exorciser nos institutions. Il n'y a pas d'autres mots pour décrire l'urgence de la tâche.

Le complexe militaire-industriel qui a joué un si grand rôle au Viêt-Nam et demeure un des principaux instigateurs du caractère grotesque de notre course aux armements, n'a d'autres buts que de faire des profits. La générosité s'arrête là où commence l'intérêt personnel. Je ne m'oppose pas au capitalisme en soi. Je crois qu'il est possible de faire des bénéfices et en même temps de se soumettre à des valeurs plus nobles comme la vérité et l'amour. C'est difficile, mais c'est possible. Si nous ne pouvons en quelque sorte engendrer cette forme de soumission et "christianiser" notre capitalisme, notre société capitaliste est condamnée. L'omission totale d'une telle soumission produit toujours le mal, que cette omission soit faite par un groupe, par une institution, par une société ou par un individu. À moins de nous guérir nous-mêmes en nous soumettant à ces nobles valeurs, les forces de la mort l'emporteront et nous serons consumés dans les feux de notre propre mal.

Bien que nulle recherche n'ait été entreprise pour établir une base scientifique solide pour la prévention du mal collectif, MyLai et d'autres phénomènes semblables nous ont appris où diriger nos efforts de prévention. Notre analyse de MyLai nous a révélé la présence d'une paresse intellectuelle grossière et d'un narcissisme pathologique à tous les niveaux. Il est clair que la prévention du mal collectif, la guerre y compris, se résume à supprimer la paresse et le narcissisme ou, du moins, à les réduire de façon importante.

Comment y arriver? L'identité de groupe, le narcissisme de groupe et l'esprit de groupe sont des phénomènes réels, mais on ne peut les influencer qu'en agissant auprès de chaque membre individuellement. Quand on veut influencer la conduite d'un groupe, on cherche d'abord à influencer son chef, ce qui s'avère d'habitude le moyen le plus efficace. Si on ne peut atteindre le chef du groupe, il faut alors se tourner vers les membres moins importants et obtenir l'appui de la masse. D'une manière ou de l'autre, il faut s'adresser à l'individu. L'"esprit de groupe" n'est que l'ensemble des cerveaux du groupe. De même qu'un seul vote suffit pour décider du résultat d'une élection, le changement d'idée d'un seul individu humble et solitaire pourrait suffire à chambarder le cours de l'histoire. C'est un fait connu des personnes religieuses et c'est pourquoi nulle entreprise n'est considérée plus importante que le salut d'une seule âme. L'individu est sacré. C'est dans l'intimité de l'esprit et de l'âme qu'a lieu le combat entre le bien et le mal et que l'issue finale sera décidée.

C'est donc vers l'individu que nous devons diriger nos efforts pour prévenir le mal collectif, la guerre comprise. Il s'agit, bien sûr, d'un processus d'éducation que l'on peut facilement orchestrer dans le cadre traditionnel de nos écoles. J'écris ce livre avec l'espoir qu'un jour, dans nos écoles laïques et religieuses, on enseignera soigneusement à tous les enfants la nature du mal et les principes de prévention correspondants.

Récemment à l'occasion d'un banquet, un invité déclara au sujet d'un cinéaste: "Il a exercé une influence sur l'histoire." Je repris tout de suite avec le commentaire suivant: "Nous exerçons tous une influence sur l'histoire". Tout le monde me regarda comme si j'avais dit quelque chose de déplacé ou de légèrement obscène. Que nous influencions l'histoire en bien ou en mal dépend naturellement de nos choix personnels. Dans certaines églises, le Vendredi saint, on a une façon superbe de nous enseigner l'histoire et notre responsabilité individuelle en rapport avec le mal collectif, quand on reconstitue la Passion selon Saint Marc et demande à l'assemblée de jouer le rôle de la foule et de crier: "Crucifiez-le!"

Je forme le rêve qu'un jour on enseignera aux enfants que la paresse et le narcissisme sont les racines mêmes de tout le mal humain; et on leur dira pourquoi. Ils apprendront que nous avons tous une importance sacrée. Ils découvriront qu'il faut combattre la tendance naturelle de l'individu d'abandonner son jugement moral pour le confier au chef du groupe. Finalement, chacun aura le devoir personnel d'examiner sa conscience et de se purifier de toutes traces de paresse et de narcissisme. Il le fera avec la conviction qu'une telle purification est nécessaire non seulement pour son âme, mais pour le salut du monde également.

7

LE DANGER ET L'ESPOIR

Les dangers d'une psychologie du mal

Une foule de raisons nous ont empêchés jusqu'à maintenant d'élaborer une psychologie du mal. La psychologie est une très jeune science et il ne faudrait pas s'attendre à ce qu'elle ait tout accompli dans sa courte existence. Cependant, puisque c'est une science, elle en partage les traditions qui incluent le respect de la pensée pure et la méfiance à l'égard des concepts religieux comme celui du mal. C'est tout récemment que la majorité laïque de la société s'est penchée sérieusement sur les manifestations du mal chez elle. Seulement un siècle s'est écoulé depuis que l'esclavage fut aboli. L'abus des enfants était monnaie courante avant la génération actuelle.

Mais la peur des conséquences a peut-être été la raison importante qui nous a empêchés d'étudier le phénomène du mal. Nous avons de bonnes raisons d'avoir peur. L'élaboration d'une psychologie du mal comporte en soi des dangers réels. J'ai écrit ce livre dans l'hypothèse que les dangers courus *en ne créant pas cette psychologie* l'emportent sur les dangers de le faire. Néanmoins, quiconque désire participer à une recherche scientifique sur le phénomène du mal, devrait d'abord considérer sérieusement que cette démarche elle-même est une source de mal potentiel.

273

Le danger du jugement moral

Nous l'avons déjà dit, les gens mauvais ont cette caractéristique de prétendre que ce sont les autres qui sont mauvais. Incapables d'admettre leurs propres imperfections, ils se doivent de justifier leurs déficiences en blâmant les autres. Au besoin, ils iront même jusqu'à détruire les autres au nom de la vertu. Combien de fois n'en avons-nous pas été témoins: le martyre des saints, l'Inquisition, l'Holocauste, MyLai! Assez souvent pour savoir que chaque fois que nous jugeons que quelqu'un est mauvais, nous commettons peut-être le mal nous-mêmes. Les athées et les agnostiques croient aussi aux paroles du Christ: "Ne jugez pas si vous ne voulez pas être jugés."(77)

L'identification du mal découle d'un jugement moral. J'ajouterai peut-être d'un jugement scientifique également. Un jugement scientifique peut se faire dans un contexte moral. L'expression est péjorative. Que nous disions d'un homme qu'il est mauvais sur la base d'une simple opinion ou en nous fondant sur un test psychologique normalisé, nous rendons un jugement moral d'une façon ou de l'autre. Serait-il préférable de s'abstenir? La science comporte assez de dangers. Le jugement moral également. Comment osons-nous les combiner à la lumière des avertissements de Jésus?

En se penchant un peu plus sur la question, nous nous rendrons compte qu'il est à la fois impossible et mauvais de ne pas faire de jugements moraux. Le fait de dire: "Je suis O.K., tu es O.K." peut jouer un rôle pour favoriser nos rapports sociaux, mais une rôle seulement. Hitler était-il O.K.? Le lieutenant Calley? Jim Jones? Les expériences médicales sur le Juifs des camps de concentration allemands étaient-elles O.K.? Les expériences au L.S.D. de la C.I.A.?

Voyons un peu ce qui se passe dans la vie courante. S'il me fallait trouver un nouvel employé, devrais-je accepter la première personne qui se présenterait, ou en interviewer plusieurs afin de juger qui l'emporterait? Quel sorte de père serais-je si je découvrais que mon fils est un tricheur, un menteur et un voleur, sans critiquer sa conduite? Que devrais-je dire à un ami sur le point de se suicider, ou à un patient qui vend de l'héroïne? "Tu es O.K."? N'existe-t-il pas des excès de sympathie, des excès de tolérance, des excès de laxisme?

Le fait demeure que nous ne pouvons pas vivre décemment sans porter des jugements de toutes natures, y compris des jugements d'ordre moral. Quand les patients viennent me voir, ils me payent pour mon bon jugement. Quand je demande des conseils juridiques, je fais confiance au jugement de mon avocat. Allons-nous dépenser cinq mille dollars pour partir en vacances, ou allons-nous investir cet argent en prévision de l'éducation de nos enfants? Devrais-je tricher ou non en calculant mes impôts? Vous et moi passons notre vie à prendre des décisions dont la plupart sont des jugements à connotation morale. Nous ne pouvons nous empêcher de juger.

Cette phrase: "Ne jugez pas si vous ne voulez pas être jugés" est habituellement citée hors contexte. Le Christ ne nous recommande pas de ne jamais juger. Dans les quatre versets suivants, il précise que nous devons nous juger nous-mêmes *avant* de juger les autres, non pas de ne jamais juger. "Hypocrite, dit-il, commence par enlever la poutre de ton oeil, tu penseras ensuite à enlever la paille de l'oeil de ton frère."(77) Conscient de la menace du mal dans les jugements moraux, il ne nous enjoint pas de nous abstenir de juger, mais de nous purifier avant de le faire. Ce n'est pas ce que font les gens mauvais. Ils fuient les examens de conscience.

Nous ne devons pas non plus oublier le but de nos jugements. Tant mieux si c'est en vue d'une guérison. C'est mal si nous le faisons pour satisfaire notre amour-propre ou notre orgueil. Chaque fois que nous disons d'une personne qu'elle est mauvaise, nous devrions réciter la phrase suivante: "Grâce à Dieu, ce n'est pas moi."

Je crois qu'une enquête scientifique sur le mal humain nous prouvera la justesse de cette réflexion. Examinons quelques questions soulevées dans le présent ouvrage: l'existence possible d'une causalité génétique ou de la prédisposition héréditaire; l'évidence portant sur le rôle des parents qui n'aiment pas et l'extrême souffrance des enfants; la mystérieuse nature de la bonté humaine. Plus nous approfondissons ces aspects, moins nous trouvons de raisons d'être fiers.

Certains croient que c'est du fatalisme de dire: "Grâce à Dieu, ce n'est pas moi." Pourquoi s'en faire si Dieu secourt une personne plutôt qu'une autre, si nous ne saurons jamais clairement comment nous sauver par nos propres efforts? Mais, le fatalisme n'est que ... fatal. Rendre les armes, c'est mourir. Nous ne connaîtrons jamais la signification de l'existence humaine; nous ne saurons jamais pourquoi une personne est mauvaise tandis que l'autre ne l'est pas; mais, nous serons toujours responsables de vivre du mieux que nous le pouvons. Ce qui signifie que nous devrons faire tous les jugements moraux nécessaires à notre survie. En outre, nous sommes libres de choisir notre degré d'ignorance.

Le problème n'est donc pas de savoir si nous pouvons juger; nous avons le devoir de le faire. Le vrai problème est de savoir quand et comment juger sagement; de plus, nos grands chefs spirituels ont jeté pour nous les bases du bon jugement. Mais, puisqu'il nous faut porter des jugements moraux, il est logique que nous aiguisions notre discernement à l'aide de procédés scientifiques appropriés et par notre connaissance du mal, à la condition de ne pas négliger les bases qui nous ont été données.

Le danger de masquer le jugement moral sous l'autorité de la science

C'est un piège d'importance. C'est un piège parce que nous accordons à la science beaucoup plus d'autorité qu'elle n'en mérite. Nous le faisons pour deux raisons. La première est que très peu d'entre nous comprenons les limites de la science. La deuxième est que nous sommes trop dépendants de l'autorité en général.

Quand nos enfants étaient jeunes, ma femme et moi pouvions compter sur le meilleur psychiatre, un homme bon et dévoué d'une grande érudition. Lorsque nous lui avons rendu visite un mois après la naissance de notre première fille, il nous a conseillé de lui faire manger des aliments solides presque immédiatement parce que c'est ce que demandent les enfants nourris au sein. Un an plus tard, quand nous l'avons consulté un mois après la naissance de notre deuxième fille, il nous a conseillé d'attendre aussi longtemps que possible avant de lui faire manger des aliments solides, afin de ne pas nuire aux bienfaits extraordinaires du lait maternel. La "science" avait changé de point de vue! À la faculté de médecine, on m'avait enseigné qu'un régime pauvre en parties non digestibles était essentiel pour le traitement des maux du diverticule. Aujourd'hui, on enseigne le contraire aux étudiants en médecine.

Ces divergences me portent à croire que les avis scientifiques ne sont que les opinions du moment de quelques savants. On nous a habitués à voir la Science comme la Vérité avec un V majuscule. En réalité, le savoir scientifique n'est que ce qui se rapproche le plus de la vérité selon la majorité des hommes de science spécialisés dans la matière à l'étude. La vérité n'est pas une chose qu'on possède; c'est un but vers lequel nous tendons tous.

Ce qu'il y a d'inquiétant dans cet état de chose, c'est la possibilité que des scientistes, particulièrement des psychologues, se prononcent publiquement sur les mauvais penchants de certains personnages ou événements. Malheureusement, nous les hommes de science, ne sommes pas plus à l'abri que les autres de sauter aux conclusions non fondées. En 1964, plusieurs psychiatres qui ne l'avaient jamais rencontré ont déclaré que Barry Goldwater n'avait pas la "santé psychologique" nécessaire pour devenir président. En U.R.S.S., les psychiatres profitent des avantages de leur profession pour qualifier les dissidents politiques de "malades mentaux," servant ainsi les intérêts de l'Etat au détriment de la vérité et de la guérison.

Le problème s'aggrave du fait que la population est véritablement désireuse de se laisser guider par les déclarations des hommes de science. Dans notre discussion sur le mal collectif, nous avons vu que la majorité préfère suivre que diriger. Nous sommes heureux, et très consentants, de laisser les autorités en place penser pour nous. Nous avons une tendance bien ancrée de faire des "rois philosophes" de nos scientifiques et nous acceptons de les suivre dans des labyrinthes intellectuels où ils sont souvent aussi égarés que nous le sommes.

Notre paresse intellectuelle nous fait oublier que la pensée scientifique est une manie au même titre que notre sens du goût. L'opinion courante de la science n'est jamais son dernier mot et nous devons nous montrer sceptiques devant les déclarations des savants, car il en va de la sécurité publique. Autrement dit, nous ne devrions jamais renoncer à notre leadership individuel. Aussi exigeant que cela puisse sembler, nous devrions tous agir en hommes de science au point de porter nos propres jugements sur des questions de bien et de mal. Même si ces questions sont trop importantes pour être exclues de la recherche scientifique, elles ne doivent pas non plus être du seul ressort des savants.

Heureusement, les scientistes de notre culture aiment discuter entre eux. Je frémis à la pensée d'un lieu et d'une époque où existerait un évangile "scientifique" sans appel et sans possibilité de débats sur la nature du bien et du mal. Je place le mot "scientifique" entre guillemets parce que le débat est la pierre angulaire de la véritable science, et une science n'est pas une science si ses débats ne sont pas accompagnés d'un scepticisme ouvert. Notre meilleure protection contre l'abus du concept du mal par les scientistes, c'est de nous assurer que la science demeure scientifique et ancrée dans une culture démocratique où le libre débat est monnaie courante.

Le danger d'utiliser la science à mauvais escient

Les plus grands abus de la science ne sont pas ceux des scientistes qui affichent leurs opinions comme des vérités scientifiques, mais plutôt ceux du public, des industries, gouvernements et individus mal renseignés, qui utilisent les découvertes et les concepts scientifiques à des fins douteuses. La bombe atomique a été rendue possible par les savants, mais ce sont les politiciens qui ont décidé de la fabriquer et les militaires de l'utiliser. Je ne veux pas dire que les savants ne sont pas responsables de l'utilisation que l'on fait de leurs découvertes; je veux simplement dire qu'ils n'en ont pas le contrôle. Une fois publiée, ce qui se produit généralement car la science dépend de l'édition et de la libre circulation de l'information, une découverte scientifique tombe dans le domaine public. Chacun peut s'en servir et les savants n'y peuvent rien, pas plus que tous les groupes de surveillance publique.

De diverses façons, la population en général abuse déjà de l'ensemble des connaissance scientifiques sur la psychologie. Son utilisation et l'ampleur de cette utilisation par le système judiciaire est discutable, ici même autant qu'en U.R.S.S. Les tests psychologiques à l'école sont souvent inestimables pour les enseignants, ce qui n'empêche pas ces derniers de porter de faux diagnostics sur les enfants et de mal les classifier. On abuse aussi de tests semblables dans l'éducation supérieure ou pour refuser de l'emploi.

C'est donc quelque peu effrayant d'imaginer ce qui peut arriver quand le public met la main sur des informations sur le mal. Par exemple, supposons que l'on invente un test psychologique pour indentifier les gens mauvais. Plusieurs voudront peut-être s'en servir à des fins non académiques: des écoles voudront éliminer les candidats indésirables, des tribunaux chercheront à établir l'innocence ou la culpabilité, des avocats s'en serviront pour défendre une garde d'enfants, et ainsi de suite. Pensons aussi à l'homme ordinaire qui essaierait de découvrir des signes ou des symptômes de mal chez sa belle-mère, son employeur, son rival, et avec quelle rapidité il se servirait des résultats pour salir l'adversaire, publiquement ou officieusement.

Cependant, même s'il est impossible de cacher au public l'information scientifique, la situation n'est pas si mauvaise qu'elle nous semble à première vue. Les renseignements scientifiques sur un individu demeurent confidentiels. Le mal formellement diagnostiqué par les psychiatres et les psychologues ne peut servir strictement qu'aux fins d'une recherche scientifique sévèrement contrôlée. Quant aux renseignements psychologiques d'ensemble mal utilisés par le public, ils ne menacent pas vraiment notre bien-être. En vérité, je suis convaincu que le réveil psychologique de la population depuis quelques décennies, représente un gigantesque pas en avant, tant moralement qu'intellectuellement.(78) Pendant que certains brandissent Freud naïvement, il n'en reste pas moins que plusieurs admettent l'existence de leur inconscient, s'en rendent même responsables, ce qui constitue peut-être le germe de notre salut. L'intérêt grandissant que nous manifestons pour la réalité et l'origine de nos préjugés, pour nos hostilités secrètes, nos peurs irraisonnées, nos points aveugles tenaces, nos léthargies mentales et nos refus de grandir, nous sert de tremplin pour faire un grand bond dans l'évolution.

Enfin, le raffinement de la population en rapport avec la psychologie du mal servira à empêcher l'abus de cette même psychologie. Nous avons un grand besoin de recherches sur le mal, c'est vrai, mais sans l'ombre d'un doute, nous avons quelques connaissances. L'une d'elles est cette tendance des gens mauvais à se manifester chez autrui. Incapables de faire face à leurs propres déficiences ou non consentants, ils ne peuvent les expliquer qu'en les attribuant à quelqu'un d'autre. En élaborant une psychologie du mal, cette vérité déjà connue des érudits deviendra sûrement plus répandue. Nous démasquerons plus facilement ceux qui sont prêts à lancer la pierre. Au fur et à mesure que le savoir scientifique sur le mal imprègnera le public en général, notre réflexion sur le sujet se fera de plus en plus judicieuse.

Les dangers qu'affrontent l'homme de science et le thérapeute

Jusqu'à présent, on a vu comment la population pourrait être mise en danger par le travail des savants sur le mal. Mais que dire des savants eux-mêmes? Ne seraient-ils pas menacés par leurs propres recherches? Je crois que oui.

Le thérapeute sera toujours à la base de toute enquête scientifique sur le mal. Grâce à sa profondeur et son discernement, rien ne se compare à la psychanalyse quand il s'agit de rejoindre l'âme humaine. Il n'y a pas d'autres moyens que l'intervention du guérisseur pour percer le déguisement du mal: c'est-à-dire l'intervention d'un psychothérapeute qui se bat contre une personnalité mauvaise dans le but de la guérir, ou le rôle d'un exorciste qui s'attaque au démon derrière le "prétexte". Ce n'est que dans un combat au corps-à-corps avec lui que nous obtiendrons nos données les plus rudimentaires sur le mal.

Il existe une documentation qui insiste sur les dangers physiques qui menacent l'exorciste dans ses fonctions. Ces dangers sont décrits en termes concrets et faciles à comprendre. Mais je crois à des dangers encore plus grands que la mort et la difformité: ce sont les dangers courus par l'exorciste de voir son âme blessée ou souillée, dangers qui menacent également le psychothérapeute qui concentre ses efforts sur un patient mauvais. Nous ne savons pas grand'chose sur ces dangers parce que les gens mauvais ne s'engagent que très rarement dans une démarche psychothérapeutique. Si ce livre soulève l'intérêt des psychiatres pour le mal, des thérapeutes en nombre croissant se pencheront sur son traitement. Je leur conseille d'être prudents car ils pourraient se retrouver dans une situation fort périlleuse. Un jeune thérapeute ne devrait pas s'y risquer: qu'il lui suffise d'apprendre à lutter contre des transferts et des adversaires plus routiniers. Ne devrait pas l'entreprendre non plus celui qui a encore une poutre dans l'oeil, car un thérapeute à l'esprit faible est le plus vulnérable.

Ces dangers n'existent pas seulement pour les thérapeutes, les exorcistes et les guérisseurs, mais pour tous ceux qui se préoccupent des gens mauvais. D'une façon ou d'une autre, il y a toujours un danger de contamination. Plus nous nous frotterons à des gens mauvais, plus nous courrons le risque de devenir mauvais nous-mêmes. Je suggère à tous les hommes de science, même à ceux qui ne travaillent que dans des bibliothèques ou dans des laboratoires stérilisés, de commencer leurs recherches par la lecture du livre par Aldous Huxley, *Les Diables de Loudon*, d'où proviennent les citations ci-dessous.(79) Tant que nous n'en saurons pas plus long sur la création d'une psychologie du mal, il n'y a pas meilleur ouvrage sur la contamination par le mal que cette dissertation historique sur le mal dans une petite ville française du dix-septième siècle. Que le chercheur et le thérapeute se souviennent de ce qui suit:

Les effets d'une concentration trop intense et trop prolongée sur le mal sont toujours désastreux. Ceux qui ne font pas campagne pour Dieu en eux-mêmes, mais contre le diable chez les autres, ne réussissent jamais à rendre le monde meilleur; ils ne font que le laisser tel quel, ou même visiblement plus mal en point qu'il ne l'était avant qu'ils ne partent en croisade. En nous penchant primordialement sur le mal, quelles que soient nos intentions, nous invitons le mal lui-même à se manifester.

Nul ne peut se concentrer sur le mal, ni sur l'idée du mal, et s'en sortir indemne. Il est excessivement dangereux d'être contre le diable plus que l'on est pour Dieu. Tous les croisés sont menacés de perdre la raison. Ils sont hantés par la malice qu'ils attribuent à leurs ennemis et qui devient, en quelque sorte, une partie d'eux-mêmes.

Les dangers à prévoir

Finalement, il faut aussi prévoir qu'une enquête scientifique sur le mal puisse mettre en danger la nature de la science même. La science ne porte pas de jugements de valeur et cette tradition pourrait être sérieusement menacée. C'est une tradition essentielle à la science; or, une "science" du mal basée sur des a priori ne ferait-elle pas qu'ébranler les fondations de la science dans son état actuel?

Par ailleurs, ces fondations ont peut-être besoin d'être modifiées. Sauf de très rares exceptions, la recherche scientifique ne se fait plus en vase clos par un chercheur solitaire et indépendant en quête de la vérité, pour sa propre satisfaction. Aujourd'hui, elle est constituée d'efforts collectifs régis par des plans d'exécution en grande partie subventionnés par le gouvernement ou l'industrie. La technologie requise par ces nouvelles méthodes est devenue si compliquée qu'elle-même présente des dangers potentiels. En vérité, la science moderne est maintenant si étroitement liée avec les grandes entreprises et les gouvernements que la science "pure" n'existe plus. Il en résulte qu'une science dépourvue de lumières et de vérités religieuses est à l'origine d'aberrations comme la course aux armements, et de la même manière, une religion dépourvue des inquiétudes et des examens minutieux de la science est à l'origine de tragédies cauchemardesques comme celle de

Jonestown.

Nous avons de sérieuses raisons de croire que la science traditionnelle ne répond plus aux besoins de l'humanité, que nous ne devons ni ne pouvons plus fermer les yeux sur des questions de valeurs. La plus évidente de ces valeurs se rapporte au mal. Quand nous étions à la merci des bêtes sauvages de la forêt, des inondations, des sécheresses, des famines et des maladies contagieuses, nous comptions sur notre race pour l'emporter sur ces obstacles majeurs qui venaient de l'extérieur. Nous n'avions ni le temps ni le besoin de faire de l'introspection. Aujourd'hui, alors que nous avons éliminé ces menaces grâce à la technologie inspirée par notre science libre de contraintes, des dangers internes sont apparus avec une rapidité proportionnelle. Notre survie n'est plus menacée par la nature autour de nous, mais par notre propre nature humaine. Notre univers est mis en péril par notre insouciance, nos hostilités, notre égoïsme, notre orgueil et notre ignorance crasse. Nous serons condamnés à moins de vaincre et transformer le mal virtuel dans l'âme humaine. Comment y arriverons-nous si nous ne voyons pas notre propre méchanceté avec la même minutie, la même perspicacité et la même rigueur que nous employons pour scruter le monde extérieur?

La création d'une psychologie scientifique du mal comporte de réels dangers. Il ne faudrait pas les sous-estimer. Le fait de porter des jugements moraux, de confondre des opinions avec des vérités scientifiques, ainsi que l'abus de l'information par les malveillants et les mal renseignés, et les dangers de trop se rapprocher du mal pour l'examiner, ne sont pas que des pièges théoriques. Je ne doute pas que certains se feront prendre à ces pièges pendant que nous procèderons à l'élaboration d'une psychologie du mal, même si nous possédons d'importants moyens pour les éviter. Dans notre monde de conglomérat et de bombe atomique, d'Holocauste et de MyLai, la voie est tout indiquée. Les dangers inhérents à la création d'une psychologie du mal n'atteindront jamais l'envergure de ceux qui surgiront si nous ne soumettons pas le mal humain à une étude scientifique minutieuse, énergique et coordonnée. Aussi dangereuse que soit une psychologie du mal, il serait encore plus dangereux de ne pas en avoir du tout.

Une méthodologie de l'amour

Le mal est laid. Nous nous sommes penchés jusqu'ici sur ses dangers et son caractère destructeur. Mais, il y a un autre côté à sa laideur: sa morne petitesse et sa criante mesquinerie.

"Le mal que l'on imagine est romantique et varié", a écrit Simone Weil dans *Criteria of Wisdom;* "le mal véritable est triste, monotone, stérile, ennuyeux." Ce n'est pas par accident que C.S. Lewis a décrit l'enfer comme une ville grise du centre de l'Angleterre.(80) J'ai visité Las Vegas dernièrement et, pour ma part, je me représente l'enfer comme un immense bazar de gobe-sous, à la fois éloigné de la nuit et du jour dans le bruit monotone et la clameur répétitive de gros lots insensés, où s'empilent des gens aux yeux morts et tirant par coups secs et pour l'éternité sur des bras métalliques. En vérité, tout l'éclat insipide de Las Vegas est un prétexte pour cacher son horrible vacuité.

Si jamais quelqu'un a la chance de rencontrer un saint en chair et en os, il se trouvera en présence d'un être absolument unique. Quoique leurs visions soient étrangement semblables, les saints ont des personnalités tout à fait différentes. La raison en est qu'ils sont devenus complètement eux-mêmes. Dieu a créé les âmes séparément, de sorte que lorsque la fange est finalement enlevée, Sa lumière les imprègne dans un nouveau déploiement de couleurs magnifiques. Keats a décrit le monde comme "la vallée où l'on façonne les âmes." Qu'ils le sachent ou non, les psycho-thérapeutes, quant à eux, façonnent des saints quand ils aident leurs patients à se dégager de leur fange. Les psychothérapeutes sont sûrement conscients que leurs devoirs de routine incluent la tâche de libérer leurs malades afin qu'ils deviennent eux-mêmes.

À l'autre extrémité de l'éventail humain, à l'opposé des saints, nous retrouvons ceux qui sont les moins libres, les gens mauvais. La fange est tout ce que nous pouvons voir d'eux et ils sont tous semblables. Au troisième chapitre, je vous ai présenté une description clinique des caractères distinctifs de la personnalité des gens mauvais. C'est extraordinaire de constater jusqu'à quel point cette description convient au mal. Quand on a connu une personne mauvaise, on les a toutes connues. Même les psychotiques sont plus intéressants quoique nous soyons portés à les considérer comme les plus dérangés. En réalité, nous avons raison de supposer que, dans certains cas, la psychose est préférable au mal.

Alors, comment se fait-il que les psychiatres n'ont pas jusqu'ici su reconnaître un type aussi net et distinct? Ils ont été trompés par ce que Harvey M. Cleckley appelle "le masque de la raison".(81) Selon un prêtre de mes amis, le mal est "la maladie ultime". Malgré leur masque de raison, les gens mauvais sont les plus déments de tous.

Hannah Ahrendt faisait allusion à l'insanité incroyablement lugubre de tous les Adolf Eichmann de notre temps quand elle parlait de la "banalité du mal". Quant à Thomas Merton, il s'est exprimé ainsi:

Parmi les faits les plus troublants du procès Eichmann, on a appris qu'un psychiatre l'avait examiné et déclaré parfaitement sain d'esprit. Nous mettons la santé mentale sur le même pied que le sens de la justice, l'humanisme, la prudence, la capacacité d'aimer et de comprendre les autres. Nous comptons sur les sains d'esprit pour sauver le monde de la barbarie, de la folie, de la destruction. Cependant, nous commençons à réaliser que ce sont précisément les sains d'esprit qui sont les plus dangereux. Ce sont les sains d'esprit, les bien ajustés qui, sans scrupules et sans dégoût, sont capables de pointer les missiles et appuyer sur le bouton qui déclanchera le grand festival de destruction qu'eux-mêmes, les sains d'esprit, avaient préparé.(82)

Comment pouvons-nous réagir devant les gens mauvais quand leur mascarade de santé mentale est si réussie, leur penchant destructeur si "normal"? Premièrement, nous ne devons plus nous laisser prendre par cette mascarade et nous laisser tromper par le prétexte. Espérons que ce livre nous aidera à atteindre ce but.

Que faire, alors? Souvenons-nous de cette vieille maxime: "Connaissez votre ennemi". Nous devons non seulement connaître, mais étudier également ces pauvres gens mornes et terrifiés. Nous devons tout tenter pour les guérir ou les refréner.

Comment y arriver, compte tenu des grands dangers d'une psychologie du mal? Devrions-nous avoir peur d'être contaminés? Je crois possible de faire des recherches scientifiques en toute sécurité sur un sujet auquel nous aurons accordé au préalable une valeur négative, pourvu que nous employions une méthode basée sur des valeurs positives. Pour être plus précis, seules des méthodes fondées sur l'amour nous permettront d'analyser et soigner les gens mauvais sans danger.

Pendant plusieurs années, j'ai eu en thérapie un homme de vingt-huit ans qui voulait se débarrasser du mal que lui avait fait son père dans son enfance. Une nuit, il fit le rêve suivant, rêve qui marqua le point tournant du processus de sa guérison:

C'était pendant la guerre. Je portais mon uniforme de combat. J'étais devant la maison Morristown, celle où j'ai passé les pires années de mon enfance. Mon père était à l'intérieur. J'avais un talkie-walkie et j'étais en contact avec une section de mortiers. J'ai transmis au chef de section les coordonnées de la maison et lui ai demandé de diriger le tir sur nous. Je savais que nous allions tous sauter, la maison, mon père et moi-même, mais j'étais indifférent. Cependant, le chef de section me causait du souci. Il n'était pas certain de pouvoir se rendre à mes désirs car il avait reçu plusieurs demandes en provenance d'un peu partout. J'étais très contrarié et j'ai insisté auprès de lui. Je lui ai même promis une caisse de bouteilles de scotch et il sembla vouloir céder. Il promit de faire son possible et je me sentis soulagé. C'est alors que mon père sortit de la maison en courant pour venir me parler. Je ne me souviens pas exactement de ses paroles, mais je sais qu'il fut question d'invités, de visiteurs, ou d'autres personnes. Il retourna dans la maison. Je regardai vers l'allée et vis un groupe de gens qui marchaient vers la maison. Je ne les connaissais pas. Ce n'étaient pas des membres de ma famille; c'étaient de simples visiteurs. Soudainement, je me rendis compte qu'ils sauteraient eux aussi dans le bombardement. Je rappelai frénétiquement le chef de section pour le supplier cette fois de ne pas tirer. Je promis de lui donner ses bouteilles de scotch quand même. Il me dit qu'il annulerait mon ordre et je me réveillai énormément soulagé. Je l'avais prévenu juste à temps.

Comme le patient de ce rêve, nous sommes tous en guerre contre le mal. Dans le feu de l'action, nous sommes tentés de recourir à des solutions faciles, du genre "bombardons tous ces gens mauvais et faisons-les sauter". De plus, si nous sommes très décidés, nous irons même jusqu'à périr nous-mêmes dans nos efforts pour supprimer le mal. Nous nous heurtons de nouveau au vieil adage "la fin justifie les moyens". Le mal est contre la vie dont il fait lui-même partie. Si nous tuons les gens mauvais, nous deviendrons mauvais nous-mêmes; nous serons des meurtriers. En voulant détruire le mal, nous nous détruirons nous-mêmes, spirituellement sinon physiquement, et nous entraînerons peut-être des innocents dans notre démarche destructive.

Que faire, alors? A l'instar du patient, nous devrons abandonner l'idée conquérir le mal en le détruisant. Mais nous nous retrouvons alors dans un vide nihiliste. Devrions-nous rendre les armes? Considérer le problème du mal comme fondamentalement insoluble? Pas du tout. Ce serait insensé. La vie tire sa signification de la lutte entre le bien et le mal, en espérant que la vertu triomphera. Voilà notre réponse: le bien vaincra. Le mal sera vaincu par le bien. En approfondissant et en traduisant cette vérité, nous découvrons ce que nous avions toujours faiblement perçu: seul l'amour triomphera du mal.

Pour combattre le mal, scientifiquement ou autrement, notre méthodologie doit se baser sur l'amour. Ceci est si simple que nous pouvons nous demander pourquoi cette vérité n'est pas plus répandue. En réalité, aussi simple semble-t-elle, cette méthodologie de l'amour est si difficile à mettre en pratique que nous n'osons pas l'utiliser. À première vue, elle semble même impossible. Comment pouvons-nous aimer les gens mauvais? Pourtant, c'est précisément ce que je vous demande de faire. Si nous voulons faire sans péril des recherches sur les gens mauvais, il faut le faire avec amour. Nous devons avoir de l'amour à priori pour ces gens-là.

Revenons sur le dilemme que j'ai vécu avec Charlene. Elle insistait pour que je l'aime inconditionnellement, comme si elle était un petit enfant sans tache. Mais elle n'était pas un bébé. Et je ne pouvais pas sincèrement la valoriser dans son mal comme elle le désirait avec tant d'acharnement. N'est-il pas mal d'aimer le mal?

La solution à ce dilemme est un paradoxe. Aimer, c'est accepter un équilibre de forces opposées, une pénible tension créatrice d'incertitudes, une corde raide avec des solutions plus faciles à chaque extrémité. Prenons comme exemple l'éducation d'un enfant. Ce ne serait pas l'aimer que de rejeter complètement sa mauvaise conduite. Il nous faut à la fois être tolérant et intolérant, souple et exigeant, sévère et flexible. Il nous faut une compassion presque divine.

Un pasteur a décrit cette compassion en mettant les paroles qui suivent dans la bouche de Dieu:

Je te connais. Je t'ai créé. J'ai commencé à t'aimer dans le sein de ta mère. Comme tu le sais maintenant, tu as fui mon amour, mais je t'aime quand même et au même degré, peu importe la distance qui te sépare de moi. C'est moi qui t'ai accordé la liberté de fuir, mais je ne te laisserai jamais finalement t'échapper. Je t'aime tel que tu es. Je t'ai pardonné. Je connais toutes tes souffrances. Je les ai toujours connues. Au delà de ta compréhension, je souffre quand tu souffres. Je connais également tous les petits manèges que tu emploies pour cacher aux autres et à toi-même les laideurs de ta vie. Mais tu es beau. Tu es plus beau à l'intérieur que tu ne peux le voir. Tu es beau parce que toi seul es l'être unique que tu es, parce que tu es le miroir éternel de la beauté de ma sainteté. Tu es beau parce que je suis le seul à voir la beauté qui sera tienne. Grâce au pouvoir de conversion de mon amour, que la faiblesse rend parfait, ta beauté sera parfaite. Tu deviendras parfaitement beau d'une façon tout à fait irremplaçable que ni toi ni moi n'aurons menée à bien séparément, car nous devrons travailler ensemble. (83)

Ce n'est pas facile d'embrasser la laideur dans le seul espoir que, mystérieusement, la beauté en jaillira. Le mythe de la grenouille qui se transforme en prince quand on l'embrasse existe toujours, mais, comment en expliquer le phénomène? Comment la méthodologie de l'amour fonctionne-t-elle? Comment guérit-elle? Je ne le sais pas exactement.

Je ne le sais pas parce que l'amour agit de plusieurs manières, toutes imprévisibles. Je sais que l'auto-purification est la première tâche de l'amour. Il arrive quelque chose de magnifique à celui qui, avec l'aide de Dieu, se purifie au point d'aimer vraiment ses ennemis. Les frontières de l'âme deviennent nettes et transparentes, tandis qu'une lumière imprègne l'individu.

Cette lumière a des effets variés. Elle encouragera ceux qui sont déjà sur la voie de la sainteté. Ceux qui sont sur la voie du mal changeront peut-être d'orientation. La plupart du temps, le porteur de cette lumière, qui n'est qu'un véhicule car il s'agit de la lumière de Dieu, ne se rendra pas compte des effets qu'il produit. Finalement, ceux qui détestent la lumière s'y attaqueront. Cependant, leurs mauvaises actions se consumeront dans cette lumière. Leur méchante énergie sera par conséquent gaspillée, restreinte et neutralisée. Le porteur de lumière souffrira peut-être du processus, en mourra parfois. Mais ce ne sera pas pour autant une victoire du mal. L'effet contraire se manifestera plutôt. Comme je l'ai dit dans *Le Chemin le moins fréquenté:* "C'est à cause du mal que le Christ a été mis en croix, et c'est ce qui nous permet de le voir de loin."(84)

Je ne pourrais être plus précis sur la méthodologie de l'amour qu'en citant ces paroles d'un vieux prêtre qui a consacré plusieurs années à ce combat: "Il y a des douzaines de façons de combattre le mal et plusieurs façons de le vaincre. Toutes ne sont que les facettes d'une vérité: l'ultime remède contre le mal est de le laisser s'étouffer à l'intérieur d'un être humain vivant et consentant. Une fois absorbé comme du sang sur une éponge ou une lance dans le coeur, il perd tous ses pouvoirs et n'ira pas plus loin."(85)

Scientifiquement ou autrement, la guérison du mal ne s'accomplira que par l'amour des individus. Il faudra un sacrifice consenti. Le guérisseur devra accepter que son âme devienne le champ de bataille. Il devra, dans un rituel sacrificiel, *absorber* le mal.

Alors, qu'est-ce qui empêchera la destruction de l'âme? Comment la vertu pourra-t-elle survivre chez celui qui accepte le mal dans son coeur, comme une lance? Si le mal est vaincu, le bien ne le sera-t-il pas également? Aura-t-on accompli quelque chose de plus qu'un simple échange sans lendemains?

Je ne peux répondre qu'à l'aide d'un langage mystique. Je puis seulement affirmer qu'une mystérieuse alchimie fait en sorte que le vaincu devient le vainqueur. C.S. Lewis a écrit: "Quand une victime consentante n'ayant pas commis de trahison était tuée à la place d'un traître, la Table se lézardait et la Mort elle-même se mettait à agir à contre-courant."(86)

J'ignore comment cela peut arriver. Mais je sais que cela arrive. Je sais que des bonnes gens se laissent volontairement transpercer par le mal des gens mauvais, se laissent détruire sans toutefois être brisés, se laissent même tuer en quelque sorte, et pourtant survivent. Chaque fois que cela se produit, il y a un léger changement d'équilibre entre les puissances du monde.

F I N

NOTES

01- Saint Augustin, "The City of God," ed. Bourque (Image Books, 1958).

02- Matthieu 7:1-5.

03- Simon and Shuster, 1978.

04- "Collected letters of Sainte Thérèse de Lisieu," (Sheed and Ward, 1949).

05- "That Hideous Strenght," Macmillan (Paperback Edition 1965)

06- Dans une foule de comptes rendus d'exorcismes, la voix des démons parle en faveur d'une forme ou l'autre de nihilisme.

07- J.R.R. Tolkien, "The Return of the King," Ballantine, 1965.

08- Scott Peck, "Le Chemin le moins fréquenté," J'ai Lu, 1990.

09- N.d.T. Dans la langue anglaise, le "mal" (EVIL) est "vivre" (LIVE) en lettres inversées.

10- Erich Fromm, "The Heart of Man: Its Genius for Good and Evil," (Harper & Row, 1964).

11- Jean 10:10.

12- Matthieu 8:22.

13- Jean 8:44.

14- Ballantine Books, 1965.

15- Schocken Books, 1981.

16- Il y a trois grands modèles théologiques différents et "vivants" du mal. L'un est le non dualisme de l'hidouisme et du bouddhisme, dans lesquels le mal est seulement perçu comme le revers de la médaille. Il n'y a pas de vie sans mort; pas de croissance sans pourrissement; pas de création sans destruction. Par conséquent, les partisans du non dualisme considèrent comme une illusion la distinction entre le bien et le mal. Cette attitude a fait son chemin dans des sectes soi-disant chrétiennes comme la *Christian Science* et le nouvellement populaire *Course in Miracles*. Cependant, les théologiens chrétiens la considèrent comme une hérésie. Une deuxième pensée soutient que le mal est distinct du bien, mais demeure une création de Dieu. Pour nous gratifier du libre arbitre, condition essentielle pour être créés à Son image, Dieu se devait de nous accorder la capacité de faire des mauvais choix et, partant, de "permettre" le mal. Cette pensée, que je qualifierais de "dualisme intégré," était celle de Martin Buber, pour qui le mal était la "levure de la pâte, le ferment déposé dans l'âme par Dieu, sans lequel l'âme humaine ne lèvera pas."(Good and Evil, Charles Scribner's Sons, 1953) Finalement, il y a la pensée chrétienne traditionnelle que j'appelle "dualisme diabolique". Cette pensée voit le mal non pas comme une création de Dieu, mais comme un vilain cancer qui échappe à son contrôle. Ce modèle, que je préconiserai au sixième chapitre, comporte ses propres pièges. C'est la seule des trois opinions ci-dessus qui traite adéquatement de la question du meurtre et du meurtrier.

17- "The Heart of Man: Its Genius for Good and Evil." Voir également: "The Anatomy of Human Destructiveness," (Holt, Rinehart & Winston, 1973).

18- "Good and Evil."

19- Il reste à savoir si une personne mauvaise éprouverait de la répulsion en présence d'une autre. Je ne le sais pas. Cette question est fascinante car la réponse pourrait nous révéler plusieurs choses sur la nature et l'origine du mal chez l'être humain. En théorie, quand une personne devient mauvaise parce qu'elle a été élevée dans un foyer mauvais, les parents paraissent si normaux que l'enfant ne peut se rendre compte de la présence du mal. Autrement, la promiscuité prolongée et forcée entre l'enfant et ses mauvais parents devrait suffire pour que l'enfant perde à la longue tous ses mécanismes de défense contre le mal.

20- Il peut y avoir de la répulsion en présence de la maladie physique; c'est ce qu'on éprouvait en voyant des lépreux. On a aussi étudié ce phénomène en rapport avec la réaction des gens en présence d'amputés ou autres infirmes. Les psychiatres sont conscients de ces réactions, mais ils n'ont rien écrit de vraiment thérapeutique sur le sujet.

21- The New Yorker, 3 juillet 1978.

22- Dieu ne punit personne. Nous nous punissons nous-mêmes. Ceux qui sont en enfer ont choisi d'y être. En réalité, ils pourraient en sortir tout de suite s'ils le voulaient, mais, leur sens des valeurs est tel que sortir de l'enfer leur semble extrêmement dangereux, pénible et difficile. Ils restent en enfer parce qu'ils s'y sentent en sécurité et c'est plus facile pour eux. C'est ce qu'ils préfèrent. Cette situation et le psycho-dynamisme qui en découlent forment le sujet d'un livre magnifique de C.S. Lewis: *The Great Divorce*. Ce n'est pas une opinion courante de croire que des gens sont en enfer par choix, mais, c'est une idée convenable en psychologie aussi bien qu'en théologie.

23- Voir Ursula Le Guin, "A Wizard of Earthsea," (Parnassus Press, 1968).

24- Jung a raison d'attribuer le mal au défaut de "rencontrer" l'Ombre.

25- Même si nous en abusons souvent, méchamment parfois, la plus grande beauté de la doctrine chrétienne est peut-être son approche compréhensive du péché. C'est une approche à double tranchant. D'une part, on insiste sur la nature pécheresse de l'homme, ce qui fait que tout bon Chrétien se croit pécheur. Le fait que plusieurs pseudo "Chrétiens," ouvertement dévots, ne se considèrent pas comme pécheurs, ne doit pas être considéré comme un échec de la doctrine, mais plutôt comme l'échec de l'individu qui refuse de s'y conformer. Nous insisterons plus loin sur le mal sous un déguisement chrétien. D'autre part, la doctrine chrétienne enseigne que nos péchés nous seront pardonnés, à condition que nous nous repentions. Devant l'ampleur de notre culpabilité, le désespoir nous accablera si nous ne croyons pas à la miséricorde et à la mansuétude du Dieu chrétien. Ainsi, une église équilibrée considérera comme péché le fait de s'attarder interminablement sur nos moindres manquements, c'est-à-dire de s'adonner à des "scrupules exagérés." Puisque Dieu nous pardonne, c'est se croire supérieur à Lui que de ne pas nous pardonner à nous-mêmes: c'est une forme de faux orgueil.

26- Marilyn von Waldener et M.Scott Peck, "What Return Can I Make," (à paraître).

27- Gerald Van, "The Pain of Christ and the Sorrow of God," (Temple Gate Publishers, Springfield, Illinois, 1947).

28- Dans son dernier ouvrage, "Escape from Evil," (Macmillan, 1965), Ernest Becker a fait allusion au rôle du bouc émissaire dans la genèse du mal humain. Je crois qu'il fait erreur en disant que la peur de la mort est la seule raison qui pousse à chercher un bouc émissaire. Je crois que la peur de l'autocritique est un motif encore plus puissant. Sans l'avoir dit exactement, Becker a peut-être fait un parallèle entre la peur de l'autocritique et la peur de la mort. L'autocritique est un appel à un changement de personnalité. Dès que je critique quelque chose de moi, j'ai l'obligation de changer ce quelque chose. Cependant, changer de personnalité est un processus pénible qui ressemble à la mort. La vieille personnalité doit mourir pour faire place à la neuve. Pathologiquement, les gens mauvais tiennent à une vieille personnalité que leur narcissisme leur fait percevoir comme parfaite. Je crois qu'il est fort possible que les gens mauvais voient le moindre changement de leur personnalité chérie comme un anéantissement total. Dans ce sens, autocritique est synonyme d'anéantissement dans l'esprit des gens mauvais. Nous approfondirons cet aspect quand il sera question de narcissisme.

29- Buber, "Good and Evil." Etant donné que le mal doit se déguiser, nous avons de très bonnes chances de trouver des gens mauvais dans l'Église. Quel meilleur endroit où se cacher de soi-même et des autres que de s'exposer dans un rôle de pasteur ou autre fonction importante au sein de notre civilisation chrétienne?

30- Les Mormons ont un mythe qui illustre bien la tendance du mal à vouloir tout contrôler. Dieu demanda au Christ et à Satan de Lui soumettre séparément un plan de gestion de la race humaine qui serait encore au stade de l'enfance. Le plan de Satan était simple, semblable à tout ce que soumettraient nos chefs politiques ou militaires. Dieu n'avait qu'à munir ses anges du pouvoir de punir et en placer un auprès de chaque être humain; Il n'aurait plus de problèmes. Le Christ fit une proposition tout à fait différente et plus imaginative. "Qu'ils aient le libre arbitre et agissent librement; mais, laissez-moi vivre et mourir parmi eux pour leur enseigner à vivre et leur faire comprendre à quel point ils vous sont chers." Dieu, bien sûr, choisit le plan de Son fils, et Satan se rebella. Cet aspect du mal fait aussi partie d'un travail inédit de Marguerite Shuster, "Power, Pathology and Paradox" (Fuller Theological Seminary, 1977).

31- Gerald G. May, m.d., "Will and Spirit," (Harper & Row, 1962).

32- "Good and Evil."

33- "The Heart of Man: Its Genius for Good and Evil."

34- "Hostage to the Devil," (Bantam Books, 1977).

35- Matthieu 10:39, 16:25; Marc 8:35; Luc 9:24.

36- Avon Books, 1974.

37- "Christianity and Culture," dans "Christian Reflection" édité par Walter Hooper, Wm. B. Eerdmans Publishing Co., Grand Rapids, 1967.

38- "Good and Evil," (Charles Scribner's Sons, 1953).

39- C'est par leurs victimes que l'on découvre plus facilement les gens mauvais. L'endroit tout désigné se trouve donc chez les parents d'enfants ou d'adolescents troublés. Je ne veux pas dire que tous les enfants troublés soient les victimes de parents mauvais, ni que les parents d'enfants troublés soient tous mauvais. Il ne s'agit que de très petites minorités.

40- Les psychiatres ne seront pas étonnés par l'unité parentale. Mis en présence de cas de violence faite aux enfants, nous pouvons constater que les deux parents sont impliqués. Même dans les cas d'inceste père-fille, la mère est toujours plus ou moins au courant. Ici encore, je ne veux pas dire que tous les parents incestueux sont des gens mauvais. "Sybil," par Flora Schreiber, (Warner Books, 1974).

41- Erich Fromm a inventé l'expression "symbiose incestueuse" pour une des trois parties composantes du "syndrome de décrépitude," ou caractère des gens mauvais. Sans posséder les deux autres parties, Hartley était la définition ambulante de la symbiose incestueuse. Il s'engagea dans une relation docile avec le mal, partiellement parce qu'il était mauvais lui-même. C'est vrai qu'il n'était pas tout à fait à l'aise dans cette situation. Vaguement conscient d'être pris dans un piège affreux, il était obsédé par deux moyens de s'en sortir: tuer Sarah ou se suicider. Il était trop paresseux pour envisager la porte légitime qui s'ouvrait devant lui: le sentier difficile qui mène à l'indépendance psychologique.

42a-N.d.T. L'auteur démembre le mot "disease" qui signifie "maladie," en deux éléments: **Dis-**(privatif) et **Ease-**(confort) = Non-confort, ou In-confort.

42b-J'ai lu, 1990.

43- Voir Abraham Marlow dans "Motivation and Personality," (Harper Bros., 1954).

44- Le rapport entre le mal et la schizophrénie n'est pas seulement un problème fascinant de spéculation, mais également un sérieux sujet de recherche. Plusieurs, non pas tous les parents d'enfants schizophrènes, nous paraissent être eux-mêmes des schizophrènes ambulants, ou des enfants mauvais, ou les deux à la fois. On a beaucoup écrit sur les parents "schizophrènes" et c'est généralement de schizophrènes ambulants ou de gens mauvais dont il s'agit. Cela signifie-t-il que la schizophrénie ambulante ne soit qu'une variante de la vraie schizophrénie et qu'il ne s'agisse que d'une simple transmission génétique? Ou encore se pourrait-il que l'enfant schizophrène ne soit que le produit psychologique du mauvais penchant destructeur de ses parents? Le mal lui-même serait-il d'origine génétique comme nous le voyons dans la plupart des cas de schizophrénie? Nous ne le savons pas et nous ne le saurons jamais tant que la psychobiologie du mal humain n'aura pas fait l'objet de recherches scientifiques intensives.

45- Parmi les raisons qui rendent le complexe d'Oedipe si important en psychiatrie, il y a le fait que ceux des adultes qui n'ont pu le résoudre dans leur enfance éprouvent de grandes difficultés à réaliser plusieurs des renoncements requis par leur état d'adulte, à comprendre qu'ils ne peuvent pas avoir le beurre et l'argent du beurre.

46- Le désir de régresser dans une union avec la mère était l'un des trois caractères exposés par Erich Fromm dans son analyse de la personnalité des gens mauvais, ou "syndrome de décrépitude" (The Heart of Man: Its Genius for Good and Evil, Harper & Row 1964). Il a appelé ce désir "symbiose incestueuse". C'est certainement ce que j'ai trouvé chez Charlene. Je l'ai aussi trouvé chez plusieurs autres. Je crois qu'un facteur crucial du mal, si ce n'est un désir de régresser vers la mère, désir qui peut servir à la guérison, c'est le désir d'avoir la mère sans avoir à regresser, de recevoir des soins maternels sans abandonner son rôle d'adulte ni ses privilèges.

47- "Good and Evil," 1953.

48- Simon and Shuster, 1978.

49- "I and Thou," (Charles Scribner's Sons, 1970).

50- Ce n'est pas sans raison que Malachi Martin dans "Hostage to the Devil," a appelé la première étape, la plus longue et la plus difficile d'un exorcisme, le "prétexte". Qu'elle fût possédée ou non, le prétexte de Charlene n'était pénétré que par son inconscient. Elle ne l'a jamais admis sciemment.

51- Bantam Books, 1977.

52- Mon discours le plus en demande est celui que je prononce devant les thérapeutes professionnels et qui s'intitule: "Le rôle des concepts religieux en psychothérapie".

53- Un athée qui fut témoin des mêmes exorcismes n'a pas eu les mêmes réactions, bien qu'il se révélât incapable de définir ce qu'il vit. Pour moi, le pouvoir de Dieu était palpable.

54- Cette dernière attitude peut s'avérer idéaliste et peu pratique. J'aurais tendance à ne pas l'utiliser. Des avocats conservateurs diront que celui qui a besoin d'un exorcisme n'est pas en mesure de déléguer ses pouvoirs. De plus, nos cours de justice n'autoriseraient probablement jamais la tenue d'un exorcisme.

55- Cette protection n'a pas qu'une utilité "juridico-morale". Son aide est incalculable dans le processus de guérison. L'équipe d'exorcistes aura peut-être besoin de ces bandes video pour se souvenir de tous les faits, car les bandes audio ne sont pas aussi complètes. Le patient lui-même peut les trouver très utiles, surtout s'il doute de l'authenticité des autres comptes rendus.

56- La documentation sur la possession nous indique clairement que la plupart des cas comportent des affinités avec le monde occulte. Il est difficile de déterminer ce qui vint en premier lieu: l'implication occulte ou la possession. Je ne veux pas dire que tous ceux qui s'adonnent à l'occultisme deviendront possédés; mais ils sont plus susceptibles de le devenir que les autres. Aussi loin que l'on puisse remonter, l'église traditionnelle a toujours fait allusion aux dangers de l'occultisme.

Dès le début, l'église traditionnelle a admis que certains individus possédaient des pouvoirs "surnaturels". Elle a appelé ces pouvoirs charisme ou dons, suggérant que ces pouvoirs sont des dons accordés par Dieu pour un temps et pour des buts choisis par lui.

57- "Hostage to the Devil."

58- Il existe plusieurs controverses sur ces questions "d'oppression" et de délivrance. Plusieurs personnalités charismatiques pratiquent la délivrance dans des circonstances où je ne vois pas d'implication satanique. Ils essaieront de chasser des éléments comme "l'esprit de l'alcoolisme", "l'esprit de la dépression", ou "l'esprit de la vengeance". Ils réclament plusieurs réussites spectaculaires. Mais nous pouvons nous demander si ces guérisons sont durables. Jamais nous ne le saurons tant qu'il n'y aura pas de suivi scientifique. Pour le moment, je dois m'en remettre à l'opinion d'un de mes mentors qui est d'avis que "l'oppression" n'est qu'une fausse catégorie, possession ou pas, exorcisme ou pas. "Les personnalités charismatiques, dit-il, n'ont généralement rien à voir avec les démons, mais il leur arrive d'attraper un vrai poisson."

59- Dans les cercles chrétiens, on parle beaucoup de nos jours de la "communauté chrétienne". Cependant, des chrétiens de nom seulement ne constituent pas une communauté chrétienne. Par ailleurs, malgré le fait que quelques membres se soient déclarés athées ou chrétiens "tièdes", je n'ai nul doute que chacune des équipes d'exorcistes ait été une authentique "communauté chrétienne".

60- U.S. Catholic, février 1963.

61- À l'origine, les mots "satan" et "diable" n'étaient pas aussi péjoratifs qu'aujourd'hui. "Diable" et "diabolique" sont tirés du verbe grec *diabalein*, qui signifie simplement "opposer". Dans le Livre des Nombres, Dieu lui-même a déclaré qu'il combattrait Balaam parce que celui-ci était un "satan". Considérant que l'humanité devait nécessairement être soumise à l'épreuve et à la tentation par quelque chose d'opposé à Sa volonté divine, Dieu confia au chef de Ses archanges cette mission d'opposition diabolique et d'hostilité satanique.

62- John A. Sanford suppose que l'image cornue de Satan vient du dieu mâle cornu des Britanniques, antérieur au christianisme. "Les dieux des anciennes religions deviennent toujours les démons des nouvelles." (Evil: The Shadow Side of Reality, Crossroad, 1981).

63- Simon & Shuster, 1978.

64- Éventuellement, on voulait en accuser vingt-cinq, mais seulement six d'entre eux ont dû subir un procès. Le lieutenant Calley fut le seul condamné.

65- Ed. Peter A. French, (Cambridge, Mass.; Shenkman Pub. Co. 1972.)

66- Cette question est extrêmement importante et mérite beaucoup de réflexion et de recherches. Elle ne touche pas seulement le mal collectif en général, comme si ce n'était pas suffisant, mais elle est cruciale pour la compréhension de tous les phénomènes de groupe, qu'il s'agisse de relations internationales ou familiales.

67- Phrase tirée de la lettre de Ron Ridenhour.

68- "Le Chemin le moins fréquenté", J'ai lu, 1990.

69- Même les civils feront le mal très facilement si on leur demande d'obéir. Dans son excellent article "A psychology of Evil", (The Other Side, avril 1982,) David Myers a déclaré: "L'exemple d'obéissance le plus net est celui de Stanley Milgram. Sous les ordres directs d'un imposant commandant, soixante-cinq pour cent des sujets adultes obéirent intégralement aux instructions. Sur commande, dans une pièce adjacente, ils administrèrent ce qui ressemblait à des secousses électriques traumatiques à d'innocentes victimes hurlant de douleurs. Tous les sujets étaient des gens ordinaires: cols bleus, cols blancs et professionnels. Ils détestaient leur devoir. Malgré tout, l'obéissance l'emporta sur leur sens moral."

70- Myers, "A Psychology of Evil".

71- Une toute petite vignette personnelle pourrait servir à décrire la psychologie des soldats américains au cours de ces années. Il a fallu du temps avant que la nouvelle de notre défaite ne se répande à l'extérieur du Viêt-nam et atteigne le cerveau des militaires de carrière qui n'étaient pas directement impliqués. De 1968 à 1970, ma famille et moi avons vécu à Okinawa dans une zone militaire en majeure partie occupée par des officiers de carrière. La veille de Noël, en 1968, en compagnie d'amis, nous sommes allés chanter joyeusement dans le quartier. Les gens se penchèrent aux fenêtres, ouvrirent leurs portes, nous offrirent des rafraîchissements, nous complimentèrent ou même se joignirent à nous. L'aventure fut un tel succès que nous avons voulu la répéter la veille de Noël, en 1969. Nous avions les mêmes voix et nous anticipions les mêmes joies. Mais des changements radicaux s'étaient produits. Les maisons demeurèrent sombres et les fenêtres closes. Personne ne vint à la porte pour nous complimenter, ni ne se joignit à nos chants. En rentrant chez moi, ma femme et moi avons remarqué: "On dirait que toute la communauté est déprimée." À l'époque, nous n'étions pas au courant de tout. Aujourd'hui, nous savons qu'en effet la communauté était déprimée, et nous savons pourquoi.

72- Leon Wolf, "Little Brown Brother," (Doubleday, 1961).

73- "Le chemin le moins fréquenté", J'ai lu, 1990.

74- Il reste à savoir si les coupables connaissaient la différence entre le bien et le mal. Quand un criminel cherche à cacher son crime, il y a présomption de culpabilité. Considérant que le président Johnson eut recours à plusieurs moyens et à de nombreux mensonges pour cacher ses actions, nous pouvons présumer qu'il savait que ce qu'il faisait était mal, ou du moins inacceptable pour la société qu'il avait juré de représenter.

75- Certaines subtilités des massacres entre races différentes non seulement méritent d'être approfondies, mais sont également fascinantes. Parmi les propositions faites au Chef d'État-Major, propositions qui concernaient les aspects psychologiques de MyLai et qui furent rejetées dans leur totalité, on suggérait des recherches sur les différences entre races et entre cultures dans leur comportement non verbal.

Un jour que nous conduisions sur une petite route d'Okinawa, un enfant se précipita devant notre automobile. Nous avons dû freiner brusquement pour éviter de le frapper. Nous frémissions d'horreur et d'anxiété à la pensée des blessures que nous aurions pu lui infliger. Au bord de la route, la mère du garçon, une jeune citoyenne locale, nous regarda et se mit à rire et à glousser nerveusement. Toujours souriante, elle s'approcha pour cueillir son fils. Nous avons été submergés par une colère intense à la vue du spectacle. Nous étions là, tremblants, alors qu'elle riait comme si de rien n'était. Comment pouvait-elle être sans coeur à ce point? Ces Orientaux se fichent de la vie humaine, même de celles de leurs enfants. Nous aurions voulu la frapper avec notre automobile et lui demander si elle aimait cela!

Quelques kilomètres plus loin, nous avions retrouvé assez de calme pour comprendre que lorsqu'ils ont peur ou sont embarrassés, les gens d'Okinawa se mettent invariablement à sourire et à glousser. La femme avait eu aussi peur que nous et nous avions mal interprété son comportement. On peut donc se demander quelle avait été la réaction non verbale des Vietnamiens à MyLai, quand on les poussa au bout du fusil. Sont-ils tombés à genoux en pleurant et en implorant les soldats, comme nous, de race blanche, l'aurions probablement fait dans de pareilles circonstances? Ou encore, comme cette femme d'Okinawa, se sont-ils mis à rire et à glousser de terreur, suscitant par le fait même la colère des Américains, qui auraient pu s'imaginer qu'on riait d'eux? Nous ne le savons pas, mais c'est une des choses que nous avons besoin de savoir.

76- À Yalta, l'Angleterre reçut le mandat de "désarmer et rapatrier les Japonais, de même que rétablir l'ordre" dans le sud de l'Indochine à la fin de la Deuxième Guerre, mais elle choisit plutôt de rétablir le régime colonial français, malgré le fait qu'il s'agissait d'un régime de Vichy qui avait collaboré avec l'occupant japonais. Les troupes anglaises trouvèrent les Japonais déjà désarmés et un Viêt-Nam unifié sous l'égide du Viêt-minh. Ils s'empressèrent de réarmer les Japonais pour se renforcer et arracher le contrôle de Saigon des mains de Ho Chi Minh. Par la force, ils conservèrent leur occupation de Saïgon jusqu'à l'arrivée des troupes françaises, six mois plus tard. Ils se retirèrent après avoir remis Saïgon aux Français. La guerre française d'Indochine venait de commencer.

77- Matthieu 7:1.

77a-Matthieu 7:5

78- Plusieurs, dont Martin N. Gross dans "The Psychological Society," (Randon House, 1978,) déplorent l'emphase actuelle mise sur le "caractère psychologique," mais ils en ignorent les avantages tout en insistant sur ses abus. Ils n'en présentent pas une vue d'ensemble équilibrée.

79- Harper & Row, 1952, édition Perennial Library.

80- "The Great Divorce," (New York: Macmillan, 1946).

81- "The Mask of Sanity," 4e éd. (St Louis: C.V. Mosby, 1964).
82- "Raids on the Unspeakable," (New Directions Publishing Corp., 1964, édition de poche).
83- "Known," par le révérend docteur Charles K. Robinson, (Dukes Divinity School Review, hiver 1979).
84- Simon & Shuster, 1978.
85- Gale D. Webbe, "The Night and Nothing" (New York: Seabury Press, 1964).
86- "The Lion, the Witch and the Wardrobe," (Collier/Macmillan, 1970).

MES NOTES DE LECTURE

MES NOTES DE LECTURE

MES NOTES DE LECTURE

MES NOTES DE LECTURE

MES NOTES DE LECTURE

MES NOTES DE LECTURE

MES NOTES DE LECTURE

MES NOTES DE LECTURE

MES NOTES DE LECTURE

MES NOTES DE LECTURE

MES NOTES DE LECTURE

TRI-GRAPHIC